Николай ЛЕОНОВ

Алексей МАКЕЕВ

МОСКОВСКИЙ ИНКВИЗИТОР

ЭКСМО
Москва
2014

УДК 82-3
ББК 84(2Рос-Рус)6-4
Л 47

Оформление серии *Г. Саукова, В. Щербакова*

Иллюстрация на суперобложке *В. Петелина*

Серия основана в 1993 году

Леонов Н. И.
Л 47   Московский инквизитор / Николай Леонов, Алексей Макеев. — М. : Эксмо, 2014. — 416 с. — (Черная кошка).

ISBN 978-5-699-72443-7

Высокопоставленный чиновник Николай Егоров подозревается в совершении крупного экономического преступления. Заведено уголовное дело, но Егоров не сильно переживает. Он уверен, что деньги и связи помогут ему выйти сухим из воды. Когда же чиновник узнает, что расследованием будет заниматься полковник Лев Гуров, от его уверенности не остается и следа. Ведь всем известно, что откупиться от принципиального московского сыщика невозможно. Но что делать? Не садиться же в тюрьму, в самом деле... Егоров разрабатывает хитроумный и коварный план. Он натравливает на Гурова «инквизиторов» из Управления собственной безопасности...

УДК 82-3
ББК 84(2Рос-Рус) 6-4

ISBN 978-5-699-72443-7

Московский инквизитор

РОМАН

Пятница

Бабье лето в этом году отменили. Вместо высокого, пронзительно-голубого, прозрачного неба и ласкового, нежаркого солнца над головой нависали темно-серые, унылые и навевавшие тоску облака, постоянно плачущие то мелким нудным дождичком, то затяжными буйными ливнями. Да и под ногами было не лучше: вместо яркого, весело шуршащего осеннего разноцветья ходить приходилось по грязной липкой каше из опавших листьев и мусора. Одним словом — слякотная осень.

А вот собравшимся в этот вечер в особняке министра правительства Московской области Николая Владимировича Егорова по случаю дня рождения его супруги гостям все немилости погоды были до самой высокой лампады: в столовой ярко горели люстры, раздавался звон бокалов и беззаботный смех новых хозяев жизни и лиц, к ним приближенным. Тот факт, что хозяин дома находился под следствием и подпиской о невыезде из-за возбужденного против него уголовного дела о финансовых махинациях, никого не волновал, и самого Николая Владимировича в первую очередь — не он первый, не он последний. Среди тех, кто сидел сейчас с ним за одним столом, многие побывали на его месте, и ведь обошлось — для того и существуют адвокаты, чтобы вытаскивать клиентов, только скупиться на них не надо. Да и полицейские тоже кушать хотят. Правда вот, аппетиты у всех разные в зависимости от занимаемого положения, но это тоже дело совсем обычное. Как говорится, не подмажешь — не поедешь. Точнее, если не подмажешь, то поехать можно как раз очень далеко и надолго. Но Егоров был уверен, что это не его случай — он уже занес в некоторые высокие кабинеты пухлые конверты и получил твердые заверения в том, что лично ему ничто не грозит и дело спустят на тормозах. Так что в этот праздничный вечер его настроение ничто не омрачало.

Веселье было в самом разгаре, когда к нему подошел один из охранников и прошептал на ухо:

— Николай Владимирович, к вам пришел человек на костылях. А вы предупреждали...

— Все правильно, — тихо сказал Егоров, мгновенно став серьезным. — Проведи его в мой кабинет.

Охранник ушел, а Егоров поднялся из-за стола, мило улыбнулся гостям и сказал, что оставит их на несколько минут, чтобы решить кое-какие домашние проблемы.

Когда он вошел в кабинет, там его уже ждал очень просто одетый худощавый мужчина неопределенного возраста, его костыли были прислонены к столу.

— Что-то случилось? — спросил Егоров, на что мужчина только глянул в его сторону и отвернулся. — Прости, глупость сказал. Должно было случиться нечто из ряда вон, чтобы ты пришел. Ты же сам говорил, что нас никто и никогда не должен видеть вместе. Так, что именно произошло?

— То, что в твоем деле непонятно как и непонятно откуда вдруг появился след, который, если его не оборвать, приведет к некоторым неприятным случайностям с летальным исходом, произошедшим с некоторыми людьми. А ведь я тебя предупреждал, что не стоит так увлекаться, достаточно было просто напугать, — ровным голосом напомнил гость и недоуменно спросил: — Ну, откуда в тебе эта кровожадность?

— Этого не может быть! — растерянно пробормотал Николай Владимирович. — Тут даже под лупой никто ничего не найдет!

— Этот найдет! — уверенно заявил гость. — Мне недавно позвонил человек, которому ты дал для связи мой номер телефона, и сказал, что принято решение подключить к расследованию твоего дела группу полковника Гурова. Причем кандидатура эта предложена сверху, и предложена так, что отказаться было невозможно.

— Черт! Значит, придется опять платить! Когда уже они нажрутся? — помотал головой Егоров.

— Не придется, — усмехнулся гость. — Он не берет.

— Все берут! — уверенно заявил Николай Владимирович.

— Этот — исключение, — не менее уверенно сказал гость. — И надавить на него тоже невозможно. Ты знаешь, что я периодически общаюсь с некоторыми людьми?

Егоров кивнул и удивленно пожал плечами:

— И охота тебе со всякими уголовниками якшаться?

— Во-первых, они бесценный кладезь нужной информации, а во-вторых, нужно же представлять себе, как живут люди по ту сторону закона, вдруг и самим придется там оказаться, — заметил гость.

— Типун тебе на язык! — буркнул Егоров и поплевал через левое плечо.

— От тюрьмы и сумы... Ну, и далее по тексту, — усмехнулся гость. — Но я это к тому, что они очень хорошо знают Гурова и много мне о нем рассказали. Так вот, полковник этот из-за своей честности в большом авторитете по обе стороны закона. Характер у него тяжелый, а хватка мертвая. Если уж он во что-то вцепится, то не отступит, пока до конца все не выяснит.

— И уголовники его за это уважают? — рассмеялся Николай Владимирович.

— Его уважают за то, что слово он свое всегда держит и еще никогда в жизни ни на кого, даже самого отъявленного негодяя, лишнего не навесил, — объяснил гость.

— Тогда, может быть, его проще убрать? — предложил Егоров.

— Опять ты за свое! — вздохнул гость. — Ну, просчитывай ты ситуацию хоть на несколько ходов вперед! — И стал втолковывать Николаю Владимировичу, как учитель двоечнику-второгоднику: — Во-первых, сделать это некому, причем по твоей же вине! Я что предлагал? Оставить человека на достойном пособии, объяснив ему, что работы больше нет, а ты решил вопрос кардинально! Зачем? — Егоров отвернулся и ничего не ответил. — Да, он стал строить из себя невесть что, напускал туману и загадочности, но никогда не сказал бы ничего лишнего, потому что получить пожизненный срок никому не хочется. Ладно! Что сделано, то сделано и обратно не вернуть. А ни времени, ни возможности найти надежного исполнителя для этого дела у тебя нет. К тому же убить Гурова очень сложно — некоторые неразумные люди не раз пытались это сделать, только часть из них уже на том свете, а остальные кушают не то, что хотят, а то, что им дают, и делать это будут еще очень долго. Для нас сейчас важно то, что Гуров пока ни о чем не знает, ему обо всем сообщат только в понедельник, так что у нас в распоряжении есть два дня. Если же Гурова убьют после того, как он уже подключится к твоему делу, — это прямая дорога к тебе. Тебе это надо?

Николай Владимирович продолжал сидеть за столом, отвернувшись, чтобы гость не видел, как зло скривились его губы — эта нотация выводила его из себя, но он ничего не мог возразить, и это бесило его еще больше. А гость тем временем продолжал:

— Скажу тебе больше, коллеги очень не любят Гурова за его независимость, ум, выдающиеся аналитические способности, потому что никто не любит тех, кто умнее, а Гуров из-за своего характера даже не скрывает своего отношения к тем, кого считает глупее себя. У него есть всего несколько друзей и только! Но! Если его, живую легенду МУРа, убьют, то на поиски его убийцы бросятся все! И не успокоятся до тех пор, пока не найдут! Так что твое предложение считаю нерациональным!

— Ну, тогда предложи что-то рациональное! — огрызнулся Егоров.

— А я уже все продумал, — небрежно заявил гость, и Егоров, вздрогнув, быстро повернулся к нему.

— Ну так что ж ты мне душу мотаешь? — с сердцем сказал он. — Сколько?

— Ты сначала выслушай, а потом будем решать, — задумчиво сказал гость и, помолчав, начал рассуждать: — Для нас главное, чтобы Гурова НЕ подключили к твоему делу. Если его кандидатура отпадет, то с остальным все будет просто —

каналы у тебя налажены. Поэтому самый надежный вариант — скомпрометировать Гурова, причем так, чтобы им занялась служба собственной безопасности. Тут уж он надолго завязнет.

— Ты говори, что делать надо! — нетерпеливо потребовал Егоров.

— Я тут навел о нем справки и выяснил, что служба собственной безопасности уже вплотную интересовалась Гуровым, но тогда он выскользнул. И им это очень сильно не понравилось.

— Ты же говорил, что он не берет, — воскликнул Николай Владимирович.

— Гуров не берет, но! Как достоверно известно, по окончании следствия некоторые люди его благодарили, но преподносили подарки не ему лично, а его жене, актрисе Марии Строевой. Джип «Лексус» последней модели, шубки, бриллианты... Может быть, что-то еще, но я об этом просто не знаю.

— То есть по факту, — уточнил Егоров.

— Да! — кивнул гость. — Совсем недавно Гуров закончил дело некоего Александрова, которого обвиняли во всех смертных грехах, и ему могло светить даже пожизненное. Но Гуров доказал его непричастность к тяжким преступлениям, и Александров получил только за свое. Таким образом, если тайком подсунуть его жене якобы от Александрова какой-то ценный подарок и сообщить об этом в службу собственной безопасности, то в отношении Гурова начнется служебное расследование. На это время он будет отстранен от службы и, таким образом, твоим делом заниматься не сможет. Вот тебе очень элегантный, а главное, бескровный метод решения вопроса. Самое главное, чтобы эта вещь никак не была связана с тобой, чтобы при самом тщательном расследовании к тебе даже тонюсенькая ниточка не привела.

— Так что же ей подсунуть и как? — Поняв, что его проблему гость, как всегда, решил, Егоров вздохнул с облегчением.

— Как — я уже решил, — отмахнулся гость и объяснил: — У нее завтра премьера, цветов ей подарят море. Нужно будет просто положить эту вещь в корзину с какими-нибудь дороги-

11

ми цветами, где ее потом и найдут, причем с запиской от Александрова. Вот пусть потом Гуров и объясняется со службой собственной безопасности. Давай думать, что это будет конкретно. Вещь должна быть небольшая, но очень дорогая и необычная.

— Можно что-то из драгоценностей жены, — предложил Егоров, и гость, возведя глаза к потолку, застонал. — Понял, не подумал, — пошел на попятную Егоров и, помолчав, воскликнул: — А если просто деньги?

— Кого сейчас этим удивишь? — хмыкнул гость. — Нет, это должно быть нечто особенное! Чтобы народ ахнул и сказал: «А Гуров-то, оказывается, еще как берет! Только по мелочам не работает! Уж хапает так хапает!» Оптимальный вариант, чтобы вещь была... — он задумался. — Ну, с душком! Только вот искать ее времени нет.

Егоров поднялся и начал расхаживать по кабинету, а гость сидел, откинувшись на спинку стула, и равнодушно рассматривал картину на стене — он свое дело сделал, пусть теперь Егоров себе голову ломает. Наконец Николай Владимирович, остановившись перед гостем, сказал:

— Есть у меня такая вещь. И дорогая, и с душком. — Гость внимательно смотрел на него, ожидая подробностей, и тот, помолчав, продолжил: — Ты же знаешь, чем занимался мой отец?

— С законом не дружил, — заметил тот.

— Короче, перед переездом в Москву я продал дом с участком, и покупатели потребовали, чтобы я все оттуда сам вывез. Они собирались делать капитальный ремонт, так что им одни только голые стены и требовались. Ну, и заодно сарай освободил — они там на время ремонта жить собирались. Вот там-то я в ящике с инструментами одну вещь и нашел. Отец гвозди, шурупы, гайки и все прочее по жестяным коробкам из-под халвы, леденцов и чая держал. Сам не пойму, зачем я их открывать стал, — пожал плечами Егоров. — Ну, в общем, в одной из коробок она и лежала, в газету завернутая. В нашей семье этой вещи никогда не было и быть не могло, так что папаша ее у кого-то увел, но вот у кого, теперь уже у него не спросишь — мне четырнадцать было, когда он погиб. Я ее никогда в жизни никому не показывал — понимал же, что ворованная.

— То, что ворованная, это прекрасно, но действительно ли она дорогая? — уточнил гость.

— Камешки в ней точно настоящие, потому что я проверял — стекло режут, как нож масло.

— То, что надо, — удовлетворенно заметил гость. — Дорогая, ворованная и к тебе никакого отношения не имеет. — И, наконец, поинтересовался: — А что это?

— Сейчас покажу, — пообещал Николай Владимирович.

Он достал из сейфа жестяную коробочку из-под карамели, открыл, и там, по-прежнему завернутый в старую газету, лежал некий предмет. Он вытряхнул его на стол, развернул пожелтевшую газету, и в кабинете вдруг словно стало светлее — это вспыхнули камни в небрежной кучкой лежавшем украшении. Гость расправил его, и оказалось, что это колье из крупных изумрудов в обрамлении бриллиантов.

— Пойдет, — просто сказал гость и поинтересовался: — Не жалко?

— Знаешь, — подумав, сказал Егоров, — папаша у меня дураком не был и городских барыг не понаслышке знал, но раз он не решился эту штучку сбагрить, значит, опасался чего-то. Может быть, за ней и убийство стоит. Она у меня уже давно без толку лежит, и если ты гарантируешь, что твоя идея сработает и этот Гуров до меня не доберется, то пусть хорошему делу послужит.

— А ты не забыл, как сам мне говорил, что мы в одной связке? — криво усмехнулся гость. — А что собой представляет Гуров, можешь поинтересоваться у кое-каких своих знакомых, но только после понедельника, — предупредил он. — Меня здесь никто никогда раньше не видел, а как объяснить мой сегодняшний визит, придумай сам.

Гость начал осторожно складывать колье, чтобы оно снова поместилось в коробку, и тут вдруг резко распахнулась дверь, и в кабинет влетела жена Егорова. Судя по виду, она уже крепко выпила и была взбешена настолько, что с ходу начала скандалить:

— Коля! У тебя совесть есть? Бросить гостей и меня в такой день! Какого черта ты здесь отсиживаешься? Тебя там уже все заждались! Если хотел испортить мне день рождения, то мог бы его просто не устраивать!

Егоров не успел и слова сказать, как женщина, увидев гостя, переключилась на него:

— Опять этот попрошайка! Опять пришел деньги с моего мужа тянуть! Сколько можно? Хромай отсюда, пока цел, а то я сейчас прикажу охранникам тебя, как мусор, выкинуть! Калека чертов!

Пока она орала, гость успел убрать колье в коробку и сунуть ее в карман, а потом взял костыли и стал подниматься со стула. Разъяренный Егоров подскочил к жене и влепил ей такую пощечину, что она мигом заткнулась, а потом почти проорал ей в лицо:

— Заткнись, шалава! Таких тварей, как ты, в Москве больше, чем грязи! Ты у меня третья и явно не последняя, потому что дура набитая! А он — один-единственный и других не будет! Поняла, сука!

Мигом протрезвевшая женщина только хлопала глазами и, как рыба, беззвучно открывала рот, а Николай Владимирович резко развернул ее к двери и вытолкнул из кабинета.

— Запоздалый урок, — покачав головой, заметил гость. — Раньше надо было учить, чтобы без стука в кабинет не вламывалась. И сказал ты сейчас много лишнего. Ты отправь-ка ее завтра прямо утром куда-нибудь отдыхать, да подальше, да на подольше.

— Обойдется! — отмахнулся Егоров.

— Ты не понял, — укоризненно сказал гость. — То, что она меня видела — полбеды, но она видела вот это, — он похлопал себя по карману, где лежала коробочка, и объяснил: — Я его в тот момент еще не успел убрать. Сейчас она еще не поняла, что именно увидела, но вот потом может и вспомнить, и понять. Так вот, чтобы у нее мысли были другим заняты, а новые впечатления вытеснили старые, ты ее и спровадь. Только, пожалуйста, не злобствуй, а то с тебя станется.

— Да ну тебя! — поморщился Николай Владимирович. — Как обратно доберешься?

— Моя проблема, — ответил гость. — И провожать меня не надо, сам выход найду. А ты иди праздновать дальше, а то и так подозрительно долго беседовал с, — он усмехнулся, — попрошайкой.

Гость вышел, а Егоров, сев к столу, уставился на закрывшуюся за ним дверь. Он никогда не интересовался, где живет этот человек, чем еще занимается, почему одевается, как нищий, тратит ли свои деньги или копит их на что-то. Главным было то, что он всегда, как это случилось и сегодня, решал его проблемы, а большего Егорову не надо было. И если бы не этот человек, то так и сидел бы он в служебном кабинете, вымогал взятки, конверты с деньгами складывал в ящик, пока не накрыли бы. Никогда в жизни он сам не додумался бы до такой простой, но очень эффективной схемы, приносившей при минимальном нарушении закона баснословную прибыль, которую, однако, приходилось делить с гостем ровно пополам. А вот о том, что Егоров распространил эту схему еще кое на какие сферы деятельности, но уже без участия гостя, и совсем с другими людьми, которым с его барского стола доставались объедки, но они и этому были рады, тот не знал! Это было маленькой тайной местью Егорова ему, потому что, как правильно заметил гость, никто не любит тех, кто умнее тебя. И довольный тем, что ему больше ничто не угрожает, Николай Владимирович пошел праздновать дальше.

Суббота

Премьера удалась! Шестнадцать выходов на поклон — это ли не триумф? Мария чуть не валилась с ног от усталости, но была счастлива бесконечно. Подаренные ей благодарными зрителями на сцене букеты уже не помещались у нее в руках, и их просто складывали на сцену. Но вот занавес опустился окончательно, и артисты стали расходиться по своим гримуборным. Лежавшие на сцене цветы Мария забирать не стала, да и не

15

смогла бы — рук бы не хватило, и ушла, зная, что их тут же разберут ее коллеги. Не в первый раз такая история происходила, и все выглядело вполне достойно — это не она им с барского плеча букеты раздает, а они сами берут. К тому же она знала, что самые давние и верные почитатели ее таланта обязательно придут к ней в гримерку, чтобы лично выразить свое восхищение и преподнести цветы, несравненно более красивые и дорогие.

В своей гримерке, где царила единовластно — ей, как приме, соседей не полагалось, — она даже не стала переодеваться, зная, что скоро потянутся визитеры. Так и случилось: не успела она свалить букеты на диван, как в дверь постучали, и она, «нацепив» дежурную улыбку, отозвалась. Люди входили, вручали корзины цветов, целовали руку, рассыпались в самых восторженных комплиментах и уступали место следующим. Многих из поклонников она знала лично, но были и новые люди. Один из таких, очень дорого и со вкусом одетый мужчина преподнес ей корзину роскошных желтых роз, выразил восхищение ее игрой, поцеловал руку и ушел. Мария благосклонно все приняла, улыбалась ему, как и остальным, но вот когда наконец осталась одна, стала задумчиво рассматривать эту корзину и, судя по виду, мысли в этот момент у нее в голове были самые нерадостные, а от ее прекрасного настроения и следа не осталось.

Полковник-важняк Лев Иванович Гуров и его троюродный племянник Александр Васильевич Вилков, по совместительству старший лейтенант полиции, работавший теперь в группе Гурова, ждали Марию после премьеры дома. Завзятыми театралами ни тот, ни другой не были, так что Мария уже давно смирилась с тем, что ее очередной триумф они разделят с ней дома. Стол был накрыт, шампанское мерзло в холодильнике, а вот виновница торжества задерживалась. Лев уже совсем было собрался позвонить ей и узнать, не случилось ли что-нибудь, как раздался звонок в дверь.

— Ну наконец-то Маша соизволила вспомнить о том, что у нее есть семья, — усмехнулся Гуров. — Странно, что ногой в дверь не стучит, обычно у нее руки так цветами заняты, что не то что ключи достать, а даже на звонок нажать не может.

Он открыл дверь и с удивлением увидел за ней своего давнего приятеля телевизионщика Александра Турина, а рядом с ним — оператора с камерой в руках.

— Турин! Ты в своем уме? — удивленно спросил он. — Мария сейчас уставшая приедет, ей только до интервью и съемок! Разворачивайся!

— Лева! Она тебя не предупредила? — не менее удивленно спросил тот. — Она же мне сама недавно позвонила и сказала, что хочет дать интервью сразу же после премьеры, так сказать, по свежим следам, чтобы поделиться впечатлениями и так далее, причем у себя дома. Ты характер Машин не хуже меня знаешь. Если бы я сюда самовольно явился, то летел бы потом кубарем по лестнице, ступени пересчитывая. И это несмотря на то, что когда-то именно благодаря мне вы и поженились.

— Не передергивай! Ты нас всего лишь познакомил, — поправил приятеля Лев, судорожно пытаясь понять, что именно и зачем Мария затеяла, а потом смирился: — Ладно! Заходите!

Переодевшись, Мария вынесла из своей гримерки несколько букетов и корзин с цветами, в том числе и с желтыми розами, и положила их на пол возле стены. Ничего необычного в этом опять-таки не было, она уже неоднократно так делала — это тоже предназначалось для других артистов и прочих работников театра. Те же цветы, которые Мария решила взять домой, она упаковала в большие черные полиэтиленовые пакеты, которые обычно используются для мусора, поместила их на заднее сиденье своей машины и поехала домой. Едва она тронулась с места, как сидевший в припаркованной неподалеку машине мужчина позвонил кому-то по сотовому и сказал: «Она выехала, встречайте».

Оставив машину на стоянке возле дома, Мария забрала цветы и спокойно направилась домой. Она нажала на звонок, когда услышала, как открывается соседняя дверь, и повернулась, чтобы поздороваться. Но кроме соседей, пожилой супружеской четы, там оказались двое незнакомых мужчин, которые мгновенно предъявили открывшему дверь Гурову свои служебные удостоверения, заявив:

— Управление собственной безопасности.

— Чем обязан? — неприязненно спросил Лев — эту службу он не любил, и оснований для этого у него было предостаточно.

— Ознакомьтесь, — сказал один из мужчин, протягивая ему лист бумаги.

— Обыск? — удивился Гуров. — На каком основании?

— Нами получена агентурная информация о том, что вам передана взятка в особо крупном размере. Предлагаем выдать ее добровольно. Понятые, как вы видите, присутствуют. Сопротивление оказывать будете? — насмешливо спросил мужчина — видимо, он был в этой паре за старшего.

— Ни в коем случае, — ответил Гуров, который уже сложил в уме два и два и понял, откуда вдруг взялось желание Марии дать интервью сразу же после премьеры, причем именно у себя дома, и, открыв дверь пошире, пригласил: — Проходите, — и тут же позвал: — Турин! Твой выход!

— Всегда готов! — отозвался тот. — Я все слышал и горю желанием рассказать широкой общественности об очередном проявлении беспредела, творимого российской полицией.

Увидев нацеленный на них объектив камеры, полицейские на несколько мгновений растерялись, но быстро опомнились, и один из них бросился к оператору, чтобы отобрать камеру.

— В присутствии свидетелей? — весело воскликнул Турин. — Ребята! Спасибо за горячий материал! Он так прозвучит!

— Прекратите снимать! — едва сдерживаясь, приказал старший из полицейских.

— Свобода прессы, свобода слова, — развел руками Турин. — Имеем право! Кстати, представьтесь, пожалуйста, а то, как я слышал, своих имен вы так и не назвали, а страна должна знать своих героев.

— Полковник Гуров видел наши удостоверения, — отрезал один из мужчин.

— Вы их так быстро убрали, что я не только не успел запомнить имена, но даже удостовериться в их подлинности. А они вполне могут оказаться поддельными, и тогда это обыкновенный «разгон», самочинный обыск, производимый лицами, не имеющими на это никакого права, в целях собственного обогащения либо с иными преступными целями, — хладнокровно парировал Лев. — Будьте добры предъявить их еще раз, как старший по званию, я имею на это право.

— Пока старший, — буркнул один из полицейских.

— Время покажет, — усмехнулся Лев. — Итак, я жду!

Полицейским ничего не оставалось делать, как снова предъявить удостоверения, но из рук они их не выпускали, что не помешало Гурову вслух прочесть их имена:

— Капитан Задорожный и майор Лесков. Ну вот и познакомились. А теперь давайте к делу, — предложил Лев и спросил: — Что вы собирались здесь найти?

— Старинное и очень дорогое колье, которое было передано вам через жену от рецидивиста Александрова в качестве благодарности за то, что вы развалили его дело. Оно было спрятано в корзине с желтыми розами. Предлагаю выдать его добровольно, — с ненавистью глядя на Гурова, сказал Лесков.

— Как оно выглядит? — поинтересовался Лев.

— Неизвестно, — сухо ответил Задорожный.

— Черная кошка в темной комнате, при том, что ее там еще и нет, — хмыкнул Гуров.

— Все цветы, что я привезла из театра, здесь, ищите сами, — спокойно сказала Мария.

Тщательно упакованные букеты были безжалостно разобраны, а корзины только что наизнанку не вывернуты, но ни колье, ни желтых роз не нашли. Лесков вышел на лестничную площадку, явно чтобы позвонить начальству, и, вернувшись, потребовал:

— Предъявите для осмотра ваши вещи!

Мария без возражений взяла свою сумочку и вывалила ее содержимое на столик в прихожей — обычная женская мелочь, среди которой колье не оказалось.

— Выверните все свои карманы, — продолжал он.

Мария и это сделала, и с тем же успехом.

— Надеюсь, вы не собираетесь проводить личный обыск моей жены, — ледяным тоном спросил Лев.

— А почему нет? — язвительно поинтересовался Задорожный.

— Тогда нужно было взять с собой женщину-полицейского, — заметил Лев и спросил: — Судя по вашим словам, эту корзину с желтыми розами вручили моей жене сегодня?

— Да, после спектакля, непосредственно в гримерке, — ответил Задорожный.

— Вы задержали человека, который это сделал? — продолжал интересоваться он.

— Тайна следствия, — отрезал Лесков.

— Значит, нет, — сделал вывод Лев. — Гримерка моей жены обыскана? Там эта корзина нашлась?

— Это уже не ваше дело, — взбесился Лесков. — Что вы мне здесь допрос устраиваете? Скоро сами будете на вопросы отвечать! И не у себя дома!

— Значит, там ее тоже не оказалось, — кивнул Гуров. — Маша, куда ты ее дела?

— Ну ты же знаешь, что я терпеть не могу желтые розы, — удивилась она. — Я ее выставила в коридор вместе с другими цветами. Я же не грузчик, чтобы таскать такие тяжести, а моя машина — не грузовик.

— Полагаю инцидент исчерпанным, — сказал Гуров. — Ни я, ни старший лейтенант Вилков сегодня в театре не были и, таким образом, ничего взять у Марии не могли, а у нее самой колье нет. Всего доброго.

— Но вы не учитываете того, что она могла достать его оттуда и куда-то спрятать, чтобы забрать позднее, — язвительно сказал Лесков.

— Делать мне было больше нечего! — фыркнула Мария. — Мне подарили столько цветов, что, вздумай я разбирать все букеты, провозилась бы до утра.

— Но вы могли знать, где именно искать, — ехидно заметил Задорожный. — Вдруг муж вам указал точное место? Вы достали, спрятали в укромном месте, потом выставили корзину в ко-

20

ридор и явились домой с самым невинным видом. Гражданка Строева! Вы задержаны! Имеем право на 48 часов без предъявления обвинения. Господин полковник! Мы закон не нарушили?

Возразить на это Гурову было нечего.

— Собирайтесь, гражданка Строева! — велел ей Лесков.

Если Мария и растерялась, то виду не подала, а просто спросила у мужа:

— Лева! Подскажи, что мне лучше надеть и взять с собой.

— Спортивный костюм и туалетные принадлежности, а покушать тебе сейчас Сашка соберет — ты же после спектакля не то что не поужинала, а даже глотка воды не выпила, — только и мог ответить Гуров.

Мария ушла переодеваться и вернулась уже в спортивном костюме и с полиэтиленовым пакетом в руках.

— А вот теперь мы будем проводить полноценный обыск, — торжествующе заявил Лесков.

— Основание? — потребовал Лев.

— Колье могло быть спрятано на теле вашей жены и, переодеваясь в спальне без свидетелей, она могла его куда-то перепрятать, — невинно пояснил Лесков.

— Ночной обыск? Ну-ну! — покачал головой Лев, а потом кивнул, словно разрешая: — Ищите! Турин! — он повернулся к нему. — Бди! А то еще подсунут что-нибудь!

— Глаз не спущу! — заверил тот.

Предвкушая, какой сенсационный материал он выпустит в эфир, если повезет, уже в ночных новостях, Турин вел себя, как взявшая след гончая, а уж утром он развернется вовсю — спать не будет, есть не будет, но бомба получится такая, что рванет на всю страну. А вот изо всех сил старавшийся сохранить внешне спокойный вид Гуров мысленно поклялся страшно отомстить всем инициаторам этой затеи — в том, что Александров здесь ни при чем, он был уверен на тысячу процентов, потому что тот дураком не был никогда.

— Маша, иди и поешь, — попросил он жену. — Это надолго.

Мария скрылась в кухне, а Гуров остался наблюдать за тем, как их уютная квартира превращается черт знает во что — на городской свалке порядка больше. Турин и оператор не отставали от полицейских ни на шаг, фиксируя каждое их движение, а вот понятые, которым и следовало за всем этим наблюдать, мирно устроившись на диване, дремали — время-то ночное, а у них возраст. Как и ожидалось, обыск ничего не дал. Когда был составлен протокол и понятых решили разбудить, чтобы они его подписали, Гуров резко запротестовал:

— Эти люди спали и ничего не видели, а вот телевизионщики были свидетелями всего, пусть они и подписывают.

— С большим удовольствием, — охотно согласился Турин, да и оператор не отказался.

Марию, слава богу, что еще наручники недодумались надеть, повели к машине, Гуров с Вилковым решили ехать за ними следом, а вот Турин отправился в Останкино, шепнув Гурову на прощанье:

— Смотри новости, Лева! Я их размажу таким тонким слоем, что уже никто и никогда в жизни обратно не соберет.

«Господи! — подумал Лев. — Да если бы можно было, то он даже из своих собственных похорон сенсацию бы сделал!»

В ИВС дежурный, увидев Гурова, глазам своим не поверил, но тот отвел его в сторону и шепнул:

— Это моя жена. Произошло чудовищное недоразумение, так что она тут ненадолго. Постарайся, чтобы с ней ничего не случилось, — и, протягивая визитку, сказал: — В случае чего, звони мне немедленно на сотовый. Взяток и сам не беру и другим не даю, но друг я надежный.

— Лев Иванович! Зачем обижаете? — возмутился тот. — Будем обращаться, как с хрустальной вазой. Я ее в хорошую камеру помещу, к мошенницам. Они тихие.

Когда формальности были закончены, Мария повернулась к мужу:

— Не волнуйся, Лева! Любой жизненный опыт полезен — вдруг когда-нибудь доведется преступницу играть.

— Маша, это ненадолго, — твердо заверил ее Лев.

Он и Вилков вышли из ИВС, и Лев тут же позвонил генерал-майору Петру Николаевичу Орлову, своему непосредственному начальнику, но в первую очередь давнему другу, и, конечно же, разбудил его.

— Лева! Что случилось? — сонным голосом спросил тот.

— Машу задержали, она в ИВС, — кратко ответил Гуров.

— Что?! — проревел тот, окончательно просыпаясь.

— То, что слышал. Мы с Сашкой едем к тебе, а ты пока Стаса вызови, — попросил Лев.

Несмотря на то что улицы Москвы в этот час были довольно пустынными, Лев ехал, соблюдая все правила дорожного движения — еще не хватало сейчас напороться на гаишников, и так проблем выше крыши. К их приезду на столе в кухне было накрыто что-то вроде раннего завтрака — супруга Петра Николаевича за годы их совместной жизни привыкла ко всем сложностям полицейской службы и научилась правильно на них реагировать. Гуров и Вилков приехали первыми, но и Станислав Васильевич Крячко, тоже полковник-важняк и третий член этой дружной команды, не заставил себя ждать. Услышав о том, что произошло, Орлов с Крячко, уж на что битые жизнью мужики, просто онемели.

— Лева, кому ты дорогу перешел? — спросил Петр Николаевич.

— Сам ничего не могу понять, потому что не было у меня в последнее время таких дел, чтобы я чьи-то высокопоставленные мозоли оттоптал, — пожал плечами Гуров. — А тут настоящую свору цепных псов на меня спустили. И чувствую я, что это еще не конец. Они во все тяжкие пустились, чтобы меня утопить! Найду того, кто за этим стоит, башку отверну лично!

— А я помогу! — поддержал приятеля Стас. — И вот что я вам скажу: это не Александров! Он, конечно, бандит со стажем...

— И поэтому точно знает, что Гуров не берет, — кивнул Петр. — А чтобы так подставить Леву, у него мозгов не хватит, тут чья-то другая голова сработала. И я бы ее тоже с большим удовольствием открутил к чертовой матери.

— Петр Николаевич, а может, это упреждающий удар? Чтобы дядя Лева чего-то не смог сделать? — тихо высказал свое мнений Вилков, называвший Гурова по-родственному только среди своих.

— А! — отмахнулся от него Орлов. — Да ничего ему никто поручать не собирался, я бы знал.

— Адвокат Марии нужен, самый лучший. Ее же завтра утром на допрос вызовут, — сказал Гуров. — Кого бы нанять?

— Ночь на дворе, — напомнил Стас.

— А мне плевать! — разозлился Лев.

— Тебе нужен не самый лучший, а самый скандальный, который такую волну поднимет, что недругов твоих с головушкой утопит, а такому можно позвонить в любое время, — посоветовал Орлов. — Мне кажется, Любимов подойдет.

— Крыса он редкая! — с ненавистью процедил Крячко. — Я помню, как он Волоскова отмазал, а тот был в дерьме по самые уши. И ведь получил-то условно!

— Значит, это мы плохо сработали, что он смог прорехи в деле найти, — остудил его праведный гнев Гуров. — В другое время руки бы ему не подал, но сейчас... — он вздохнул. — Он действительно самый лучший?

— А ты еще на примере Волоскова не убедился? — хмыкнул Стас.

— Ладно! Уговорили! Только где бы его телефон найти? — смирился с неизбежным Лев.

В этот момент зазвонил его сотовый — это был Турин:

— Лева! Включи круглосуточный новостной! Сейчас сюжет пойдет! А уж утром я ударю во все колокола! — радостно пообещал он и, спохватившись, добавил: — Да! Я сейчас с Любимовым созвонился, он как раз по таким делам специалист. Он готов взяться за это дело. Пиши номер.

Гуров записал номер и, отключив телефон, взял лежавший на столе пульт от небольшого кухонного телевизора. Он щелкнул кнопкой и сказал:

— Сейчас сами все увидите.

И Петр со Стасом действительно увидели! Матерясь сквозь намертво стиснутые зубы, они смотрели то, что недавно происходило в квартире Гурова. Репортаж был эмоционально накален, а закадровые комментарии Турина — до невозможности язвительны в адрес полиции и бесконечно сочувственны по отношению к Гурову и Марии. И хотя это были только выжимки, но и этого хватило, чтобы привести всех четверых в чувство неконтролируемой ярости, потому что, находясь на месте происходящих событий, Гуров и Вилков не могли оценить ситуацию полностью, но теперь, глядя со стороны, сжимали кулаки от бешенства. Закончил же Турин пафосно-патетически:

— Полицейский беспредел в России набирает обороты. Кто же положит этому конец? Неужели власти страны стали настолько беспомощны, что не в силах справиться с подконтрольными им силовыми структурами? Или не хотят? Мы будем следить за развитием ситуации, и очередной выпуск специального журналистского расследования будет посвящен этим возмутительным событиям. Но выйдет он не как обычно, в пятницу, а завтра, в 16 часов. Не думаю, что правоохранительные органы решатся направить к нам своего представителя, но я уверен, что творческая интеллигенция столицы не откажется обсудить в прямом эфире новые проявления полицейского беспредела, творимые по отношению к законопослушным гражданам нашей страны. Следите за анонсами передачи.

— Ладно, — сказал Орлов. — Отматерились, и будя. Надо дело делать, звони Любимову. Не заставляй уважаемого адвоката себя ждать.

Едва Лев взял телефон, как тот зазвонил. Номер был незнакомый, но Лев ответил — это оказался дежурный ИВС. Он долго колебался: звонить или нет, а потом подумал, что лучше рискнуть. О том, что некоторые генералы не без содействия Гурова сменили место работы на гораздо менее престижное, а то и вовсе со службой и свободой распрощались, в полицейских кругах Москвы не знал только глухой. Вот и получалось, что иметь такого человека врагом — себе дороже, тем более что он все равно скоро все и сам узнает, так что лучше уж вовремя прогнуться.

— Лев Иванович, — шепотом проговорил он. — Я, как и обещал, собирался поместить вашу супругу в тихую камеру, но мне приказали посадить ее к уголовницам.

25

— Кто? — помертвев, выдохнул Лев.

— Никифоров, — еще тише, едва различимо ответил дежурный. — Только вы меня не выдавайте, пожалуйста. Мне же здесь еще служить.

— Не выдам, — пообещал Гуров.

Поняв, что произошло что-то страшное, остальные трое не дыша уставились на него, но Лев все молчал.

— Ну? — рявкнул на него Орлов.

— Никифоров приказал посадить Марию к уголовницам, — мертвым голосом произнес наконец Лев. — Если с ее головы хоть волос упадет, я его застрелю, — сказал он, и прозвучало это так, что все поверили — да, застрелит.

— Вот ведь сука! — с ненавистью процедил Крячко. — Ну повезло тебе один раз! Уцелел ты, когда ложкомоевских ублюдков там потравили, так сиди тихо! Нет же! Он снова на рожон лезет!

— Ему просто приказали, — тем же голосом ответил Лев. — И он, гад, мне скажет, кто именно!

— Охолонись, Лева! А то таких дров наломаешь, что рядом с Марией окажешься! — прикрикнул на него Орлов. — С этим делом я и сам разберусь! Ты адвокату звони!

Непослушными пальцами Лев с трудом набрал номер Любимова, который ответил ему тут же.

— Это Гуров, — представился Лев.

— Здравствуйте, господин полковник, — сочувственным тоном сказал адвокат. — Наверное, репортаж нашего общего знакомого Александра Турина смотрели, вот и позвонили попозже. Я тоже посмотрел — грустное зрелище. Сколько живу, столько удивляюсь, как некоторые люди весело и с песней копают себе могилы, а потом очень удивляются тому, что в них оказались — это я о Задорожном, Лескове и тех, кто за ними стоит. Как я понял, ваша супруга в ИВС? В каком именно? — поинтересовался он и, услышав ответ, предложил: — Тогда встретимся с вами возле входа в девять часов утра.

— Завтра воскресенье, — напомнил Гуров. — Как вы сможете получить ордер, если даже я не знаю, кто будет ее следователем?

26

— Простите, Лев Иванович, но это уже мои проблемы, — успокаивающе заверил Любимов.

— Марию посадили в камеру к уголовницам, — сдавленным голосом сказал полковник.

В ответ адвокат присвистнул и заявил:

— Тогда считайте, что эти люди себя уже и закопали! До встречи!

Отключив телефон, Гуров тяжело вздохнул и стал подниматься.

— Ну куда ты в таком состоянии? — остановил приятеля Орлов. — Оставайся у меня — спать-то всего пару-тройку часов осталось, а то, пока доедешь, и того не будет.

— Надо переодеться, чтобы выглядеть достойно, а то эти сволочи решат, что они меня сломали, — объяснил Лев.

— Да мы с дядей Левой поедем, — поддержал родственника Вилков.

— Так у вас же там, судя по репортажу, черт ногу сломит. Все вывалено, скомкано и перемешано вдобавок, — попытался отговорить их Стас.

— Вот пока дядя Лева будет спать, я ему костюм, рубашку и все остальное подготовлю, — заверил их Саша.

Поняв, что спорить бесполезно, Орлов с Крячко махнули рукой, и Гуров с Вилковым ушли. Когда Лев вошел в квартиру и увидел царивший там разгром, то чуть не взвыл. А уж когда посмотрел на празднично накрытый в честь премьеры Марии стол, стало еще хуже, хотя вроде бы дальше уже и некуда. Он заставил себя лечь на кровать, хотя и понимал, что не уснет, но едва он закрывал глаза, как ему представлялись такие картины Марии в одной камере с уголовницами, что впору брать пистолет, ехать в ИВС и расстреливать там всех, кто только попадется на пути.

Возившийся на кухне Вилков прекрасно понимал, что дядя Лева не спит, но все равно старался не шуметь. Он выудил из валявшихся кучей на полу вещей костюм, рубашку, галстук и все остальное, что могло потребоваться Гурову через несколько часов, и старательно стал приводить их в порядок, но думал при этом о тете Маше, хотя она и запрещала ему так себя называть, а велела обращаться просто по имени.

А у Марии к тому времени все уже было в порядке. Относительном, конечно. С трудом пережив процедуру обыска, личного досмотра, фотографирования и дактилоскопирования, она довольно долго сидела в какой-то комнате, держа в руках не только пакет с туалетными принадлежностями и кое-какими продуктами, которые ни за что не стала бы есть после того, как в них копались чужие люди, но и стопку жутко чем-то вонявшего постельного белья. Наконец за ней пришла какая-то женщина в форме и повела ее по бесконечным коридорам. Звук отпиравшихся перед ней, а особенно запираемых сзади замков здорово действовал на нервы, но она держалась.

— Все мужики — сволочи, — негромко говорила ее конвоирша. — Все, как один! Хоть бы раз на нормального одним глазком посмотреть! Так ведь нет их!

— Ну почему? Есть исключения, — не выдержав этого бормотания, сказала Мария.

— Это ты про своего, что ли? — уточнила женщина, и Мария кивнула. — Ничего не скажу, орел-мужик! Только ведь все равно тебя не уберег! Хотя вытащить — конечно, вытащит! Это же уму непостижимо, чтобы жену самого Гурова в изолятор сажали!

Наконец они остановились перед одной из дверей. Глянув через окошечко внутрь, конвоирша отперла замки и сказала:

— Ну, ступай! Бог тебе в помощь! Ты уж там поаккуратней!

Мария вошла в полутемную камеру, дверь за ней закрылась, и она, ничего не видя после яркого света, сделала всего один шаг вперед, но на что-то налетела, это что-то загремело, и отовсюду раздались недовольные голоса:

— Ты чё шумишь? Чё спать мешаешь?

— Под ноги гляди, шмара безглазая!

Женщины еще повозмущались, и, когда они немного стихли, Мария сказала:

— Добрый вечер! Извините, но я не видела, что здесь на дороге что-то стоит.

Тут она почувствовала возле себя чье-то присутствие, раздался голос:

— А вот это тебе, чтобы в следующий раз лучше видела!

Потом Мария почувствовала резкую боль, и на нее обрушилась темнота. Когда она уже могла что-то соображать, оказалось, что она лежит на полу, свет включен, но перед глазами все плывет, а сверху раздается чей-то торжествующий голос:

— Бабоньки! Мы новенькую прописали! Кончай придуриваться! Вставай! Обзовись, кто такая будешь!

Вставать Марии решительно не хотелось. Хотелось просто умереть, вот на этом самом месте. Чтобы больше не было этой боли в левом глазу, этого унижения, этих издевательств. Вот тебе и Станиславский: «Вы в предполагаемых обстоятельствах». Тут над ней раздался уже другой голос, грубый и хриплый:

— Клякса! Ты ее, часом, не пришибла?

— Да нет! Вон! Раз глазом хлопает, значит, живая! Вторым-то она еще не скоро глядеть сможет! Вставай! — За этим последовал такой удар ногой в бок, что Мария заорала от боли.

— Клякса! Отзынь! Только трупов нам здесь и не хватало! — остановил избиение все тот же грубый голос. — Поднимите ее! Хоть посмотрим, кто такая. Точно, что не из наших.

Марию грубо подхватили под руки и поставили на ноги, которые под ней подгибались, а голова свесилась на грудь. Кто-то взял ее за волосы, закинул голову так, чтобы было видно лицо, и раздался голос:

— А она ничего! Ну, Баржа, это по твоей части!

— Не в моем вкусе, да и старовата, — ответил грубый голос.

И вдруг одна из женщин воскликнула:

— Эй, подруга! Ты хоть знаешь, на кого ты похожа?

— На саму себя! — пробормотала Мария.

— Это самой собой! На артистку ты похожа! Марию Строеву! Я ее как раз недавно по телику видела! Ну точь-в-точь!

— Это я и есть! — тихо ответила Мария — она уже начала понемногу приходить в себя.

Установилась мертвая тишина. Если бы Мария посмотрела вокруг, то увидела бы, как все женщины, замерев, переглянулись, а лица у них стали напряженными.

— Гонишь! — неуверенно сказала Клякса. — Чтобы народную артистку и в тюрьму?

— В России все бывает, — вздохнула Мария и невольно вскрикнула — вздох отозвался болью в боку.

— Щас проверю, — удивленно сказала Баржа и, достав сотовый, начала кому-то звонить.

— Ну если мы уже познакомились, можно я сяду? — попросила Мария.

— Мы и так сидим, — произнесла Клякса известную еще со времен царя Гороха остроту, но ее никто не поддержал, и она замолчала.

Мария осторожно доковыляла до стола и аккуратно присела на скамейку, а все растерянно смотрели то на нее, то на Баржу.

— Она и есть, — сказала наконец та и, подойдя к столу, села напротив.

— Блин! Менты вконец охренели! Артистку в тюрьму сажать! — зашумели женщины.

Они стали негромко обсуждать между собой произошедшее, а Баржа тем временем скомандовала:

— Лед из холодильника достаньте и в тряпку заверните, чтобы Марья к глазу приложила, хотя, — она махнула рукой, — фингал и так будет вполлица.

— Так кто же знал-то, — смущенно начала оправдываться Клякса и отправилась к холодильнику.

— Куришь? — спросила Баржа.

— Иногда, потому и не взяла с собой, — объяснила Мария.

Баржа пододвинула ей пачку «Парламента».

— Сейчас как раз тот случай. Кури, — а потом распорядилась: — Достаньте из заначки коньяк и закуску соберите.

Женщины засуетились, а Мария закурила. Она затянулась, и от глубокого вздоха в боку опять стрельнула боль. Мария закашлялась, но мужественно докурила до конца — черт его знает, как отреагирует эта Баржа на то, что она оставит сигарету недокуренной. Тем временем стол был накрыт, коньяк налит в алюминиевые кружки и закуска, причем самая разнообразная, сырокопченая колбаса, сало, ветчина, сыр, малосольная семга, разложена по таким же мискам. Женщины сели к столу — одна только Клякса воевала с холодильником, выламывая оттуда куски льда. Никто ни до чего не дотрагивался, пока Баржа не взяла свою кружку и сказал:

— Ну, со знакомством!

Все выпили залпом, и только Мария отпила немного, объяснив:

— Боюсь больше, внутри все болит, как бы хуже не было.

— Ну смотри, как хочешь, — не стала настаивать Баржа. — Хотя коньяк хороший, казахский. Они там такой наловчились делать, что от французского не отличить. Закусывай чем бог послал.

Мария немного поела и почувствовала, что ее клонит в сон. Увидев это, Баржа приказала:

— Чаю покрепче для Марьи сделайте.

Отпив немного крепкого, душистого, обжигающего и очень сладкого чая, Мария почувствовала себя бодрее. Она, конечно, знала, что и сотового телефона, и спиртного в ИВС по правилам быть не должно, но, видимо, на Баржу это не распространялось. Несмотря на то, что обстановка, казалось бы, разрядилась, она понимала, что расслабляться рано, и оказалась права, потому что Баржа сказала:

— Марья! А ведь муж-то у тебя мент! Полковник Гуров! Так?

— Да, — кивнула Мария. — И женаты мы уже давно.

— Ты не бойся! — успокоила ее Баржа. — Он мент правильный. Честный. За что его люди и уважают. А теперь рассказывай, что у тебя приключилось, раз даже он не смог тебя защитить. И заодно глаз лечить будешь. Клякса, долго тебя ждать?

Женщина принесла куски льда, завернутые в полотенце не первой свежести, но Мария даже бровью не повела, а приложила компресс к глазу и начала рассказывать, как было дело. Женщины, а уж они-то, как она поняла, на таких делах собаку съели, внимательно слушали. Когда она закончила, Баржа авторитетно заявила:

— Подстава голимая! Причем не ментовская — эти бы тоньше сработали! И наши здесь ни при чем — о том, что Гуров не берет, знают все до единого. Если Александров это Санька Рыжий, то Гуров в его деле честно разобрался, и получил он только то, что положено. Санька бы на такое не пошел, он с головой дружит, а за такое ее и оторвать могут. Надо бы ему маляву кинуть, чтобы знал, какие дела от его имени творятся. — И, подумав, продолжила: — Кому-то твой мужик крепко поперек горла встал. А ментов втемную использовали, — уверенно сказала она. — Какая-то сука им стуканула, что через тебя Гурову будут взятку давать, причем указала что именно, в чем и от кого, уже после того, как тебе эти цветы дали. Иначе мужика того, что их принес, прямо в коридоре повязали бы. Менты на эту туфту купились, а времени на подготовку у них не было. Вот и лопухнулись. А теперь что? Колье нет! Да еще и неизвестно, было ли. Цветов нет, мужика, что к тебе приходил, нет. Сплошной голяк! Вот им и не оставалось ничего другого, как тебя со злости закрыть в порядке 97-й статьи УПК, чтобы ты якобы доказательства не уничтожила. Да чтобы Гурова, если получится, сломать! Его многие не любят!

— Его нельзя сломать, — не менее уверенно сказала Мария. — Ни через меня, ни по-другому. Меня уже и похищали, и убить пытались, только боком все выходило тем, кто это затеял.

— Ну, бог даст, и в этот раз твой мужик не оплошает, — усмехнулась Баржа. — Все! Всем спать! Марью завтра утром обязательно на допрос дернут, так что голова ей ясная нужна.

— А где мне себе постелить? — спросила Мария.

— Уже постелили, — сказала Баржа, кивая на нижнюю койку возле окна.

— Но ведь я же чье-то место заняла? — повернулась к женщинам Мария.

— Мое, — ответила одна из них. — Только мне почему-то кажется, что ты тут у нас ненадолго и оно скоро освободится. Если после завтрашнего допроса сюда обратно не вернешься, то мужу передай, что Нинка Краевая его до сих пор добрым словом вспоминает. Он тогда с моим делом по справедливости разобрался. Хотя... — она усмехнулась. — В жизни моей все равно ничего не изменилось.

Мария начала подниматься со стула и вдруг замерла из-за боли в боку.

— Господи! Да что же с тобой делать-то? — виновато воскликнула Клякса. — Может, еще один холодный компресс?

— Лучше я коньяк допью, — пробормотала Мария. — Вдруг поможет уснуть?

Она осторожно легла, свет снова потушили, оставив слабое ночное освещение, но заснуть Мария так и не смогла. И не только из-за боли в боку и глазу, но и из-за мыслей, которые роились у нее в голове.

Воскресенье

Ночь Гуров провел без сна и встал утром, чувствуя себя разбитым, как древний старик. Сегодня ему было не до зарядки — себя бы в одну кучку собрать. На кухне возился Вилков — Гуров надеялся, что тому хоть немного удалось поспать, а если нет, так он еще молодой, выдержит.

Лев долго стоял под холодным душем, чтобы немного взбодриться, тщательно побрился, с большим раздражением глядя на темные круги под глазами, а потом отправился в кухню, откуда очень вкусно пахло. Там негромко работал телевизор, и в утреннем блоке новостей опять прошел репортаж об обыске в квартире Гурова и задержании народной артистки России Марии Строевой. Было понятно, что Турин действительно ударил во все колокола, потому что вслед за этим прошел сюжет об опросе прохожих на улицах Москвы на тему, как они относятся к произошедшему. Мнение было практически однозначным — полицейский беспредел, хотя одна женщина, явно обозленная на весь белый свет, заявила, что Строеву, конечно, жалко, а полицейские все одним миром мазаны, пусть друг другу горло перегрызут, от этого только воздух в стране чище станет.

Саша, которому ничего не нужно было объяснять, приготовил полноценный завтрак, но Гуров с трудом в себя его запихнул — аппетита не было абсолютно, а потом попросил заварить ему большую чашку настоящего кофе — силы сегодня ему требовались немалые, потому что день обещал быть очень тяжелым, а где их еще взять? Встав из-за стола, он достал с верха навесного шкафа лежавшую там с незапамятных времен пачку сигарет, хотя уже давно бросил курить. Сигареты были пересохшие и потрескивали, но Лев все равно выкурил сигарету под кофе и только потом пошел собираться — то, что Саша едет вместе ним, подразумевалось само собой. Оглядев себя в зеркало, Гуров решил, что выглядит вполне достойно, а следы бессонной ночи сами собой пройдут на свежем воздухе, тем более что на улице похолодало.

Когда они подъехали к изолятору, оказалось, что их уже ждут. Причем не только адвокат, но и целая толпа окруживших его журналистов.

— Похоже, что Любимов настолько уверен в успехе, что заранее пригласил их, — шепнул Саша Гурову.

— Смотри не сглазь, — ответил Лев.

Михаил Яковлевич Любимов, а на самом деле Либер, был мужчиной пожилым, он следил за собой самым тщательным образом. Стройный, всегда безукоризненно одетый, аккуратно подстриженный, хотя от волос остался только редкий седой венчик вокруг обширной лысины, в очках с золотой оправой на тонком, с горбинкой носу, он производил на клиентов самое благоприятное впечатление. Услуги его стоили очень дорого, но себя оправдывали, потому что он мог повернуть в пользу подзащитного, казалось бы, даже отягчающий вину факт, а уж по части появления словно из воздуха незаявленных свидетелей ему равных не было. Оратором он был выдающимся и мог так уболтать присяжных, что они и Чикатило оправдали бы, если бы им довелось его судить. Гуров и Саша вышли из машины, а Любимов, увидев их, оставил журналистов и направился к ним. Поздоровавшись, предложил:

— Ну-с, Лев Иванович, давайте подпишем договор об оказании адвокатских услуг, и не беспокойтесь больше ни о чем. А вот подождать придется, так что наберитесь терпения.

— Вы надеетесь ее вытащить? — удивился Гуров, изо всех сил стараясь, чтобы голос не дрожал. — Но ведь сегодня воскресенье.

— Ну я же вам сказал, что беспокоиться ни о чем не надо, — укоризненно сказал адвокат.

Гуров не глядя подписал договор, оставил себе свой экземпляр, а Любимов отправился к входу в изолятор. Тут Лев, мысли которого были заняты совершенно другими вещами, догадался все-таки посмотреть, во что ему обойдутся услуги Любимова, и, увидев смехотворную сумму, бросился за ним.

— Михаил Яковлевич, вы уверены, что здесь не опечатка? — сказал он, показывая на графу, где стояла сумма гонорара, причитающаяся адвокату.

— Лев Иванович, дело судебной перспективы не имеет, так что от меня требуется только вытащить вашу супругу из узилища и раздуть скандал покрупнее. Турин пригласил меня принять сегодня участие в его передаче, а за такой пиар надо платить, — объяснил тот.

Любимов скрылся в дверях, а журналисты бросились теперь к Гурову, которому пришлось, отделавшись дежурными словами «Без комментариев», скрываться от них в машине, так те и ее со всех сторон сфотографировали. Время тянулось до невозможности долго. Поймав себя на том, что смотрит на часы через каждые две минуты, Лев не выдержал и попросил:

— Саша, сходи за сигаретами, может, от них легче станет.

Видя состояние дяди, Вилкову и в голову не пришло напоминать ему о том, что тот давно бросил курить. Он просто вышел и отправился к ближайшему магазину. А Гуров, чтобы хоть немного отвлечься, включил радио, которое терпеть не мог. Трудно сказать, ожидал он это или нет, но, услышав о том, что на «Эхо Москвы» вовсю обсуждается задержание его жены, он ничуть не удивился. Радовало только то, что Марию все жалели, зато в его адрес было немало едких замечаний — впрочем, аудитория у «Эхо Москвы» своеобразная, так что особо обращать на ее репортажи внимание не стоило. Главное, что шум поднялся страшный, а это давало надежду на то, что для Марии действительно все может закончиться благополучно еще сегодня. Тем временем вернулся с сигаретами Вилков, и они дружно закурили.

— Ты же не куришь! — спохватившись, воскликнул Гуров.

— От такой жизни я скоро пить начну, — на полном серьезе ответил Саша.

А в изоляторе в это время шел настоящий бой. Дежурный, уже другой, утром заступивший на смену, категорически отказывался вызвать задержанную Строеву для встречи с адвокатом.

— Без ордера не положено!

— Тогда скажите мне, за каким следователем она числится, — настойчиво интересовался Любимов.

— Да откуда я знаю? Не написано здесь ничего! — отбивался дежурный.

— То есть задержать — задержали, а кто будет вести ее дело — неизвестно! Молодой человек, — хищно поблескивая стеклами очков, вкрадчиво говорил на это Любимов. — Возле входа стоит толпа журналистов. Я сейчас выйду к ним и скажу, что Марию Строеву здесь убили. Прецеденты имели место быть неоднократно, так что это никого не удивит. Но вот личность погибшей! Как вы думаете, что после этого будет?

— Да жива она и здорова, — отбивался дежурный. — Мне по смене передали, что происшествий не было.

— Вот и дайте мне в этом убедиться, — настаивал Любимов.

Доведенный до белого каления дежурный, которому, как и его коллегам, уже не раз приходилось сталкиваться с Любимовым, решил, что лучше уж разрешить им встретиться, чем спорить. И дежурный приказал вызвать в комнату для допросов Марию.

А в ее камере в это время царило если не веселье, то нездоровое оживление. Возлежа на своей койке, Мария, прихлебывая чай, рассказывала своим соседкам о театре, о съемках, но их особенно интересовали подробности из личной жизни артистов: кто чей муж или жена, кто чей любовник, кто на ком женился или, наоборот, кто с кем развелся. Ну что сказать? Женщины остаются женщинами везде.

Тут в двери открылось окошечко и прозвучала команда:

— Строева, на выход!

Баржа тут же уточнила:

— С вещами?

— Нет! — раздался в ответ возглас.

— Ну ничего! — утешила Баржа Марию. — Больше двух суток они тебя держать не имеют права, а предъявить тебе нечего. Придется потерпеть.

Мария вышла и увидела уже другую женщину, которая уставилась на нее во все глаза и воскликнула:

— Блин! А я не верила, что тебя сюда привезли! Думала, однофамилица. Ну будет, что теперь соседкам рассказать! Нет, это надо же! Сама Мария Строева у нас сидит! Слушай, автограф дашь?

— Конечно, на чем расписаться? — согласилась Мария.

— Блин! Так ведь не на чем! — расстроилась конвоирша. — Ну ничего, как обратно тебя поведу, прихвачу что-нибудь.

И опять бесконечные коридоры и замки, но в этот раз Мария отнеслась к ним спокойнее — правильно говорят, что человек привыкает ко всему.

— Кто это тебя так отделал? — спросила по дороге конвоирша.

— Сама упала, — кратко ответила Мария.

— Ага! — хмыкнула та. — Клякса небось. Любит она руки распускать. Ох, и отольется ей это когда-нибудь. И чего-то мне кажется, что очень скоро — Гуров не спустит, что на тебя руку подняли.

— Он никогда не ударит женщину, — возразила Мария.

— Он-то? Да, он чистодел, никогда в жизни задержанного на допросе не ударил. Так другие найдутся. Он у наших постояльцев в большом авторитете, и должников у него много.

Мария думала, что ее ведут на допрос, но, когда увидела Любимова — а кто в Москве его знает? — почувствовала такое облегчение, что чуть не расплакалась. А вот он при виде ее назревающего синяка, как и говорила Баржа, вполлица, только с удрученным видом покачал головой и сказал:

— Машенька! Вы разрешите мне так к вам обращаться? — Она только кивнула. — Как я понимаю, этим не ограничилось?

— Да, еще на боку, — ответила она и показала рукой, где именно.

— Сознание когда-нибудь терять приходилось? — поинтересовался Михаил Яковлевич.

— Этой ночью, — грустно ответила женщина.

— А теперь его вам предстоит потерять всерьез и надолго. Вы актриса, должны это уметь. И в себя придете только тогда, когда я скажу. Ну, начинайте и ни о чем больше не беспокойтесь. Обещаю, что эту ночь вы проведете уже в другом, более комфортабельном месте, — пообещал он.

— Правда? — вскинулась Мария и вдруг, побледнев, стала валиться со стула набок.

— Что с вами? — вскочив с места и бросаясь к ней, воскликнул Любимов, но перед этим нажал на кнопку вызова конвоира.

Когда тот заглянул в комнату, адвокат крикнул ему:

— Да помоги же! Я ее один не удержу!

Совместными усилиями они положили Марию на пол, и конвоир бросился вызывать врача. Суматоха началась страшная. Прибежал дежурный ИВС и предложил побрызгать на Марию водой — вдруг очнется? Пришедший неспешной походкой врач, которого тут же беспощадно обругал дежурный за медлительность, увидев, кто лежит без сознания на полу, сначала обалдел, а потом растерянно спросил:

— Что с ней?

— Кто из нас врач? Вы или я? — тут же напустился на него Любимов. — Если вашей квалификации не хватает на то, чтобы в этом разобраться, давайте вызывать «Скорую помощь». Хотя... Когда она еще приедет? Лучше уж частников. Какая клиника здесь поблизости? «Эскулап»? Значит, туда и позвоним!

Он так взял всех в оборот, что люди не успевали даже слово вставить. Врач ИВС, решившись — все-таки не кто-нибудь, а сама Строева перед ним лежала, — осторожно похлопал ее по щекам, но голова Марии безвольно болталась из стороны в сторону, и никаких признаков жизни она не подавала. Частники — на то они и частники — приехали удивительно быстро. Врач ощупал голову Марии, посмотрел в глаза, задрав куртку спортивного костюма и футболку, только покачал головой при виде внушительного синяка на боку и вынес свое решение:

— Ее жесточайшим образом избили. Сотрясение мозга у нее точно есть и не могу исключать разрыв какого-то из внутренних органов, о чем говорит бледность кожных покровов. Необходима немедленная госпитализация! Где носилки?

— Но не могу же я ее вот так взять и выпустить, — заорал дежурный.

— Знаете, у нас вызов прошел официально! — раздраженно сказал врач частной «Скорой помощи». — Мы обязаны докладывать о таких случаях в полицию. Написать расписку о том, что она отказывается от госпитализации, больная не в состоянии. Значит, пишите ее вы нам для отчета, что это вы больную не отдали! Если она у вас тут умрет, то вы и будете отвечать! По делу Магницкого со скольких людей тогда погоны сняли? Будете следующими! Только о Магницком до всей этой истории мало кто знал. А тут сама Мария Строева, которую в ИВС насмерть забили! Так что уж решайте, что вам важнее, а то счет, можно сказать, на минуты идет.

— Да забирайте вы ее к чертовой матери! — заорал дежурный. — Только документ мне оставьте, что вы ее забрали и куда повезете.

— Конечно! И расписку напишем, и адрес укажем — к нам же в «Эскулап» и повезем, — пообещал врач.

Пока Марию, по-прежнему в бессознательном состоянии, грузили на носилки, врач написал все необходимые документы, расписался в получении, и все двинулись к выходу.

А на улице тем временем Гуров, увидевший подъехавшую «Скорую помощь», уже не знал, что и думать. Бросившиеся к ней журналисты, видимо, не получили вразумительного ответа и отошли от машины. Тогда Гуров, плюнув на то, что журналюги все еще не оставили своих намерений с ним пообщаться, тоже подошел к машине, но услышал от водителя только то, что был вызов из ИВС, где заключенной стало плохо, а больше он ничего не знал. Возвращаться в машину Лев не стал, а направился прямо в изолятор — ждать больше он не мог. Увидев, что внутри все старательно отводили взгляды, он, не в силах больше сдерживаться, заорал:

— Что с моей женой?

39

Ответом ему была тишина. Предположив самое худшее, он обессиленно прислонился к стене — ноги его не держали. Наконец появился дежурный и, отводя глаза, попросил его:

— Выйдите, пожалуйста, сейчас выносить будут.

— Кого? — заорал Лев, хватая дежурного за грудки.

— Выйдите, я сказал! — заорал в ответ тот. — Или мне конвойных вызывать? Это же нападение на сотрудника при исполнении!

Гуров вышел на улицу и, когда из дверей появились несущие носилки санитары, сразу отметил, что несут они кого-то головой вперед, да и лицо не закрыто — значит, не покойник. Но когда он рассмотрел, что это лежала без сознания Мария, земля ушла у него из-под ног. Он бросился к ней, а уж журналюги рванули к носилкам, как стервятники на падаль. Защелкали фотоаппараты, раздались голоса:

— Лицо крупно бери, чтобы синяк было хорошо видно!

— Руку сними, смотри, как безвольно висит!

— Дай общий план, чтобы Любимов и Гуров попали!

Взбешенный Лев не выдержал и взревел:

— Да имейте же вы совесть!

Но это был глас вопиющего в пустыне. Грубо растолкав журналистов, он спросил врача:

— Что с ней?

— А вы кто?

— Я ее муж, — ответил Гуров — то, что сейчас вокруг стояли алчущие сенсации журналисты, его уже не волновало.

Врач повторил ему слово в слово то, что недавно говорил в изоляторе и добавил:

— Мы ее сейчас обследуем, сделаем УЗИ, и если в брюшной полости окажется кровь, то будем немедленно оперировать. Если же, бог даст, обошлось без разрывов, а просто отбиты внутренности, то сразу же в реанимацию. Но в обоих случаях можете не торопиться — вас к ней пока не пустят. А за подробностями — вот, — он протянул Гурову свою визитку.

«Скорая» уехала, а Лев остался стоять, глядя ей вслед — он был просто не в состоянии сесть сейчас за руль. А рядом с ним перед ловившими каждое его слово журналистами выступал Любимов:

— То, что случилось с Марией Строевой, вы все сейчас сами слышали от врача. Как случилось, предстоит разбираться. Либо имел место запрещенный законом ночной допрос с применением недозволенных способов его ведения, либо, чего я тоже не исключаю, задержанная — человек законопослушный и ни в каких правонарушениях ранее не замеченный — вопреки правилам ИВС была помещена в одну камеру с лицами, имеющими богатое уголовное прошлое и соответствующие склонности, где подверглась столь грубому насилию. В любом случае, как только будет получено медицинское заключение о состоянии ее здоровья, а это, я полагаю, произойдет в самое ближайшее время, я подам жалобу прокурору. Если уж подобное могло произойти со всенародной любимицей Марией Строевой, чей муж полковник полиции Лев Гуров является образцом честного полицейского, то страшно подумать, что творят за этими стенами с людьми, за которых некому заступиться. А теперь извините, мне надо ехать в клинику, чтобы получить медицинское заключение. Рекомендую всем посмотреть сегодня передачу Александра Турина, которая будет посвящена именно этому случаю и где я сообщу все подробности этого дела и свое видение ситуации.

Гуров уже пришел в себя настолько, что не боялся вести машину, и собрался немедленно ехать в клинику, чтобы сразу же узнать, как себя чувствует Мария. Но тут журналюги бросились к нему, но вот спросить о чем-нибудь решились не сразу — видимо, до того страшное у него было лицо. Наконец один из сопляков отважился и спросил:

— Господин полковник! Что вы собираетесь предпринять?

— Я клянусь, что найду тех, кто стоит за этой провокацией, — спокойно произнес Лев.

— А дальше?

— А дальше будет видно, — неопределенно ответил Гуров и сел в машину.

В клинике его без звука пропустили в приемное отделение, где уже находился Любимов.

— Врач еще не выходил? — спросил Лев адвоката.

— А чего нам ждать? Мы сами к нему пройдем, — спокойно сказал Михаил Яковлевич.

Надев халаты и бахилы, они оставили Вилкова внизу и отправились наверх. Любимов уверенно вел Гурова по коридорам, пока они не приблизились к одной из палат в самом конце коридора. Адвокат по-хозяйски открыл дверь, и они вошли. Это был «люкс», потому что они сначала попали во что-то вроде гостиной, из которой дверь вела в другую комнату. Там на кровати без сознания лежала Мария, но ни капельницы, ни каких-либо медицинских приборов возле нее не было.

— Машенька, — ласково сказал Любимов. — Все кончилось, можете открывать глаза.

Мария тут же очнулась, посмотрела на них и, увидев мужа, облегченно вздохнула — все самое страшное действительно осталось позади. Гуров же, хотя и испытал невероятное облегчение от того, что с женой все в порядке, тут же повернулся к адвокату, чтобы высказать ему все, что накипело на душе, но тот мягко остановил его:

— Лев Иванович! Вы великий сыщик! Это не комплимент — это констатация факта. Но актер вы никудышный, а мне надо было, чтобы для журналистов все выглядело максимально правдоподобно. Подумайте сами, ну как бы я еще мог вытащить вашу жену из изолятора в воскресенье? Только в больницу.

— Значит, вы все приготовили заранее? — уже довольно спокойно спросил Гуров.

— Как только услышал, что вашу жену посадили к уголовницам, — подтвердил Любимов. — Порядки в этом изоляторе мне хорошо известны, так что предвидеть развитие событий было несложно. Владелец этой клиники мне кое-чем обязан, так что организовать все это было делом нескольких минут. Они и заключение напишут какое надо, и находиться здесь Мария будет столько, сколько нужно. И глаз ей подлечат, и рентген сделают, а то, не приведи господи, окажется, что ребро сломано, и УЗИ на всякий случай тоже, и соответствующее оборудование, чтобы все выглядело достоверно, сюда скоро привезут. А, поскольку эта палата реанимации для ВИП-персон, то посторонних сюда не пустят ни под каким видом. Только вот за палату вам придется платить, но я договорюсь о скидке.

— Маша, ты действительно себя хорошо чувствуешь? — спросил Гуров.

— Лева, со мной все хорошо, — успокоила Льва супруга. — Бок, конечно, болит, но я надеюсь, ничего серьезного.

— Кто тебя избил? — жестко спросил Лев.

— Это была случайность, а потом они меня узнали, почувствовали себя страшно виноватыми, и все было уже нормально, — уклончиво ответила Мария.

— Машенька! Не обольщайтесь на свой счет, — усмехнулся адвокат. — Они таких, как вы, на зоне видели-перевидели и обращались с ними без особого почтения. Уж вы мне поверьте! Вы для них не известная актриса, а жена полковника Гурова! Потому-то они и стали с вами так любезны, что предвидели, какие их ждут последствия, если вы пострадаете. Потому что Гуров для уголовников — фигура очень уважаемая, а актрис, пусть даже и очень известных, много. И не надо на меня обижаться — глупо обижаться на правду.

Мария от этих слов сначала растерялась, а вот потом действительно всерьез обиделась — она-то считала, что сама является настолько известным и уважаемым человеком, что именно это остановило уголовниц, а, оказывается, дело не в ней, а в ее муже. Но ей хватило ума не подать виду, а просто попросить Любимова оставить ее с Гуровым наедине. Адвокат безропотно вышел, сказав, что пойдет к врачу за медицинским заключением, и они остались одни.

— Маша, так кто тебя избил? — снова спросил Лев.

— Неважно, — уже из чистого упрямства ответила она.

— Ладно! Сам разберусь, — пообещал Гуров.

— Да что ты все о ерунде, — отмахнулась супруга. — Важно другое.

Она поманила мужа к себе, и он, сев на край кровати, наклонился к ней.

— Лева! Колье было! — прошептала она.

Едва сдержав рвущийся наружу крик ярости, Гуров с трудом взял себя в руки и ровным голосом попросил, чтобы она рассказывала дальше.

— Понимаешь, Лева, я от тебя и Стаса с Петром тогда получила столько втыков по поводу подарков, что стала даже на букеты смотреть с подозрением. А тут этот совершенно незнакомый мужчина с корзиной желтых роз. И одет вроде бы прилично, и вид у него был самый восторженный, но вот... — она подбирала слова. — Понимаешь, я актриса, я на сцене у партнера, как бы старательно он ни играл, фальшь мигом чувствую. А этот человек... Он тоже играл! И восторженность, и почитание. Не знаю, как выразить, но глаза у него были... Короче, он мне не понравился. Я ему, конечно, улыбалась, но вот когда все разошлись, я решила посмотреть, что это за цветы такие.

— Зачем? — чуть не застонал Лев. — Нужно было немедленно позвонить мне!

— А если бы оказалось, что там ничего нет? — возразила она. — Кем бы я тогда выглядела? Параноиком? Или как там? Параноичкой?

— Маша! — уже не сдержавшись, простонал Лев. — В таких случаях лучше перебдеть, чем недобдеть! Ладно! Сделанного не воротишь! Что дальше?

— Я надела перчатки и покопалась в корзине, а там на дне оказался обычный файл для бумаг, а в нем колье и записка: «Носи на здоровье. Санька Рыжий», — продолжала шепотом Мария. — Мне Баржа в камере сказала, что это кличка какого-то Александрова.

— Что ты с этим сделала? — сдавленным голосом спросил Гуров, который в этот момент, как никто, понимал мужей, убивавших своих жен в состоянии аффекта, он даже руки между колен зажал, чтобы побороть искушение.

— Я поняла, что это вовсе не подарок мне, а подстава против тебя. Мне Баржа все объяснила, — сказала Мария и передала супругу рассуждения уголовницы.

— Не лишено логики, — вынужден был согласиться Лев. — Где оно?

44

— Я его в гримерке спрятала.

— Зачем? — чуть не взвыл Гуров.

— Как зачем? — возмутилась она. — Это же улики! И ты, потянув за эту ниточку, найдешь того, кто хотел тебя подставить!

— Маша! Так твою гримерку, наверное, уже всю по камешку разнесли и нашли его! — чуть не заорал Лев. — Ты сама себе срок намотала!

— Фигушки! — торжествующе сказала Мария. — Слушай! До меня эта гримерка принадлежала Парамоновым. Мужу и жене. Парамонов был гениальным артистом, но пил. Бывало, что начинал спектакль трезвым, а к концу был уже никакой, еле слова выговаривал. Жена его перед выходом из дома обыскивала, вплоть до трусов — спиртного не было. Главреж гримерку только что с собаками не проверял — не находил спиртного, а Парамонов напивался. Так и пришлось ему уйти, и его жене тоже, потому что только ради него ее и держали. Вот он, узнав, что гримерка отойдет мне, и рассказал про тайник, где он водку держал. Помнишь, у меня там, в нише, стоит старинный шкаф?

— Помню такой, — с трудом пробормотал Гуров, потому что желание немедленно придушить супругу стало уже нестерпимым.

— Он до того тяжелый, что его даже во время ремонта с места не трогали, — заговорщицки шептала Мария. — У него по всем бокам что-то вроде столбиков, у которых наверху такие большие шишечки. Так вот, правая задняя отвинчивается, а столбик этот внутри полый. Если шишечку отвинтить, то внутри, через два-три сантиметра, есть то ли гвоздь, то ли шуруп, а к нему привязана леска, а уже к ней — авоська. Помнишь такие, синтетические, плетеные? Парамонов в ней водку держал, а я в нее файл с колье положила.

— Маша, если гримерку обыскивали с металлоискателем, а это наверняка так и было, то его уже нашли, — уверенно заявил Лев. — Что ты еще натворила?

Расстроенная Мария пожала плечами.

— Да, как уже и говорила, — вынесла часть цветов и эту корзину в коридор, остальные взяла с собой и поехала домой.

— А Турина зачем вызвала?

— На всякий случай, чтобы свидетели были, да не просто кто-то со стороны, а телевизионщики, которые могут шум поднять.

Гуров сидел и молчал, думая, что можно предпринять в такой ситуации, а жена обиженно смотрела на него и не понимала, что происходит. Она считала, что Лев должен был сейчас суетиться вокруг нее, так жестоко избитой, утешать и говорить ласковые слова, а он вместо этого ведет себя как чурбан бесчувственный. «Ничего! — решила она. — Я ему это еще припомню!» И, приняв оскорбленный вид, гордо молчала. Тем временем раздался стук в дверь, и, когда Гуров отозвался, появился Любимов.

— Ну вот! — сказал он, потрясая каким-то бланком с печатью и множеством подписей. — Все и сделано! Пациентка Строева госпитализирована в эту клинику, где была освидетельствована на предмет побоев — наличествуют, как и трещина в ребре...

— Так, мне же еще рентген не делали? — удивилась Мария.

— А что? Здесь мало других снимков? — усмехнулся адвокат и продолжил: — Зафиксировано также сотрясение головного мозга и внутренняя травма правой почки, о чем свидетельствует УЗИ. После того, как я озвучу сегодня по телевизору это заключение, не думаю, что какой-нибудь следователь решится явиться сюда, чтобы провести допрос. А если и явится, то его не пустят. Ну что? Звучит? — Он потряс листком.

— Звучит, — безрадостно пробормотал Лев.

Он мысленно проклинал Марию за ее неорганизованную самодеятельность самыми страшными проклятиями — вот до чего ему пришлось дойти! Прямая подтасовка фактов! Фальшивое медицинское заключение! И это все происходит с ним, полковником Гуровым! И ведь деваться некуда, а то Мария вернется в ИВС! Если колье, на что он особо не надеялся, все-таки не нашли, то для нее все еще может обойтись, но если его нашли?! Тогда уже не задержание, а арест с предъявлением обвинений, и ей прямая дорога в СИЗО! Последствия даже трудно себе представить! А эта идиотка лежит с оскорбленным видом, словно поруганная невинность!

— Ладно! — сказал Лев, поднимаясь. — Михаил Яковлевич, не мне вас учить, что надо делать. Скажите только, можно организовать так, чтобы в соседней комнате постоянно находился наш родственник? Он и желающих пообщаться со всенародно любимой артисткой, — язвительно произнес он, — отвадит, и предупредит ее, если кто-то из незнакомых врачей придет, а то она уже решила, что все кончилось, а на самом деле все еще только начинается! А уж изобразить смертельно больную Мария сможет!

— Любой каприз за ваши деньги, — сказал адвокат, переводя внимательный взгляд с Гурова на его отвернувшуюся к стене жену. — Я сейчас скажу, и ему постель принесут, чтобы здесь на диване спал, да и кормить будут. Но, Лев Иванович, вы уверены, что я знаю все, что мне положено знать?

— Михаил Яковлевич! Я с вами предварительно созвонюсь и договорюсь о времени, когда привезу деньги, — начал Лев, но Любимов перебил его:

— Если это единственный повод для нашей встречи, то не утруждайтесь — деньги может принять мой секретарь. Он и квитанцию выдаст.

— Я пока еще ничего не знаю, — обтекаемо ответил Гуров и перевел разговор на другую тему: — Скажите, здесь банкомат есть? Мне же нужно оплатить пребывание жены в клинике.

— Банкомат есть, и я договорился о скидке в двадцать пять процентов для вас — поверьте, это максимум. Но раз здесь будет находиться еще один человек, сумма, естественно, увеличится. Пойдемте, я вас провожу и заодно договорюсь о вашем родственнике.

— Идите, я вас догоню, — сказал Гуров и, когда адвокат вышел, неприязненно произнес: — Ну, Маша, болей дальше!

— Это все, что ты можешь мне сказать? — возмутилась она.

— Маша! Ты по собственной дурости заварила такую крутую кашу, что и оглоблей не провернешь! — взорвался он. — А расхлебывать ее мне! И я пока даже представления не имею, как это делать!

Он вышел, с трудом удержавшись от того, чтобы не хлопнуть дверью, а Мария осталась совершенно растерянная, потому что чего-чего, а такого она от мужа не ожидала — она же хотела как лучше.

Гуров нашел Любимова в коридоре, где тот, отведя его к окну, жестко сказал:

— Лев Иванович! Судя по всему, вы ко мне напрасно обратились. Я не люблю, когда клиенты мне не доверяют, потому что не привык выглядеть дураком. А вы, как я понял, решили использовать меня втемную.

— Михаил Яковлевич, — подумав, сказал Гуров. — На данном этапе я не обладаю всей полнотой информации, но твердо обещаю вам, что, если дело дойдет до горячего, я буду с вами предельно откровенен. А уж она, — он кивнул в сторону палаты Марии, — тем более.

— Значит, не все в этом деле так просто, — с понимающим видом кивнул Любимов.

— А что в нашей жизни просто? — безрадостно ответил Гуров.

Больше они к этой теме не возвращались. Гуров решил оплатить пребывание Марии и Саши в клинике пока только за неделю, надеясь, что за это время он успеет разобраться в ситуации, но даже со скидкой это вылилось для него в такую сумму, что он чуть не выругался. Но деваться было некуда, и он заплатил. Безмолвно простоявший рядом с ним все это время Вилков не выдержал и спросил:

— Дядя Лева! Что происходит?

— Саша! Ты остаешься в больнице с Марией, а с твоим отсутствием на работе я все сам решу, — сообщил племяннику Гуров.

— С тетей Машей так плохо? — с ужасом воскликнул Вилков, и все, кто был рядом, повернулись к ним.

— Да! — соврал Гуров. — Очень! Я, ты сам понимаешь, дежурить возле нее не могу, так что придется тебе.

Потом он отвел Сашу в дальний угол, где и объяснил, как на самом деле обстоят дела и что тому нужно будет делать.

— Самое главное, чтобы никто из посторонних Марию не увидел, особенно журналюги. Чтобы окна и в ее комнате, и в твоей были постоянно закрыты, а шторы задернуты, а то эти проныры везде пролезут. Стой насмерть! Разрешаю применить силу, но в разумных пределах! — предупредил он Вилкова, и тот, немного успокоенный, в знак согласия кивнул. — В случае какой-нибудь нештатной ситуации звони мне, в любое время! А я попозже привезу тебе из дома все необходимое — ключ у меня есть. Ну, ступай!

Любимов отправился готовиться к передаче Турина, чтобы предстать там во всем блеске, а Лев поехал домой — ему нужно было сесть и спокойно обдумать все, что произошло. Решать, что делать дальше, было бесполезно — все зависело от того, нашли или не нашли колье. Знакомых в управлении собственной безопасности у Льва не было, зато врагов хватало, значит, нужно было подключать Орлова или Крячко. Лучше последнего — у этого пройдохи везде были приятели.

Гуров достал телефон, чтобы позвонить Петру — он был уверен, что и Стас сидит там, чтобы не терять время на созвоны и переезды, если им придется мгновенно бросаться Льву и Марии на помощь, как он сам всегда бросался на помощь им, если требовалось, и только тут обнаружил, сотовый выключен. Ну естественно! Он же сам это сделал перед выходом из дома, чтобы ничего не отвлекало. Оказалось, что у него множество пропущенных звонков, были и с незнакомых номеров. Но он не стал разбираться, где чей, и позвонил Петру. Тот его для начала беспощадно обругал — неудивительно, они же там издергались от неизвестности — и только потом спросил:

— Что с Машей? А то тут в новостях такие ужасы показывают, что моя жена уже весь корвалол выпила.

— Все под контролем, а подробности завтра, — кратко ответил Гуров. — У меня самого пока информации практически никакой.

— Надеешься за сегодняшний день чего-нибудь раздобыть?

— Надеюсь вычислить, — поправил генерала Лев. — И еще! В ближайшее время Сашки на работе не будет — он возле Маши дежурит.

— Не проблема, оформим ему отгулы за переработку, — успокоил приятеля Орлов. — Ты сам держись!

— Вы тоже пока расслабьтесь, не жгите нервы — они нам еще понадобятся, — посоветовал Лев.

— Зная тебя, кто бы в этом сомневался, — хмыкнул в ответ Петр.

Гуров отключил телефон, и тот тут же зазвонил снова, а потом пошли звонки со всей страны. Звонили как простые обыватели, так и люди высокопоставленные, но их всех объединяло то, что всем им Лев когда-то помог. И хотя он теперь не вспомнил бы лица и имена многих из них, но вот они его не забыли. Все они были возмущены тем, что случилось с его семьей, и все, как один, спрашивали, чем могут помочь. Гуров благодарил всех за участие и предложение помощи и обещал в случае нужды позвонить. Звонили и коллеги из других регионов, даже некоторые очень авторитетные уголовники, действительно уважавшие Льва за честность и порядочность, предложили свою помощь, потому что не любили беспредел. Позвонил даже заместителя министра МВД Андрей Сергеевич, которого Гуров с друзьями за глаза звали Рыбовод из-за стоявшего у него в кабинете большого аквариума. Он был краток:

— Гуров! Та история, что закрутилась вокруг твоей семьи, кажется мне очень подозрительной, и я возьму ее под личный контроль. Если это подстава, то виновные понесут наказание, независимо от должностей и званий. Но, предупреждаю, если выяснится, что ты или твоя жена в чем-то виноваты, выгораживать не буду. Получите сполна в части и пропорции, каждого касаемой!

«Вот тебе и Рыбовод! — невесело подумал Гуров. — Когда дело касалось его семьи, то он готов был закрыть глаза на все, что угодно, а тут!.. Принципиальным стал! Да таким, что металл в голосе звенел! Словно на публику работал! — И тут до него дошло: — Черт! Да он же действительно работал на публику! Значит, мой телефон прослушивается! То есть Андрей Сергеевич мне дал понять, что я могу рассчитывать на его защиту, а остальным — что беспристрастен до невозможности!

Да уж! Годы аппаратных игр для него даром не прошли! Дипломат!»

За всеми этими разговорами Гуров успел уже доехать до дома и даже подняться в квартиру. До четырех часов оставалось совсем немного времени, только-только, чтобы быстренько сготовить себе чего-нибудь поесть, а потом сесть к телевизору. А телефонные звонки между тем продолжали идти, и он просто отключил телефон, потому что передача началась.

Все эти ток-шоу Лев терпеть не мог, хотя однажды вынужденно принял участие в одном из них исключительно ради спасения девушки. Но сейчас был особый случай — он не сомневался, что Турин пригласит в студию коллег Марии, из рассказов которых он сможет понять, нашли ли в театре что-нибудь во время обыска (а в том, что он проводился, Лев был уверен на сто процентов) или нет — это являлось для Гурова сейчас самым важным.

Студия была заполнена так, что люди даже стояли за последним рядом кресел и в проходах. Гуров увидел среди приглашенных не только маститых деятелей культуры, но и многих коллег Марии по театру, а вот представителей управления собственной безопасности, да и вообще кого-то из полиции не наблюдалось. Турин начал с демонстрации полной записи обыска в квартире Гурова, комментируя его со свойственной ему язвительностью. Потом последовали съемки, сделанные журналистами возле изолятора, когда Марию забирала «Скорая помощь». Увидев со стороны свое окаменевшее от горя лицо, а потом горящие гневом глаза, Гуров сам себя испугался — да, его вид был по-настоящему страшен. Но вот взял слово Любимов, давший правовую оценку действиям полиции, а также очень эмоционально описавший плачевное состояние здоровья Строевой, которая сейчас находится в частной клинике буквально между жизнью и смертью. Услышав это, Лев не смог сдержать кривую ухмылку — ну да! Она натворила дел и теперь там отлеживается, а он должен крутиться, как уж под вилами, чтобы найти выход из положения. Далее, как Гуров и предполагал, начали выступать коллеги Марии. Он слушал и

51

не верил своим ушам: оказывается, полицейские, составив список всех, кто находился в тот вечер в театре, направились с обысками по адресам в поисках корзины с желтыми розами прямо ночью, поднимая людей с постели.

— Господи! Какой позор! Да еще и соседей понятыми пригласили! Теперь хоть из этого дома уезжай! — говорила, заламывая руки, одна из коллег Марии. — Да будь проклята эта корзина! Я больше даже на сцене ни от кого ни одного цветочка не возьму! Да, Мария, как обычно, выставила лишние цветы в коридор и уехала. Она всегда так делает. Розы были очень красивые, и мы с Наташей, — она повернулась в сторону сидевшей рядом с ней женщины, которая, соглашаясь, кивнула головой, — поделили их поровну, только она свою часть в пакет положила, а я свою в корзине оставила. Приехала домой, цветы поставила в вазу, а корзину — на балкон. Да не было там ничего! Пустая она была! Так они мне не поверили! Все квартиру вверх дном перевернули! Хорошо, что еще не арестовали, как Марию! А то я сейчас, уголовницами избитая, тоже в больнице лежала бы! Только я не Строева! Меня бы в частную клинику никто не взял, в тюремной бы валялась, пока не умерла!

Выступления остальных людей мало чем отличались от этого и по содержанию, и по накалу страстей. Потом взял слово директор театра, которого тоже подняли с постели и заставили поехать на работу.

— Вы представляете, — нервно говорил он. — Они обыскивали театр с металлоискателями! Хотя бы они сказали, что конкретно ищут, но они же ничего не объяснили. Сунули мне под нос какую-то бумагу с печатью, сказали, что это ордер на обыск, и принялись крушить все, до чего только могли достать! Чтобы привести теперь все в порядок, потребуется как минимум неделя, а у нас спектакли! Как всегда аншлаг! Билеты проданы! Наша прима лежит в больнице и неизвестно когда выйдет, а ведь зритель идет в первую очередь на Строеву! Что мы должны говорить людям?

— Но они хоть что-нибудь нашли? Если они что-то изъяли, то должны были предъявить вам это, — спросил Любимов.

— В том-то и дело, что они ничего не нашли! — воскликнул директор театра. — Мне они, во всяком случае, ничего не сказали и не показали!

Из раздавшихся в студии криков других сотрудников театра стало понятно, что проводившие обыск полицейские действительно ничего не нашли. Тут слово снова взял Любимов:

— Уважаемые дамы и господа! Насколько я могу судить, мы имеем дело с откровенным проявлением полицейского беспредела. Как это ни прискорбно, но аналогия с 1937 годом напрашивается сама собой. Судите сами: те же ночные обыски и допросы, то же бесцеремонное попрание закрепленных Конституцией за гражданином Российской Федерации прав и свобод человека, полнейшее презрение ко всем нормам Уголовно-процессуального кодекса и законам, регламентирующим деятельность Министерства внутренних дел. Что это? Проявление самодурства одного отдельно взятого высокопоставленного чиновника, которого почему-то никто не может обуздать? Да нет! Силы воли и полноты полномочий у власть предержащих достаточно, чтобы дать ему по рукам и поставить на место. Значит, не хотят! А, может быть, на примере известного своей честностью и принципиальностью полковника Гурова и его жены, народной артистки России Марии Строевой, власти хотят посмотреть, как народ отреагирует на эту откровенную травлю? Ничем не обоснованное преследование? Вдруг прокатит, как сейчас принято говорить? И тогда можно будет повторить это же с другими людьми? А там и в систему войдет? Массовые репрессии, аресты и расстрелы 1937 года явились продолжением практиковавшихся намного раньше отдельных судебных процессов над отдельно взятыми людьми. Потом власти вошли во вкус, и страна была залита кровью. А ведь начиналось-то тоже с малого.

Любимов продолжал витийствовать, заводя аудиторию, и Гуров выключил телевизор — остальное было ему неинтересно. Перед ним встал один-единственный вопрос: почему в театре ничего не нашли? Почему? Как использовавшие металлоискатель полицейские не смогли найти золотую вещь, не укладывалось у него в голове. Гуров снова включил телефон и так, с ним в руках, разговаривая на ходу с продолжавшими звонить людьми, отправился домой к Вилкову. Там он собрал в сумку самые необходимые тому в больнице вещи и поехал в клинику. После всего, что произошло, видеть Марию ему не хотелось категорически: то, что у нее не ума палата, он знал всегда, но считал, что даже ее глупость имеет предел. Выходит, ошибался!

Дверь в палату была заперта, и Гуров сначала встревожился — вдруг и Сашу, и Марию задержали, теперь уже обоих, и они в изоляторе. Как теперь их вытаскивать?

— Твою мать! — не сдержался он. — Этого мне только не хватало!

Но оказалось, что волновался он зря, потому что из-за двери тут же раздался голос Саши:

— Кто?

— Фу ты, черт! — с облегчением выдохнул Лев. — Да я это! Гуров!

Дверь открылась, но все же не полностью, и в щели показался глаз племянника. Увидев, что это действительно его дядя Лева, парень открыл дверь и буквально втянул того внутрь.

— Что, осаждают? — спросил Гуров.

— Со стороны улицы прямо к окну люлька подъемника подъезжала, а в ней парень с камерой — я занавеску чуть-чуть раздвинул и посмотрел, — доложил Саша. — Потом какая-то девица в медицинской форме упорно рвалась проверить, как чувствует себя больная, все норовила мимо меня проскочить — пришлось применить силу. Эх, и ругалась! — вздохнул он. — Мы с врачом и медсестрой договорились об условном стуке. Если его нет, то я просто стою возле двери и слушаю, что за нею происходит. А еду сюда нам на столике привозят, я открываю и закатываю его внутрь, а потом с грязной посудой обратно в коридор выкатываю и возле двери оставляю. Словно на осадном положении.

— Не словно, а действительно на осадном, — поправил родственника Гуров. — Крепись, Саша! Твоя тетка дел наворотила, тебе и страдать!

Конечно, Вилков мог бы возразить на это, что племянником, тем более троюродным, он приходится все-таки Гурову, а не его жене, но решил промолчать — дяде Леве и так плохо. Лев отдал ему вещи и собирался уже уйти, когда Саша кивком указал ему на дверь в комнату Марии, словно спрашивая, не хочет ли Лев зайти туда, чтобы поговорить с женой, на что тот покачал головой:

— Ни малейшего желания!

Дома Гуров попытался хоть немного навести порядок, но не столько возвращал вещи на привычные места, сколько распихивал их по шкафам, чтобы не валялись где попало, думая лишь об одном: куда могло деться колье?

Понедельник

Первое, что утром сделал Лев, он позвонил Вилкову и поинтересовался самочувствием Марии. И сделал он это не потому, что действительно беспокоился — волноваться-то было не о чем, а потому, что так полагалось по легенде. Как они и договаривались, Саша ответил ему, что без изменений, а вот происшествия были — журналюги никак не хотели угомониться и пытались пролезть во все щели. Посочувствовав племяннику и посоветовав держаться, Гуров стал собираться на работу. Костюм он себе еще с вечера приготовил, так что много времени сборы не заняли, пара бутербродов с бокалом чая — тем более. О своей обычной утренней гимнастике Лев договорился сам с собой не вспоминать — не то у него было состояние, чтобы еще и ею себя истязать, мыслей хватало.

Он ехал на работу и знать не знал, что перед хозяином одного высокого кабинета сейчас лежит распечатка всех его телефонных разговоров. Просмотрев список звонивших, хозяин кабинета, генерал, прочистил горло, отпил минералки и, ослабив галстук, крепко призадумался: а стоила ли та полученная им от Егорова весьма внушительная сумма того, чтобы нарываться на крупные неприятности с непредсказуемыми лично для него последствиями? Не стоит ли прямо сейчас пойти и заложить всех до единого, потому что повинную голову и меч не сечет? Но, поразмыслив, решил, что, в случае чего, он еще успеет отыграть ситуацию назад или, по крайней мере, исправить положение настолько, чтобы обойтись минимальными потерями. И тут ему вдруг вспомнились его друзья по школе милиции, по юридическому институту, по тем давним уже временам, когда он зеленым лейтенантом еще только начинал свою службу в милиции. А ведь это были настоящие друзья, которые и перед начальством его выгораживали, если оплошает, и спину прикрывали. Только вот, поднимаясь все выше и выше по карьерной лестнице, он их отсеивал, оставлял внизу — не по чину и званию ему стали такие друзья, и они ушли. А их место начали занимать нужные люди, для которых он тоже был просто необходим. И, потеряй он сейчас свое положение или если оно просто станет шатким, никто его выручать не кинется. Все, кто сейчас рядом, сразу отхлынут, словно море при отливе, и номер телефона забудут, и здороваться перестанут — он же больше не будет нужным. А вот настоящих друзей, для которых звания, чины и награды ничего не значат, у него уже не осталось. И генерал, взбесившись на неведомого ему Гурова, едва удержался, чтобы не разорвать лежавшие перед ним распечатки на мелкие клочки. Ну почему какому-то полковнику, когда тот попал в беду, люди со всей страны, причем многие из очень непростых, помощь предлагают? Чем этот полковник лучше него? И генерал решил, что утопит Гурова в дерьме по самую маковку! Виноват тот или нет — плевать! Но утопит, и все!

— Как Маша? — спросил Крячко, едва Гуров зашел в их с сослуживцем кабинет.

— Без изменений, — кратко ответил Лев. — А Сашка уже устал журналюг гонять.

— Ну ни стыда ни совести у людей нет! — возмутился Стас.

— У них теперь вместо этого доллары и евро существуют, — поддержал приятеля Лев и занялся делом.

Предвидя все возможные последствия, он достал из шкафа валявшийся там с незапамятных времен старый портфель и стал складывать в него из сейфа все, что могло ему пригодиться. Поняв смысл его действий, Крячко разразился таким матом-переметом, что Лев не выдержал и поморщился — сам он ругался только в крайнем случае, да и слушать что ругань, что «блатную музыку», хотя служба и заставила его изучить ее досконально, не любил. Закончив, он написал записку и подсунул ее под нос Стасу. Там было написано, чтобы тот вынес портфель за пределы здания, а Гуров его потом заберет. Крячко в знак согласия кивнул и поставил портфель возле своего стола, а Лев сунул записку в карман, решив, что сожжет ее, когда выйдет покурить. В здании это было делать строжайше запрещено, но ведь все равно курили на лестничной площадке, приспособив под пепельницу большую банку из-под кофе.

Не успел Гуров сесть на место, как в кабинет вошел Степан Николаевич Савельев. Парень этот был лихой, прошедший огонь, воду, чертовы зубы и службу в войсковой разведке на Северном Кавказе, откуда вернулся с боевыми наградами. Лев и Стас были знакомы с ним давно, одно время вместе служили, тесно общались и даже дружили, несмотря на разницу в возрасте, но вот расстались не очень хорошо. То, что Степан его подставил, Гуров ему давно простил — не по своей воле парень действовал, но вот того, что при этом чуть не пострадали Орлов с Крячко, — нет. Степан тогда от них ушел, даже не попрощавшись — знала собака, чье мясо съела. Где Степан теперь служил, Гуров точно не знал, хотя и сталкивался с ним потом по работе — это было явно какое-то спецподразделение, подчиненное кому-то на самом верху. И то, что он сейчас появился, означало новый поворот в деле Гурова — просто так он бы не пришел.

— Народ! Я понимаю, что добрым словом вы меня не поминаете, но у меня тут некоторые личные вещи остались. Хотелось бы забрать, — своим обычным бесшабашным тоном сказал Степан, но при этом прошел прямо к столу Льва и положил на него записку.

Гуров ее взял и прочитал: «С вами хочет встретиться мой тесть. Это очень важно, в первую очередь для вас». В записке был указан и адрес. Лев постучал себя по часам, чтобы уточнить время, на что Степан помотал головой, показывая, что его будут ждать столько, сколько надо — значит, дело действительно очень серьезное.

57

— Вспомнила баба, як девкой была! — в тон Степану сказал Крячко, пытавшийся, перегнувшись через два стоявших вплотную друг к другу письменных стола и вытянув шею, хоть краем глаза прочитать, что было в записке, хотя это было физически невозможно. — Раньше надо было приходить! Выкинули уже давно!

— Ну, на нет и суда нет! — беспечно ответил Савельев, забрал принесенную записку и вышел.

Когда за ним закрылась дверь, Стас подскочил ко Льву, который, достав из кармана приготовленную для уничтожения записку, написал на ней, что с ним хочет встретиться тесть Степана. Крячко, прочитав, со значительным видом покачал головой — дело оказалось не просто серьезным, а сверхсерьезным, потому что этим человеком был генерал-лейтенант ФСБ в отставке, а ныне сотрудник Администрации Президента Алексей Юрьевич Попов, и должность он там занимал солидную. А поскольку бывших чекистов не бывает, еще и личным другом очень высокопоставленных людей.

— Лева! Ты делом будешь заниматься или в окно пялиться? — спросил, вернувшись на место, Крячко. — Неприятности приходят и уходят, а работа остается. Ты бы хоть папку для приличия открыл.

— А чего стараться, если меня с минуты на минуту в управление собственной безопасности дернут? — удивился Лев. — Отстранение от работы на время проведения служебной проверки мне обеспечено, как пить дать. Так что это ты папку открывай.

Но звонка все не было и не было, и Гуров занервничал — его ведь ждал Попов. Но и уйти в такой момент, причем неизвестно куда, он не мог. Лев вышел якобы покурить, и стоявшие на лестничной площадке офицеры при виде его тут же замолчали — ясно, ему косточки перемывали, но к этому Лев уже давно привык. Дождавшись, когда он останется один, Гуров сжег записку и основательно потряс банку из-под кофе, чтобы пепел смешался с окурками. Когда он вернулся в кабинет, Стас торжественно сказал:

— Ждут-с! Только что звонить изволили. Приглашают на ковер-с! Причем лично к Дубову! Ох, он тебя сейчас и отдубасит! — И горестно добавил: — Не уважают тебя, Лев Иванович! Раньше прямо к начальнику вызывали, а теперь всего лишь к его заместителю.

— Так я чисто случайно знаю, что начальник в отпуске, — заметил Гуров.

Надев куртку, он глазами показал Крячко на портфель, напоминая, чтобы тот не забыл взять его с собой, на что Стас, уперев руки в бока, ответил ему возмущенным взглядом.

Полковник Дубов полностью оправдывал свою фамилию во всех смыслах. Он был среднего роста, коренаст и очень силен физически, но при этом весьма и весьма недалек. Честен он был безукоризненно, даже святая инквизиция не нашла бы, к чему прицепиться, и именно по этой причине при очередной чистке он и был назначен на эту должность. К сожалению, те, кто принимал это решение, почему-то не приняли во внимание, что он при этом был еще крайне злопамятен и очень мстителен. В прошлый раз, когда под Гурова начали копать из-за тех проклятых, принятых Марией от сибирских мужиков подарков и Льву удалось оправдаться без малейшего урона для чести и репутации, Дубов счел это за личное оскорбление — такая работа была проделана и все зря. И затаил злобу.

Когда же поступил сигнал, что Гурову хотят дать взятку, он вцепился в этот материал обеими руками и решил, что в этот раз раздавит ненавистного ему и якобы честного Гурова, как клопа. Будь его начальник на месте, никто бы ему развернуться не дал, но сейчас, дорвавшись до власти, он вошел в раж и уже сам не понимал, что отдает противозаконные приказы, настолько ненависть и злоба застили ему глаза. После вчерашней передачи Турина, имевшей огромный общественный резонанс, потому что Интернет буквально взорвался от возмущения, наступило горькое похмелье — утром его вызвали в министерство и мордовали, как нагадившего в хозяйские тапочки щенка. Было назначено служебное расследование уже по фактам его самоуправства, но вот от работы не отстранили, и Дубов решил, что жизнь положит, но докажет-таки, что Гуров самый настоящий оборотень в погонах, а то, что никаких доказательств его вины не найдено, так это только потому, что плохо искали.

Вот перед этим человеком Гуров сейчас и стоял. Багровый от ярости Дубов готов был испепелить его взглядом, но Льву к такому было не привыкать. Насвистывать он, конечно, не насвистывал, но вел себя совершенно спокойно, да и чувствовал себя так же — если уж в дело вмешался Попов, то можно было быть уверенным, что он во всем разберется, потому что долги за ним числились нешуточные — не раз Гуров по его поручению работал. Наконец Дубов, поняв, что Гурова он все равно не проймет, а после утренней выволочки на ковре многого он себе позволить не мог, злорадно заявил:

— Полковник Гуров! На время проведения в отношении вас служебного расследования вы отстраняетесь от работы. Сдайте служебное удостоверение и оружие, — он повелительным жестом указал на стол.

— Только в установленном законом порядке, после ознакомления с приказом в оружейку под роспись, а то из моего пистолета еще застрелят кого-нибудь, а я за это отвечать не хочу, — твердо ответил Лев.

От такой наглости Гурова Дубов стал уже малиновым, но правила есть правила, ему ли их не знать?

— Хорошо! — выдавил он из себя. — Приказ сейчас будет, а остальное я проконтролирую.

— Разрешите идти? — невозмутимо спросил Лев.

— Идите! — с ненавистью процедил Дубов.

Гуров вышел. Он дождался, когда будет напечатан, а потом подписан Дубовым приказ, на котором Гуров расписался в знак того, что ознакомлен с ним, и снова поехал на работу. Пистолет он сдал, а затем отправился сдавать служебное удостоверение. Начальник отдела кадров, переведенный на эту должность после серьезного ранения оперативник, с которым Лев был давно и хорошо знаком, посмотрел на него грустным взглядом и спросил:

— Лева! Ну чего тебе спокойно не живется?

60

— Я неприятности не ищу, они меня сами находят, — отшутился Гуров, кладя удостоверение на стол.

— Да оставь себе, — отмахнулся тот. — Мало ли что случиться может? Только уж направо-налево им не размахивай, чтобы мне по маковке не настучали.

К себе в кабинет Гуров подниматься не стал, а поехал по указанному в записке адресу. Чтобы избавиться от возможной слежки — уж если телефон прослушивали, то проследить за ним сам бог велел, — он предварительно очень основательно покрутился по тесным и узким переулкам старой Москвы, так что к нужному дому подъехал только тогда, когда был твердо уверен, что никого за собой не привел. В квартире, явно конспиративной, его ждал не только Попов, но и Степан — видимо, тесть настолько уверился в ценных качествах и преданности своего родственника, что стал привлекать его к своим очень серьезным делам, потому что мелочами он не занимался. Поздоровавшись, Гуров сел к столу и приготовился слушать, но ошибся, потому что Попов попросил:

— Лев Иванович, расскажите мне все, что знаете, от начала до конца. Как вы понимаете, интерес не праздный.

Врать Попову смысла не имело — тот, как аналитик, мог дать Гурову сто очков вперед и легко обогнать, так что Лев поведал ему все, что знал. Немного подумав, Алексей Юрьевич вздохнул и сказал:

— Счастье великое, что с вашей женой все обошлось — могло быть и хуже, поверьте мне.

И Гуров безоговорочно поверил, потому что Поповы, в прошлом разведчики-нелегалы, были выданы перебежчиком и провели хоть и в швейцарской, но тюрьме восемь лет, пока их не обменяли на агентов ЦРУ. А уж там бедной женщине пришлось очень тяжело.

— Как здоровье Анастасии Георгиевны? — в свою очередь, поинтересовался Лев.

— И рада бы поболеть, так ведь некогда, — чуть улыбнулся Попов. — Двое внуков, собака, кот. Конечно, у детей есть няня, по дому ей тоже помогают, но хозяйка-то она. Теперь вот садом решила заняться. Но давайте к делу. Значит, колье было, но во время обыска его почему-то не нашли.

— Сам удивляюсь, — пожал плечами Гуров. — Как я понял из передачи, искали более чем тщательно, с металлоискателями.

— Ну, достать его, я думаю, сложности не составит? — Алексей Юрьевич повернулся к Степану.

— Да, сегодня же схожу и возьму. Пусть только Лев Иванович мне подробно расскажет, что и как, — как о деле совершенно пустяшном, сказал тот.

И Лев, зная его буйное прошлое, ни секунды в этом не усомнился — тот еще пройдоха. Он нарисовал подробный план, как пройти к гримерке Марии, где там стоит шкаф и все остальное. Степан все внимательно изучил, покивал, на этом вопрос был исчерпан.

— Лев Иванович, а вы сами не задавались вопросом, почему вдруг возникла такая ситуация? — поинтересовался Попов.

— Знаете, мы чуть голову себе не сломали, думая об этом. То, что за этим стоит Александров, чушь несусветная — он на такое не пошел бы. Да еще и колье! Да и вообще никто из уголовников не стал бы мне ничего таким образом подсовывать — я ведь в ответ такое могу зарядить, что света белого не взвидят.

— Значит, вариантов никаких, — констатировал Попов. — Ну, тогда я вам кое-что расскажу, и надеюсь, это внесет некоторую ясность. Дело в том, что в пятницу было принято решение о подключении вашей, Лев Иванович, группы к расследованию по делу Егорова.

— Это министр правительства Московской области? — уточнил Гуров, и Алексей Юрьевич кивнул. — Но это же чисто экономическое преступление, — удивился Лев.

— Да, сначала оно рассматривалось именно так. Егоров разработал очень эффективную схему воровства бюджетных средств, выделенных на строительство и ремонт дорог области. В каждом районе области он создал две подконтрольные ему, но оформленные на подставных лиц фирмы соответствующего профиля. Как только объявлялся тендер на проведение таких работ, эти фирмы подавали заявки, и одна из них обязательно его выигрывала. Она проводила работы, но их качество было таково, что на следующий год требовался новый ремонт. Снова проводился тендер, обе фирмы опять подавали заявки на участие в нем, но выигрывала уже другая. Эта история повторялась из года в год много лет.

— Знаете, мне даже страшно себе представить похищенную сумму, — сказал пораженный Лев.

— Даже опытные в таких вещах люди только руками разводили, — согласился с ним Алексей Юрьевич.

— Но здесь же в принципе придраться было не к чему, — продолжал удивляться Лев. — Как же он попался?

— Дело в том, что мэр одного из подмосковных городов по фамилии Кабанов, выйдя на пенсию...

— Алексей Юрьевич! Чтобы в наше время в России мэр города добровольно ушел на пенсию?! — воскликнул Гуров и запоздало извинился: — Простите, что перебил.

— Я понимаю ваше удивление, — кивнул Попов. — Да! Он вышел на пенсию и вскоре выехал с супругой на ПМЖ за границу. И вот уже оттуда направил информацию во все возможные правоохранительные органы России о том, чем занимается Егоров. В Администрации Президента тоже было получено это послание. После чего Кабанов постарался затеряться.

— Затерялся бесследно? — уточнил Гуров.

— Конечно нет, — спокойно ответил Попов. — Его нашли и с ним побеседовали, но нового он ничего не сказал. Оправдывался тем, что вынужден был принимать участие в аферах Егорова, потому что жизнь дороже.

— Что-то я не слышал, чтобы.... — начал было Лев, но Алексей Юрьевич остановил его:

— Я позже объясню, — и продолжил: — К тому времени уже была начата служебная проверка деятельности Егорова, а поскольку факты подтвердились, то она плавно перетекла в уголовное дело. Егорова отстранили от должности и взяли подписку о невыезде. На адвокатов Егоров не скупился, есть подозрение, что и некоторые сотрудники правоохранительных органов оказались небезгрешны. Словом, дело начало пробуксовывать и грозило либо затянуться на веки вечные, либо закончиться вообще ничем. Тогда я проанализировал все материалы, сопоставил со словами Кабанова, что ему была жизнь дороже, и увидел, что в течение нескольких лет в Подмосковье творились странные вещи: с мэрами некоторых городов и главами районных администраций происходили вроде бы совсем обычные, рядовые несчастные случаи, но, однако, всегда со смертельным исходом. Как вы понимаете, у каждого руководителя обязательно есть свои карманные фирмы, через которые он и сам хотел бы поучаствовать в дележе бюджета.

— А если все было отдано на откуп Егорову, то вывод напрашивается сам собой — эти несчастные случаи были совсем не случайными, — закончил за собеседника Лев.

— Вот именно! — подтвердил Алексей Юрьевич. — Но происходили они довольно давно, и тогда я решил привлечь к расследованию вас, потому что в вашей честности и компетентности никогда не сомневался.

— Мы кретины! — воскликнул Гуров и хлопнул себя по лбу. — Это я не о вас, — быстро заверил он Попова и Степана. — Мы, три старых сыскаря — я, Орлов и Крячко, много лет проработавшие в милиции, зубы проевшие на оперативной работе, сидели и гадали, откуда у этой истории ноги растут! А мой племянник... Да, без году неделя он, можно сказать, серьезной работой занят, еще тогда предположил, что мне эту подставу устроили не за то, что я «уже» сделал! А чтобы я «не смог» чего-то сделать! А мы от него отмахнулись!

— Ваш племянник это Вилков? — спросил Алексей Юрьевич.

— Да, троюродный, правда, но нам как родной сын. Светлая голова у парня! Далеко пойдет! — Гуров все никак не мог успокоиться. — Господи! Ну где же наши мозги были?

— Не расстраивайтесь, Лев Иванович, — успокоил полковника Попов. — Вы же тогда еще ничего о новом деле не знали, вам собирались сказать обо всем только в понедельник. Но, очевидно, произошла утечка информации, причем на очень высоком уровне, Егоров обо всем узнал и предпринял контрмеры, чтобы вывести вас из игры. Кто именно допустил утечку, мы сейчас разбираемся и обязательно выясним.

— Ну, теперь мне все ясно, — зло сказал Гуров. — Можете считать это непрофессиональным, Алексей Юрьевич, но ночь, которую моя жена провела в ИВС, синяк вполлица и другие побои я Егорову прощать не собираюсь! Для меня это дело стало уже личным!

— Как и для меня, Лев Иванович — это ведь я не только предложил вашу кандидатуру, но и настоял на ней, — добавил Попов. — Значит, вы беретесь за это дело?

Гуров на это только недоуменно посмотрел на него, словно хотел спросить: «А вы сомневались?», и предложил:

— Давайте перейдем к организационным моментам. Как я понял, Дубов меня в покое оставлять не собирается, так что слежка и прослушка телефонов мне обеспечена. Он взбешен настолько, что пойдет на все, а у меня есть две болевые точки — моя жена и племянник. Если вдруг как-то выяснится, что она нормально себя чувствует, то ее мигом вернут в ИВС, а Сашку... Да его могут просто подставить с непредсказуемыми последствиями. Подсунут наркотики, и все! Чего уж проще? Пока они не будут в безопасности, у меня связаны руки.

— Об этом не беспокойтесь, — заверил Попов. — Схема для подобных ситуаций у нас отработанная. Вашу жену сегодня же перевезут в Кремлевку, а Вилков будет ее сопровождать. Но туда приедет другая машина, а вот они еще до конца дня по чужим документам будут вывезены за границу. Вам нужно только их предупредить, чтобы не волновались.

— Спасибо, — искренне поблагодарил Лев.

— Бросьте, это же в наших общих интересах, — отмахнулся генерал.

— Правда, если бы знали, сколько я заплатил за эту клинику, — Гуров тяжело вздохнул и помотал головой.

— Деньги вернут, — заверил его Попов. — Пусть не сразу, но вернут.

— А что мне делать с Любимовым? — спросил Лев. — Он же сегодня или уже подал, или подаст жалобу прокурору. И заплатить мне ему надо. Да и шумиха вокруг задержания и избиения Марии еще не скоро утихнет. Господи, если бы я только знал, что вы вмешаетесь в это дело, а в ИВС все более-менее обойдется, я бы просто подождал, а теперь?

— С Любимовым вам встретиться, конечно, надо, — подумав, сказал Алексей Юрьевич. — Попросите его пока не подавать жалобу прокурору, а если он уже подал, то отозвать. Объясните это тем, что у вас в связи с этой историей очень большие неприятности и имеет смысл немного подождать. Он человек умный, поймет. С телевидением особых проблем я не предвижу — там всегда найдется новая сенсация, которая затмит старую, тем более что официально ваша жена будет якобы находиться в Кремлевке, а уж туда никаких журналистов и близко не пустят. Вот шум сам собой и уляжется.

— Хорошо, так и сделаю. Но тут вот какой момент: я не застрахован от повторного обыска — Дубов закусил удила, и что он может от отчаянья предпринять, никому не известно. Как мне в такой ситуации держать дома рабочие документы?

— Ну, о том, чтобы вы жили дома, и речи быть не может, — согласился с полковником Алексей Юрьевич. — Эта квартира вас устроит?

— Нет, — покачал головой Лев. — Она же в центре — мало ли кого я смогу на улице встретить? Тут нужно что-то поближе к окраине.

— Есть такая, в Текстильщиках, — сказал Степан, поворачиваясь к тестю. — И транспортом неприметным мы Льва Ивановича обеспечим, чтобы в метро не светился.

— Я думаю, что это подойдет, — согласился тот. — Мне потребуются все без исключения материалы по якобы несчастным случаям и самая полная информация на Егорова. На данном этапе все, — подвел черту Гуров и усмехнулся: — Егоров ужасно боялся, что я займусь его делом! А в результате именно этого и добился!

— Тогда, Лев Иванович, поступим следующим образом, — взял бразды правления в свои руки Степан. — Чтобы нам распланировать время, вы прямо сейчас договоритесь о встрече с Любимовым — это первоочередное. От него вы поедете в больницу и обо всем предупредите родственников, чтобы они по незнанию не подняли шум, когда за ними приедут. Скажите Вилкову, что пароль — Шурган. Выйдя из клиники, вы оставите машину на стоянке возле нее, пройдете два квартала пешком в обратном направлении до ресторана «Оазис» — это не вызовет подозрений, потому что по дороге к клинике вы будете проезжать как раз мимо него. За клиникой обязательно наблюдают, так что все решат, что вы просто вышли пообедать, чтобы потом вернуться обратно. В ресторане вы делаете заказ на свое усмотрение, а потом идете в туалет — мужской и женский там отдельно, чтобы помыть руки. В мужском кабинете две кабинки. Вы заходите в ближнюю к двери и оставляете там в мусорной корзине свой сотовый или сотовые, если у вас с собой их несколько — полиэтиленовый пакет будет приготовлен и засунут за бачок. Мусорное ведро там — это контейнер с вращающейся крышкой, так что никто телефоны не увидит, да и просто не успеет — их тут же заберут. Выйдя из туалета, вы пойдете не в зал, а дальше по коридору — там служебный выход, который будет не заперт. Вы выйдете во двор, где вас уже буду ждать я. Машина — темно-синие «Жигули» шестой модели, номерное знак 678. Я отвезу вас на новую квартиру, где имеется все необходимое для жизни. О своей машине можете не беспокоиться — ее заберет эвакуатор. Замечания по плану есть?

— Кажется, ты решил учить меня оперативной работе? — насмешливо спросил Гуров.

— Извините, Лев Иванович, но в некоторых вопросах я разбираюсь немного лучше вас, — совершенно спокойно ответил парень. — Вы уходите в автономный рейд по тылам противника. Какое у него прикрытие и каким оружием он располагает, мы не знаем — может быть, он готовит новую атаку, раз первая провалилась? Тут нужно быть готовым ко всему.

Гуров посмотрел на него совершенно другими глазами и подумал, что он при всех своих навыках и знаниях вряд ли смог бы провоевать два года на Северном Кавказе без единой царапины и вернуться с наградами. Но признать это вслух он не смог бы даже под дулом пистолета — водился за Гуровым такой грешок, что сознаваться в своих ошибках перед кем бы то ни было, кроме самого себя, он не мог.

— Тогда, может быть, ты мне подскажешь, как лучше всего замаскироваться? — не без ехидства спросил Лев.

— Сменить имидж, — мгновенно ответил парень. — Вам, например, следует перестать бриться и надеть ширпотреб, а то вы своим лощеным видом невольно привлекаете внимание женщин, а они намного наблюдательнее мужчин. А уж в том, что касается мужчин, особенно! Так что я заеду на вещевой рынок и куплю вам одежду попроще, чтобы вы в глаза не бросались.

Крыть Гурову были нечем, и он смолчал. Пережив свое пусть и никем не замеченное унижение, но мысленно пообещав себе припомнить это Степану при случае, затем позвонил Любимову, который оказался в офисе, и договорился с ним о короткой, всего на несколько минут встрече. Потом они со Степаном прикинули время, которое потребуется Льву Ивановичу на остальные дела, и решили, что до пяти часов вечера он, не торопясь, с учетом всех возможных пробок, успеет.

— Лев Иванович, современные технологии позволяют прослушивать все, о чем говорится в комнате, даже если телефоны выключены. Поверьте, это так, — видя недоуменный взгляд Гурова, подтвердил Алексей Юрьевич. — Вот вам телефон, пользуйтесь только им. Его номер знаем только мы со Степаном, так что других звонков быть не должно, если только по ошибке. Наши номера туда уже занесены. Контрольные звонки от нас к вам — в 9 часов утра и вечера. Если же вам вдруг срочно потребуется какая-то информация, то звоните сами в любое время. Но лучше всего просто вызвать Степана, потому что по телефону всего не скажешь. Правда, он и так будет постоянно приезжать к вам с новостями.

— Алексей Юрьевич, мне надо как-то предупредить Орлова и Крячко, что некоторое время я буду вне зоны досягаемости, — сказал Гуров и, видя, что тот, выражая недовольство, поморщился, объяснил: — Поймите, если они вдруг решат, что со мной что-то случилось, то займутся поисками меня, и это может привести к непредсказуемым результатам. Тем более что мне нужно забрать у Стаса портфель с некоторыми необходимыми вещами. Да и поручения мне им кое-какие надо

68

дать, которые им, как работникам полиции, будет проще выполнить, чем вашим людям. Тем более что о нашей дружбе знают все, так что их интерес не вызовет никаких подозрений.

— Например? — поинтересовался Попов.

— Нужно выяснить: откуда в службу собственной безопасности поступила информация о якобы взятке в виде колье. Потом необходимо переговорить с Александровым — не с потолка же Егоров взял эту фамилию, тем более что в записке была даже его кличка Санька Рыжий. У Егорова была точная информация о том, что я не только вел это дело, но и не стал вешать на Александрова лишнее, и ответил он только за реально совершенные им преступления — тут уж, извините, прослеживается явная связь Егорова или с уголовниками, или с...

— Работниками правоохранительных органов, — закончил за него Попов. — Так, судя по его осведомленности и тому, как ни шатко ни валко движется его дело, она у него самая прямая и надежная.

— Но у Александрова все равно нужно узнать, нет ли у него на этот счет каких-то своих соображений, — настаивал Гуров. — Его ведь сильно подставили, а это заставит его очень усиленно шевелить мозгами. Далее. Дежурный ИВС клятвенно заверил меня, что посадит Марию в приличную камеру, а потом позвонил и сказал, что Никифоров, это начальник ИВС, приказал поместить ее к уголовницам. Так кто же Никифорову это приказал? Сам бы он на такое не пошел! Он еле-еле на месте усидел, отделавшись неполным служебным, после той истории, когда он посадил в одну камеру четырех проходивших по одному делу человек, которых еще и отравить умудрились. Хорошо, что хоть один выжил и потом мог показания дать. Нет! Никифоров ни за что не стал бы так рисковать без прямого приказа сверху! И еще. Если мне расследование уголовной составляющей дела Егорова уже не поручат, то кто именно будет этим заниматься? И кто отдаст об этом приказ?

— Я вас понял, — кивнул Попов.

— А я против, — решительно заявил Степан. — Крячко знает, что Алексей Юрьевич назначил вам встречу, следовательно, ваше исчезновение он и генерал Орлов поймут правильно.

— А ты откуда об этом знаешь? — возмутился Лев.

— А разве у вас со Станиславом Васильевичем когда-нибудь были секреты друг от друга? — спросил в ответ парень. — Я могу представить себе, что именно находится в том портфеле, который вы хотите забрать у Крячко. Уверяю вас, что в случае необходимости аппаратура у вас будет намного более современная и совершенная. Что касается перечисленных вами поручений, то передать их Крячко могу и я. Как и заявление вашего племянника на отпуск, потому что неизвестно, сколько нам потребуется времени, чтобы до конца разобраться с делом Егорова.

— Хорошо, я ему скажу, и он напишет, — вынужден был согласиться Гуров. — Но мы с вами не учли самого главного: если меня вдруг вызовут в управление собственной безопасности, а меня нигде не смогут найти, то...

— Вас сначала будут искать по больницам и моргам, а потом подадут в розыск, — спокойно сказал Попов. — Как и ваших родственников, если вдруг выяснится, что Марии нет в Кремлевке — такой вариант тоже надо учитывать. Потому-то их и вывезут за границу, так как в России спрятать будет намного сложнее.

— Ну, знаете! — возмутился Гуров. — Чтобы моя фотография висела на доске «Их разыскивает полиция» рядом со снимками преступников? О Марии и Сашке я уже и не говорю!

— Во-первых, Лев Иванович, да кто их смотрит-то? — встрял Степан. — А во-вторых, там висят еще и фотографии пропавших людей, а это не самое плохое соседство. Если сравнивать с первым, конечно.

— Сынок, — тихо сказал Алексей Юрьевич, и Степан тут же заткнулся, приняв самый скромный вид, а Попов обратился к Гурову: — Лев Иванович, — так же тихо и медленно продолжил он, — вас, может быть, смешат все эти предосторожности и раздражают связанные с ними неудобства, но если мои умозаключения верны, то в деле Егорова ремонт дорог — это верхушка айсберга. Разработанная им схема распространена практически по всей области и действует уже давно, но доказательств причастности Егорова к этому у нас нет. Пока нет, — подчеркнул он. — Размеры хищений колоссальны. По самым минимальным подсчетам речь идет о десятках миллиардов долларов, хотя на самом деле сумма может быть намного больше. И замешаны в этом такие люди, что без серьезных доказательств к ним даже близко подходить не стоит, а вот заподозри они к своим персонам хоть какой-то интерес, не остановятся ни перед чем, вплоть до физического устранения. За вменяемые ему преступления Егорова сейчас нельзя взять под стражу — они же экономические, а у нас теперь либеральные законы. К тому же с такими адвокатами, как у него, его выпустят под залог. Но вот если удастся доказать причастность Егорова к чисто уголовным преступлениям и на основании этого арестовать его, то остальные фигуранты этого дела, узнав об этом, в большей или меньшей степени запаникуют, вот тогда их и можно будет накрыть частой сетью. Теперь вы понимаете, почему мы вынуждены работать в таких условиях? Я верю Степану и верю вам, а вот всех остальных нам придется использовать втемную для разовых, не связанных друг с другом поручений. Такая цель для вас оправдывает средства?

— Да, Алексей Юрьевич, — покаянно сказал Гуров. — Извините, но я даже не предполагал, что это все настолько серьезно. Я готов работать по предложенной вами схеме и прошу прощения, если чем-то кого-то обидел.

Знающие Гурова люди в обморок бы попадали, услышав от него подобное, но таковых здесь не было, а присутствующие это восприняли как само собой разумеющееся. Выйдя из квартиры, Лев поехал к Любимову, который встретил его настороженным взглядом — он же сказал Гурову, что деньги может принять и секретарь, а если Лев приехал лично, значит, что-то изменилось.

— Михаил Яковлевич, вы уже подали жалобу прокурору? — спросил Гуров.

— Еще нет, как раз собирался ехать, а что?

— Не надо этого делать, — попросил Лев.

— Пока или совсем? — уточнил Любимов. — Надеюсь, вы знаете, что срок подачи жалоб не безвременный?

— Знаю, конечно, но обстоятельства сложились таким образом, что шумиха, поднятая вокруг этого дела, может только повредить, и чем скорее она утихнет, тем лучше. Я не буду вам ничего объяснять, просто поверьте мне на слово, что больше ничего предпринимать не надо.

— И не надо мне ничего объяснять, — усмехнулся Любимов. — И так понятно, что в бой на вашей стороне вступила некая неучтенная третья сила, я прав?

— Михаил Яковлевич, я очень благодарен вам за все, что вы сделали для меня и Марии, но на данном этапе я считаю наши отношения законченными, — не отвечая на вопрос, сказал Гуров. — А вашу работу я сейчас оплачу. Всего доброго.

Гуров вышел, сопровождаемый задумчивым взглядом адвоката, оставил деньги секретарю, получил квитанцию и направился в клинику. Зная взбалмошный характер Марии, он не сомневался, что она попытается устроить скандал, но это его волновало мало — его голова была уже занята предстоящей работой. Толпы журналистов возле клиники уже не было — наверное, где-то что-то случилось, и они бросились туда в погоне за горячим материалом. Одно слово — падальщики. Едва услышав голос Гурова, Саша тут же открыл дверь, и Лев, войдя и кивая на дверь в комнату Маши, спросил:

— Как?

— Да нормально. От передачи Турина была в полном восторге.

— Еще бы! Такой пиар! — хмыкнул Лев, направляясь к жене, а Вилков — за ним. — Маша, тебя сегодня перевезут в Кремлевку, — сказал он ей.

О том, что на самом деле они с Сашей будут вывезены за границу, он решил пока не говорить.

— Зачем? — удивилась она. — Мне и здесь хорошо.

— Туда не смогут проникнуть журналисты и выяснить, что твоя болезнь фикция, а то сюда, как мне сказал Саша, они неоднократно пытались попасть.

— Никуда я не поеду! — капризно заявила Мария.

— Ты хочешь обратно в ИВС? Тебе там так понравилось? — поинтересовался Гуров.

— Мне там не понравилось, но и в Кремлевку не хочу! — решительно заявила она. — У меня с собой ничего нет: ни приличных вещей, ни косметики! Как я там буду выглядеть на фоне остальных женщин?

— Ты думаешь, они туда ложатся для того, чтобы похвалиться друг перед другом туалетами и драгоценностями? — поинтересовался Лев, поняв, что о вывозе за границу ей ни в коем случае говорить нельзя — тут она такую истерику закатит, что сорвет всю операцию к чертовой матери.

— Но все равно я должна выглядеть достойно! — настаивала Мария. — Не в этом же провонявшем тюрьмой спортивном костюме мне там ходить?

— Хорошо, напиши мне список того, что тебе надо, и я тебе туда все привезу, — предложил Гуров, вырывая из блокнота листок бумаги и протягивая ей.

— Лучше привези сразу сюда, — попросила она.

— Извини, не смогу — у меня очень много дел, — сказал Гуров и не соврал: дел у него действительно было еще много. — Ну ты пиши, а мы с Сашей пока выйдем, чтобы тебе не мешать.

В другой комнате он отвел Вилкова подальше от двери и шепотом объяснил ему, как на самом деле обстоят дела.

— Помни, пароль — Шурган. Когда постучат в дверь и ты его услышишь, знай, что это свои.

— Дядя Лева, это действительно необходимо?

— Саша, ты никогда не задумывался, почему у нас с Машей нет детей?

— Я думал, просто не получилось или Мария не захотела себе фигуру портить, — пожал плечами тот.

— Нет, это было мое решение. При нашей работе болевые точки иметь категорически запрещено! Да, детей у меня нет, но есть Маша, а сейчас еще и ты, и на меня могут попытаться надавить через вас. Что, в общем-то, уже и произошло. Когда вы окажетесь в безопасности, у меня будут развязаны руки и я смогу работать спокойно, ни за кого не боясь. Теперь ты понимаешь, что это действительно необходимо?

— Да, дядя Лева, — вздохнув, согласился Саша. — Я обещаю, что буду присматривать за Марией и здесь, и там, куда нас отвезут. А это надолго?

— Ничего не могу обещать, но отпуск тебе будет оформлен с сегодняшнего дня. Кстати, хорошо, что вспомнил — пиши заявление.

Забрав заявление Вилкова и список необходимых жене вещей, который, даже написанный мелким почерком, не поместился на одной стороне листка, а перешел на его обратную сторону, Гуров направился к врачу. Тот встретил его со всем возможным радушием, как, впрочем, в частных клиниках и полагалось.

— Мою жену сегодня перевезут в Кремлевку, — сообщил ему Лев.

Тот на это понимающе кивнул и с готовностью заявил:

— Деньги вам, конечно же, вернут. Нужно написать заявление на имя...

— Я всем этим займусь, но позже, сейчас мне некогда, — перебил Лев врача. — Я вас прошу, подготовьте все документы на выписку уже сейчас, чтобы потом не задерживать «Скорую».

И провожаемый заверениями врача, что он немедленно этим займется, Лев ушел. Дальше все шло по заранее намеченному плану. Оказавшись в машине рядом со Степаном, Гуров попросил:

— Ты скажи тем врачам, которые будут забирать Марию, если они действительно врачи, чтобы в машине ей вкололи снотворное, а то, поняв, что ее везут не в Кремлевку, а неизвестно куда, она так разойдется, что машину на кусочки разнесет.

— Вы ей ничего не сказали? — удивился парень.

— Нет, она бы тут же закатила скандал по поводу того, что ей там будет нечего надеть, — вздохнул Лев.

Степан посмотрел на него и ничего не сказал, но думал, что вот умный мужик Гуров и с характером все в порядке, а дома — тряпка тряпкой. И угораздило же его жениться на актрисе! Словно не было вокруг нормальных женщин без закидонов и тараканов в голове, одна из которых могла бы стать ему хорошей женой. И не знал Степан, что Гуров в этот момент подумал о том же самом! Больше на эту тему они не говорили.

— Объясняю ситуацию, — начал Степан. — Квартира, как вы понимаете, конспиративная, однокомнатная, но для нормальной жизни там все есть. Чистое постельное белье и полотенца — в шкафу. В холодильнике тоже не пусто, но я тут кое-что еще прихватил. Теперь о вас. С этой минуты вы Илья Семенович Порфирьев — документы в бардачке.

Гуров полез туда и вытащил полиэтиленовый пакет, в котором лежал паспорт на это имя, но с его, гуровской, фотографией, свидетельство ОМС, документы на машину и все прочее, что может потребоваться Льву в ближайшее время, и два ключа на кольце. И все это было не новеньким, а потрепанным — видно было, что пользовались этим давно.

— Запасные ключи от квартиры у меня есть, — сообщил Степан и стал рассказывать дальше: — Адрес регистрации сами посмотрите в паспорте, а легенда такая: после развода жена вас выставила из дома, дав в качестве утешительного приза эту машину. Вы не смотрите, что она неказистая, внутренности у нее такие, что до ста километров разгоняется за несколько секунд — это на всякий случай, а то мало ли, как дела повернутся.

— Если будут проверять по месту регистрации? — поинтересовался Лев.

— Жена продала квартиру и убыла в неизвестном направлении, — объяснил Степан и продолжил: — Детей у вас не было. Вы же сняли эту квартиру через риелторское бюро «Милый дом». Договор в пакете, данные на жену — там же. Временно безработный, и поэтому «бомбите». Вроде все.

— Степан, где же ты работаешь? — удивленно спросил Гуров.

— Какая разница? — усмехнулся парень. — Фирма веников не вяжет, и это главное. И учтите, что все эти документы мне нужно будет потом вернуть в целости и сохранности.

Тем временем они подъехали к длиннющей многоэтажке в Текстильщиках. Доставая из багажника сумки, Степан пояснил:

— Супермаркет и круглосуточная аптека — бог даст, не потребуется — находятся прямо в этом доме, да и все остальное поблизости. Очень удобно.

Сумок было три. Степан взял две, Лев одну, и они пошли. Квартира действительно оказалась приличной, и пока Лев ее осматривал, Степан разгружал сумки. В одной оказались продукты, которые парень положил в холодильник, во второй — вещи, но такого качества, что Гуров никогда в жизни не надел бы их даже для поездки на дачу к Крячко. Увидев, как Лев смотрит на них, Степан усмехнулся:

— А ведь пол-России в такой одежде ходит, и ничего! Если же подгладить что-то надо, то утюг здесь есть.

С этими словами он поставил на стол в комнате третью сумку, достал оттуда ноутбук и предупредил:

— Интернетом пользоваться не стоит, вместо него у вас есть я. — Потом он достал из той же сумки папки с документами, и сказал: — На данном этапе все, а я поехал, мне еще ваших друзей успокаивать и колье доставать.

— Хорошо, что напомнил, — спохватился Гуров и протянул Степану заявление Вилкова на отпуск: — Вот, передай им.

Савельев ушел, а Лев, приготовив себе на скорую руку поесть, сел изучать документы, причем там были не только ксерокопии старых дел, но и пометки на них, сделанные, вероятно, рукой Попова. Итак, всего было восемь якобы несчастных случаев, закончившихся смертью пострадавших.

Первым был глава районной администрации Дмитриев, в должности этой он находился уже давно, нареканий у руководства особых не вызывал, так, средней руки менеджер. И вот, в мае 2005 года, когда он был дома один, потому что семья отдыхала на даче, в его квартире почему-то произошел взрыв бытового газа. Дмитриев умер в больнице, не приходя в сознание. Следствие велось самым тщательным образом — не рядовой же гражданин пострадал. Как показала экспертиза, газовое оборудование было в полном порядке, впрочем, в квартире руководителя такого уровня иначе и быть не могло. Из протокола осмотра было ясно, что и металлическая, и деревянная двери в его квартиру на четвертом этаже были заперты изнутри, да еще для надежности наружная была закрыта на защелку, а внутренняя — на цепочку. Окна в квартире, кроме того, что в спальне, а она, судя по плану квартиры, находилась далеко от кухни, были закрыты. А вот все пять вентилей на газовой плите, включая духовку, оказались почему-то открыты. Судя же по выключателю, свет в туалете, который как раз находился недалеко от кухни, Дмитриев зажег.

Ну и какой вывод из этого можно сделать? Предположим, Дмитриев с вечера крепко выпил, решил чаю попить, поставил на плиту чайник и забыл о нем. Или, например, поставил пельмени вариться. Закипевшая вода залила конфорку, газ начал заполнять квартиру — окна-то, кроме спального, были закрыты. Потом Дмитриев пошел в туалет, в полусонном состоянии не поняв, что пахнет газом, включил свет, и вот тебе взрыв. Да вот только не было у него в крови ни алкоголя, ни снотворного, ни наркотиков, ни других веществ, а главное, зачем ему было все пять конфорок включать?

Или это было такое изуверское самоубийство? Ну не поверил мужик в то, что ему и газа хватит, вот и решил для верности еще и взорвать себя, а в придачу две соседние и одну верхнюю квартиры изуродовать. Может, тогда ему следовало бы лечь спать прямо в кухне на полу? Только, судя по отзывам, сумасшедшим Дмитриев не был, за должность свою держался мертвой хваткой, жена от него уходить не собиралась, уголовных дел против него не возбуждали. Словом, жил человек да радовался! Не было у него причин для самоубийства! Значит, это было убийство! И судя по приписке, вероятно, рукой Попова: «На место Дмитриева в июне 2005 года был назначен Жданов, а в июле тендер на проведение ремонта дорог в районе выиграла подконтрольная Егорову фирма». Значит, именно Егорову была выгодна эта смерть. Но вот кто и как совершил это убийство?

Второй жертвой в июле того же года был мэр Власенко. Ну, тут и следствие проводить не стали. Собираясь на работу, зашел себе человек в ванную, чтобы душ, предположим, принять, поскользнулся и разбил себе голову о раковину. Только вот непонятно, откуда вдруг на полу мыльная вода взялась, если он был один в своей запертой изнури квартире на шестом этаже? И опять-таки, судя по приписке, его преемник не стал ссориться с Егоровым.

Третьим в апреле 2006-го погиб мэр Яковлев. Был он опять-таки один, опять-таки в запертой изнутри квартире на третьем этаже элитного дома и, будучи совершенно трезвым, умудрился выпить смертельную дозу снотворного. Это списали на самоубийство, хотя ни малейших причин для этого у него не было, да и предсмертной записки он не оставил.

Опять-таки в апреле того же года глава районной администрации Ткачук, планировавший провести с семьей в деревне майские праздники, поехал туда со своим водителем, чтобы протопить выстывший за зиму дом, где они собирались потом заночевать, чтобы утром вернуться в город. Ну как мог много лет проживший в частном доме с печным отоплением человек закрыть вытяжку, а потом еще подбросить на раскаленные угли в печку сухие дрова? Тут угорел не только он, но и его водитель. Но если Ткачук принял для сугрева на грудь, то водитель-то, по данным экспертизы, был трезвехонек! И дверь опять-таки была закрыта изнутри не только на замок, но и на накидной крюк. Вывод был однозначный — несчастный случай.

Пятым был глава районной администрации Алопаев. Этот жил в собственном навороченном коттедже с непременным камином, и ведь надо же было такому случиться, что в мае 2007-го упал он там с собственной лестницы и сломал себе шею. И опять-таки был он дома один, и дом был заперт изнутри.

Шестым пострадал мэр Гречушкин. Летом 2007-го он решил после тяжкого трудового дня поразвлечься с секретаршей, а для бодрости духа, и не только его, хватанул от души коньячку. Но с такой дозой клофелина, что припозднившаяся по причине проведения некоторых гигиенических процедур девица застала его уже без сознания. Спасти не удалось. А ведь коньяк из этой бутылки, как потом выяснилось, он и до этого пил. И опять-таки в комнату отдыха при его кабинете никто не заходил.

Седьмой жертвой стал глава районной администрации Щербаков. Этот, хоть и страдал гипертонией, был любителем русской бани, чтобы из парной да в прорубь! Там-то, прямо в бане, в феврале 2008 года его и накрыл инсульт с летальным исходом. И тут оказалось, что во флаконе с лекарством для снижения давления у него были таблетки, обладающие как раз противоположным действием. Как они могли туда попасть, если он с этим флаконом не расставался, выяснить не удалось. Будучи вдовцом, имел любовницу, но ей от его смерти никакой выгоды не было, а дети давно жили в Москве и к отцу наезжали только по праздникам.

Восьмым и последним погиб мэр Сидоров, человек молодой и очень честолюбивый. За здоровьем своим следил самым внимательным образом — не пил, не курил, занимался в фитнес-центре, словом, собирался жить долго и счастливо. И вот этот человек, находясь один в своей квартире на восьмом этаже, летом 2008 года по совершенно загадочной причине выпал ночью со своего застекленного балкона. Тут уж причин для самоубийства никто даже искать не пытался — не было их, и быть не могло. Сидоров только что дорвался до вожделенного кресла, и планов у него было громадье!

Конечно, это была не последняя смерть: мэров и глав администраций убивали и потом, но все эти убийства были обычными и объяснимыми: стреляли, нападали с ножом, взрывали, но вот таких непоняток больше не было. Все эти восемь убийств объединяло то, что все жертвы погибли, находясь в одиночестве, в запертых изнутри квартирах, и все их преемники рвались дружить с Егоровым и оказывать ему всяческое содействие в построении лично его, егоровского, материального благополучия. Само собой, что внакладе они не оставались, но по сравнению с тем, что они могли бы иметь, присосавшись к такой кормушке самостоятельно, это была мелочь, но жизнь, как выразился сбежавший мэр Кабанов, дороже.

Оставив бумаги на столе, Гуров начал мерить шагами комнату, мысленно рассуждая на ходу. Итак, последний якобы несчастный случай произошел в 2008 году, а потом их не было. Почему? То ли все дружно признали неоспоримое право сеньора и больше не возражают, то ли у сеньора больше не было способа убеждения непокорных в своей власти. А значит, нужно выяснить, как складываются у Егорова отношения с новыми руководителями — не может быть, чтобы с 2008 года главы администраций и мэры нигде не поменялись. Если подконтрольные ему фирмы продолжают благоденствовать, то люди просто запуганы и не ропщут, если же новые руководители начали проявлять самостоятельность, причем безнаказанную, это будет говорить о том, что прежних методов убеждения-принуждения у Егорова больше нет. Остановившись возле стола, Лев написал на чистом листе бумаги первый пункт из того списка поручений, которые собирался дать Степану, а потом стал вышагивать дальше.

Больше всего его заинтересовал последний случай с Сидоровым. Ну что тот мог делать ночью на балконе? Зачем он туда вышел? Покурить? Но он не курил! Напрашивалось другое предположение — его что-то насторожило, но что? Сработавшая сигнализация его машины? Служебная, естественно, была в гараже, а личная? Проверить, где она была. Узнать у соседей, не было ли в ту ночь во дворе шума, драки, криков. Гуров занес в список еще один пункт и стал размышлять дальше. Если окажется, что вокруг стояла тишь да гладь, то можно будет предположить, что Сидорова привлек шум на собственном балконе. Например, кто-то попытался к нему проникнуть. Но квартира-то на восьмом этаже! А если это был вордомушник, а по совместительству верхолаз? Но нужно быть идиотом, чтобы лезть в квартиру, не убедившись в отсутствии хозяев. И тут Лев застыл, потому что вдруг все понял. Наличие хозяина именно и предусматривалось! Как и во всех остальных случаях! И с Сидоровым тоже должен был произойти какой-нибудь не вызывающий подозрений несчастный случай. Но он, видимо, чутко спал и, услышав даже небольшой шум, проснулся. Понадеявшись на свою физическую подготовку, он решил задержать вора сам, но что-то пошло не так, и закончилось это для него очень плачевно.

Быстро вернувшись к столу, Гуров достал из всех папок фотографии с мест происшествий и стал внимательно их изучать.

И чем дольше он смотрел, тем больше убеждался в собственной правоте. Да, это был вор-домушник высочайшей квалификации! Виртуоз-форточник! Эти преступники должны быть обязательно маленького роста, очень худые, гибкие, и им пролезть в любую, недоступную для человека нормальных габаритов щель не составляет никакого труда. А он еще и очень сильный физически, раз может спускаться по веревке с крыши, а потом залезть обратно. Да, такому ничего не стоит и флакон с лекарством подменить, и снотворное подсыпать, и через камминную трубу в дом попасть, и все остальное. Но люди этой специальности не занимаются мокрыми делами, значит, этот почему-то изменил своим принципам, почему? Или правильнее спросить: ради чего? Деньги? Но при такой квалификации бедствовать он не должен. Или здесь присутствуют личные мотивы, старая дружба, например? Нужно срочно выяснить, не было ли среди знакомых Егорова щуплых людей маленького роста и с уголовным прошлым. Это, конечно, еще не доказательство, но уже зацепка. И в списке поручений появился еще один пункт.

За окном уже была глубокая ночь, но Гурову совсем не хотелось спать, а вот есть — да. Наделав себе гору разнообразных бутербродов — Степан чего только не накупил! — и, разведя большой бокал кофе покрепче — черт с ней, с поджелудочной! — он вернулся в комнату и стал изучать материалы уже на самого Егорова.

Итак, Егоров Николай Владимирович, 1968 года рождения, уроженец города Саратова. В личном листке по учету кадров, как его называли раньше, все было обычно, только вот наличие высшего образования вызывало большие сомнения — попадались грамматические ошибки. Так что диплом наверняка купленный. Гуров тут же внес в список поручений еще один пункт — проверить подлинность диплома Егорова, потому что окажись тот фальшивым, в чем лично Гуров не сомневался, это будет уже очень серьезно. Перечень мест работы Николая Владимировича после армии тоже доверия не внушал: из слесаря судоремонтного завода — сразу в помощники депутата гордумы Валентина Григорьева. С чего бы вдруг такой карьерный рост? В Москву он приехал в 1993 году в обозе Григорьева, выдвинутого на повышение. Был здесь сначала его помощником, потом подвизался на небольших должностях в правительстве Московской области, куда был пристроен не иначе как стараниями того же Григорьева, а венцом его карьеры стала должность министра в 2004 году. А если учесть, что с 2005-го и началась череда странных несчастных случаев, то здесь есть о чем подумать! Ладно, к этому еще вернемся.

Автобиография Егорова была написана короткими скупыми фразами, но ошибок в ней было еще больше. Так, семья самая простая: родители работали на том же заводе, что и он сам потом, и обоих уже нет в живых: отец погиб в результате несчастного случая в 1982 году, мать умерла от рака в 1985-м. Имелась сестра Екатерина, но тоже скончалась в результате несчастного случая в 1986-м. Что-то вокруг Егорова слишком много несчастных случаев! Женился Егоров, как тогда было принято, сразу после армии в 1988-м, в 1989-м у него родился сын Владимир. Брак был расторгнут в 1993-м. А почему? А, видимо, потому, что брать с собой жену и сына в Москву Егоров не планировал. В 2004-м сын скончался в результате несчастного случая — просто эпидемия какая-то! В столице Егоров долго наслаждался прелестями холостой жизни, а потом, видимо, для респектабельности женился в 2007 году, детей не было. Развелся он через два года после свадьбы. Судя по тому, что в третий раз он женился на светской львице через два месяца после развода, ради нее все и произошло. Тут в перечень поручений были внесены еще два — поговорить с его бывшей женой, потому что обиженная женщина очень охотно выложит всю подноготную о муже. Да и с нынешней супругой побеседовать ненавязчиво тоже не помешает — эти особы умом не блещут, так что можно будет узнать что-то интересное.

Покончив с этим делом, Лев перешел к протоколам допросов людей, которые в разное время работали с Егоровым. Ну, те, кто знал его в должности помощника Григорьева, ничего интересного не сказали: предан, исполнителен, но недалек. А вот те, кто работал с ним уже в правительстве Московской области, дали гораздо больше информации. Практически все удивлялись тому, что его назначили министром, потому что покровитель покровителем, но и в голове нужно что-то иметь, а в ней, по их мнению, было негусто. А вот некоторые из них хоть и смущались, хоть и говорили, что сами в такое не верят, но куда от фактов деваться? Короче, они считали, что у Егорова дурной глаз, потому что он говорил человеку: «Никто ни от чего не застрахован. Все под богом ходим. Никто с ним контракт не подписал» — а потом с тем человеком несчастный случай происходил.

Отложив в сторону эту стопку документов, Гуров всерьез задумался: по всему получалось, что разработать такую хитроумную схему хищения бюджетных средств Егоров сам явно не мог. Как там говорили? «Предан, исполнителен, но недалек». Получается, кто-то думал за него. Просмотрев список ближайшего окружения Егорова, Гуров не нашел там людей, способных на подобную благотворительность: каждый из них занят своим делом и такие богатые идеи никому дарить не будет, а применит их сам. Да и окружение самое обычное для человека такого уровня: коллеги по работе, банкиры, госслужащие, подруги жены с солидными мужьями или папиками.

Надо копать глубже! Искать в молодости, в детстве, среди школьных друзей, потому что именно тогда завязываются самые прочные, на всю жизнь связи. Необходимо ехать в Саратов и разбираться на месте, потому что передоверить такое дело Гуров никому не мог. Легко сказать: ехать, но как? По чужим документам, хотя они на самом деле настоящие? И тут Лев понял, что совершил страшную ошибку, не сняв с карточки еще днем деньги, а сейчас это делать было уже опасно — все банкоматы оборудованы видеокамерами. Те, кто за ним следил, потеряли его после того, как он вошел в ресторан, и, естественно, доложили по инстанции. Домой он не вернулся, на связь с Орловым и Крячко не выходил. Если его вдруг вызывали, предположим, на допрос в управление собственной безопасности, а он оказался недосягаем, его вполне уже могли подать в розыск — с Дубова станется, а счет заморозить. Если же, не приведи господи, почему-то выяснилось, что Мария и Сашка в Кремлевку не приезжали, а перепроверить это вполне могли, то могли подать в розыск и их. Те, кто затевал эту провокацию, никак не могли ожидать, что ситуация выйдет из-под их контроля, и теперь им жизненно необходимо либо убедить всех в своей правоте, то есть сделать из Гурова оборотня в погонах, а Марию — его соучастницей, либо ликвидировать их по принципу: нет тела — нет дела. А ехать в Саратов надо! Что предпринять? За окном начало уже сереть, когда Гуров решил, что все-таки стоит лечь и поспать. Вот приедет завтра, то есть уже сегодня Степан они все и обсудят.

А Степану в тот день тоже пришлось нелегко. Во-первых, надо было как-то связаться с Крячко, чтобы успокоить его и Орлова, а то они, тревожась за Гурова, действительно могли наломать дров. Но это он решил поручить отцу — он со Станиславом Васильевичем дружит, вот пусть и выкручивается.

Николай Степанович Савельев, ворочавший миллионами, причем не рублей, исполнительный директор и главный акционер ЗАО «Сибирь-матушка», имевшего филиалы во всех крупных городах Сибири и Дальнего Востока, давно уже смирился с тем, что его сын живет своей, совершенно непонятной для него жизнью и совсем не собирается идти по его стопам, и теперь делал главную ставку на внука, проча его в свои преемники — то, что малыш еще даже говорить толком не умел, его не смущало. Выслушав просьбу сына пригласить к себе в офис Крячко, потому что ему нужно передать ему кое-что от Гурова, Савельев только вздохнул и снял трубку — о том, что случилось со Львом и Марией, он уже знал из новостей по телевизору и понимал, что это для дела.

А Стас и Петр к вечеру уже вконец извелись. Они сидели в кабинете генерала, и Орлов кипел от возмущения:

— Сволочь! Хоть бы позвонил и сказал, как у него дела. И ведь телефоны все отключил! Меня из службы собственной безопасности уже чуть не изнасиловали — вынь да положь им Гурова. Последний раз полчаса назад звонили! А его что, им рожу?

— Эгоист он! И ты сам это не хуже меня знаешь! — поддержал его Крячко. — Ему на нас плевать! Но раз они его не нашли, значит, он не задержан. Хоть это утешает.

— Стас! Подумай, в какую нору он мог забиться?

— А черт его знает! — взорвался тот. — У него должников по Москве, как у сучки блох! К любому обратится, и будет у него и стол, и дом! И отсиживаться он там может сколько хочет!

— Ну хоть бы через кого-нибудь дал понять, что у него все в порядке! — воскликнул Орлов.

Именно в эту минуту на сотовый Крячко и позвонил Савельев.

— Привет, Стас! В офис ко мне не подъедешь? Тут мужики из Сибири гостинцы прислали, — радушно пригласил он.

— Извини, не до этого мне сейчас, — отказался Крячко.

— Жалко! — вздохнул Савельев. — С медом и орехами, конечно, ничего не случится, но вот рыба малосольная и мясо копченое как бы не пропали. И Леве не предложишь с его-то поджелудочной.

Тут до Крячко стало кое-что доходить, и он, сориентировавшись, спросил:

— Ты там долго еще будешь?

— Вообще-то уже уезжать собирался. Хотел тебе еще раньше днем позвонить, но замотался.

— Ладно, сейчас подскочу, дождись меня, — пообещал Стас и, отключив телефон, сказал Орлову: — Петр! Ты копченое мясо и соленую рыбу любишь?

— Люблю! Особенно под водку! — пока еще ничего не понимая, ответил тот.

— Тогда я сейчас быстро сгоняю к Савельеву, все заберу, и нажремся мы с тобой сегодня вечером в хлам, чтобы не думать о том, что нам с тобой такой гад, как Гуров, в друзья достался.

— Тогда поезжай потом сразу ко мне домой. Я по дороге водки куплю, а жена пока картошечки отварит.

Если бы потом Крячко спросили, как он доехал до офиса Савельева, он бы ответить не мог, но добрался без происшествий. Буквально вломившись в кабинет Николая Степановича, он не увидел на столе обещанных гостинцев, зато за ним сидел Степан собственной персоной.

— Ну? — Стас подскочил к нему и, чуть ли не хватая за грудки, спросил: — Что с Левой?

Тот и бровью не повел, а достал и протянул Стасу листок бумаги.

— Это заявление Вилкова на отпуск. Он и Мария находятся в Кремлевке, но навещать их там не надо, — заявил он. — И даже по телефону интересоваться их самочувствием не стоит. Я ясно выразился?

— Понял, не глупее тебя, — буркнул Крячко, решивший, что Лева спрятал свою родню у кого-то из своих должников. — С ним-то самим что?

— Жив-здоров, работает. Условия таковы, что на связь с вами он выходить не сможет, но просил вас кое-что для него выяснить, — и Степан перечислил все поручения Гурова. — Информацию передадите тем же путем: позвоните папе, и я сюда подъеду. — И, обращаясь ко всем, сказал: — Ну, все! Я пошел — у меня еще дел полно. Из здания выйду через запасной выход.

— Когда малышей к нам привезешь? — вслед ему спросил Савельев.

— Если все будет нормально, то на выходные, — пообещал тот и вышел.

Выдохнув с огромным облегчением, Крячко опустился на стул и сказал:

— Слава тебе, господи! Хоть какая-то ясность появилась. А то ведь чуть с ума не сошли. — И, окончательно придя в себя, ехидно спросил: — А гостинцев, значит, не будет? — Савельев на это только развел руками. — Ну, ничего! Мы ради таких хороших новостей с Петром без всякой закуси в хлам напьемся!

Выйдя из офиса, Стас поехал домой к Петру, а вот Степан в это время уже подъезжал к театру — ему же надо было еще колье доставать.

Вторник

Утром Гурова разбудил контрольный звонок Степана. После всех пережитых им нервотрепок и бессонных ночей он чувствовал себя как дряхлый старик, но это не мешало ему здраво соображать, и полковник попросил Степана приехать.

За оставшееся время Лев успел принять прохладный душ, чтобы немного взбодриться, нажарить себе сказочную яичницу с колбасой и хоть и с тепличными, но помидорами, а также выпить большой бокал кофе с бутербродами — надо же было подкрепиться, а то накануне он за весь день толком ничего не ел. Степан начал с отчета.

— Докладываю: Мария и Вилков уже прибыли на место без происшествий и, по имеющимся у меня данным, всем довольны.

— Куда вы их хоть отправили-то? — поинтересовался Гуров. — Теперь-то уж можно сказать.

— Помните, из-за чего мне пришлось от вас уйти? — спросил Степан.

— Еще бы! Ту историю с шантажистом я еще не скоро забуду! — поморщился Лев. — И то, как мне руки тогда выкручивали, тоже! — не удержавшись, добавил он.

— Но ведь все благополучно завершилось для всех заинтересованных сторон, — примиряюще сказал парень. — Так вот, среди тех, кого тот гад держал в руках, был отец одной девицы, которая сейчас благополучно замужем и живет за границей. К ней-то мы вашу родню и отправили. Приняли их там очень хорошо, может быть, даже возвращаться не захотят. А более точная информация вам и не нужна.

— Все равно Мария вернется и все разболтает, — отмахнулся Лев. — Еще что?

— Колье я достал, и им сейчас тесть занимается. Записка на экспертизе — удалось достать образец почерка Александрова, так что есть с чем сравнить.

— Как же ты в театр попал? — удивился Гуров.

— Лев Иванович! После того погрома, что там при обыске устроили, его всем миром в порядок приводят. Затесался среди людей, прошел к гримерке, ну а дальше совсем просто, — притворно скромно ответил Степан.

— Никак не могу понять, почему его при обыске не нашли, — недоуменно сказал Гуров. — Ну не могли его пропустить!

— Давайте подождем, что Алексей Юрьевич выяснит, может, тогда и гадать не придется, — предложил Степан.

Гуров вкратце обрисовал ему ситуацию и свои выводы, а потом, протянув лист с поручениями, начал объяснять, что парню предстояло сделать.

— Да, поговорить-то с этой дамочкой, — Степан имел в виду нынешнюю супругу Егорова, — было бы нетрудно — общих знакомых по тусовкам нашли бы. Только вот убыла она в субботу утром совершенно неожиданно для всех и в неизвестном направлении. Мы позондировали почву и выяснили, что Егоров говорит всем, что они накануне на ее дне рождения крупно поссорились, а наутро она хлопнула дверью и ушла, причем он даже не догадывается, куда именно.

— Степа! Жизнь приучила меня не верить в совпадения, — задумчиво сказал Лев. — Суди сам: в пятницу было принято решение о подключении моей группы к делу Егорова, в субботу утром его жена внезапно исчезает, а вечером устраивают провокацию против меня, используя Марию.

— Намекаете на то, что эта дамочка могла увидеть или услышать много лишнего и теперь где-то в саду на глубине двух метров отдыхает? — спросил парень.

— Исключать такое я не стал бы, но прежде всего проверил бы все авиарейсы — вдруг она куда-то уехала? — предположил Лев.

— То есть Егоров не стал решать вопрос кардинально, а просто спровадил ее куда подальше на время? — уточнил Степан.

— Вот именно! Да и с подруженьками ее я бы побеседовал. Эти дамочки болтливы, как сороки. Если она действительно где-то телеса греет, то позвонить приятельницам и похвалиться — святое дело.

— Хорошо, мы этим займемся, — кивнул парень.

— Ну, раз с этим вопросом все, то переходим к основному. Степан, мне нужно в Саратов! — решительно заявил Гуров.

— Нет! — не менее решительно ответил парень. — Я сам съезжу и все выясню. Что вас интересует?

— Степа! Пойми! Я уже в теме, я знаю, что нужно спрашивать и на что обратить внимание, — начал убеждать Савельева Лев.

— Введите меня в курс дела, и я буду знать столько же, а уж как я умею втираться в доверие, не мне вам рассказывать, — стоял на своем Степан.

— Черт! Да я бы даже разговаривать с тобой не стал, а просто взял и поехал, если бы у меня были деньги! — вспылил Лев.

— Нарываться изволите, господин полковник! — назидательно произнес парень. — По Москве еще туда-сюда, а вот с ментами на вокзале и в аэропорту я бы вам сталкиваться не советовал — а ну как срисуют?

— Что, все-таки объявили в розыск? — спросил Гуров, хотя уже и так это понял.

— Некоторые господа вне себя от служебного рвения, копытом землю роют, — кивнул тот.

— Вот как хочешь, так и придумывай, но в Саратов мне надо! — твердо заявил Лев. — Иначе мы будем ковыряться в этом деле до морковкиного заговенья! Потому что там нужно концы искать! Именно там! Звони тестю, может быть, он предложит что-то рациональное.

Поколебавшись, Степан позвонил Попову и рассказал о том, как обстоят дела. Тот поколебался, но согласился, что ехать надо, а вот как все организовать, пусть Степан сам думает.

— Не было печали! — буркнул парень, отключив телефон — видно, он рассчитывал, что тесть согласится именно с ним и именно его пошлет в Саратов — авантюристом Степан был отъявленным, но раз карта легла иначе, то надо было что-то придумывать, и он начал рассуждать: — Самолет быстро и удобно, но опасно — в аэропортах народ бдит изо всех сил. Остается междугородний автобус или поезд, что выбираете?

— Лучше поезд, потому что просидеть черт знает сколько часов, а потом еще и работать мне будет трудно — не мальчик я уже, в конце концов, — решил Гуров.

— Значит, нам нужен проходящий, в плацкарте, и садиться вы будете не в Москве. Вас объявили в розыск, фотографии на разводе раздали, и вы сейчас в памяти у пэпээсников еще свеженький. Срисуют на раз! Документы у вас — не подкопаешься, но ведь могут задержать до выяснения обстоятельств, а это никому не надо. Таким образом, я вас довожу на машине до первой станции после Москвы. Можно было бы и на электричке, но там вас опять-таки могут увидеть полицейские, так что рисковать не будем. На этой станции вы садитесь в поезд, тут риску гораздо меньше — пока еще туда информация дойдет. Надолго собираетесь задержаться в Саратове?

— Нет, — покачал головой Лев, — постараюсь обернуться за один день. Если же потом потребуются какие-то уточнения, то их уже отсюда можно будет запросить.

— Значит, обратно будете возвращаться тем же путем. Позвоните мне и скажете, каким поездом едете, а я вас буду встречать на той же станции. Сейчас посмотрим, какой у нас расклад.

Степан достал свой ноутбук и стал искать нужную информацию, а Гуров пошел на кухню за вторым бокалом кофе — спать хотелось все сильнее. Когда он вернулся, Степан уже определился.

— Поступим следующим образом. В два с минутами с Павелецкого вокзала уходит поезд 047 Москва—Балаково. Первая остановка у него Узуново, но она длится 23 минуты, а это нам не подходит — слишком долго, а вот следующая Михайлов, куда поезд приходит в 17.46 и стоит всего 2 минуты, это то, что нам нужно. Вагоны есть сидячие и плацкартные, сидеть вам будет трудно, а вот плацкарт подойдет. В Саратове будете в полшестого утра. Нормально?

— Подойдет, — согласился Лев. — Пока я там найду нужную улицу, время и пройдет. Главное, чтобы билеты были.

— Это уже моя проблема, — отмахнулся Степан. — Ну а с обратным выездом вы там на месте разберетесь. Я сейчас пойду, а вы лягте да поспите, а то видок у вас, вы уж извините, очень сильно не цветущий. Но перед сном соберите сумку, а то без багажа вы будете вызывать подозрение — там в коридоре в шкафу есть кошелка потрепанная, ее в случае чего и бросить не жалко. Ну а одежда у вас сейчас такая, что вполне сойдете за небогатого пенсионера. Только бриться не вздумайте!

— Ну поучи меня еще, поучи! — возмутился Гуров, закрывая за парнем дверь.

Но сумку он все же предварительно собрал и лег спать — действительно, не молоденький уже, чтобы после бессонных ночей мячиком скакать. Он проснулся от того, что кто-то возился на кухне — это был Степан. Парень приготовил ему в дорогу три бутерброда с сыром, сварил вкрутую яйца, а соль насыпал в спичечный коробок.

— Ну вот, — удовлетворенно сказал он, увидев Гурова. — Теперь вы самый обычный дедок, что едет к родственникам. Билет я вам купил в плацкартный вагон, но — уж простите, на верхнюю полку — там вы незаметнее будете. Десяти тысяч вам на один день и обратный билет должно хватить. Сейчас перекусим — и в путь.

Поев, они поехали на станцию Михайлов. По дороге Степан спросил:

— Лев Иванович, вы взяли с собой наш телефон? — Тот кивнул. — Если возникнет нештатная ситуация, немедленно звоните. Денег на его счет положено достаточно, так что об этом не волнуйтесь. Еще. Вы помните о том, что теперь вы Илья Семенович Порфирьев? — В ответ Гуров только поморщился. — Это я к тому, что вдруг вы случайно захватили с собой какие-нибудь документы на имя Гурова.

— Не считай меня дураком, — буркнул Лев.

И... соврал! Служебное удостоверение он как раз прихватил на всякий случай с собой — мало ли, как дела могут повернуться? Вдруг и пригодится?

К поезду они успели, и Гуров, повесив куртку на крюк, засунул сумку под подушку и сразу же, забравшись на свою полку, уснул — выспаться-то он так толком и не успел.

А в это время Алексей Юрьевич Попов, предварительно договорившись о встрече, уже сидел в «Алмазном фонде» напротив пожилого эксперта, как ему сказали, лучшего в своем деле.

— Ну-с? С чем пожаловали? — поинтересовался тот. — Что могло заинтересовать в нашем ведомстве сотрудника Администрации Президента?

— Сначала вот это, — сказал Попов, положив перед ним лист бумаги.

— А! Подписка о неразглашении! — глянув на собеседника, хмыкнул эксперт. — Знали бы вы, сколько я их уже подписал! — Но подпись свою поставил и, возвращая листок, поинтересовался: — Так в чем дело?

— Вот в этом, — ответил Алексей Юрьевич и, достав из внутреннего кармана пиджака все тот же файл, выложил на стол колье и расправил его.

— Не может быть! — схватившись за сердце, ахнул эксперт. Он судорожно сглотнул, склонился над украшением, но тут же выпрямился и возмущенно воскликнул: — Что за гадость вы мне принесли?

— А вот вы мне сейчас и расскажете, что это за гадость, — спокойно ответил Попов.

— Это даже не подделка! Это дешевая копия! — бушевал эксперт.

— Копия чего? — уточнил Алексей Юрьевич. — Делайте поправку на то, что имеете дело не со специалистом.

— Извините, — пробормотал эксперт. — Но вы должны меня понять. Оно столько лет считалось пропавшим, а тут вы вдруг приходите и приносите его. В файле! — язвительно добавил он. — Счастье великое, что это копия, а то бы я вам...

— Я жду! — нетерпеливо напомнил Попов.

Как любой фанатик своего дела, а эксперт был именно таким, он мог говорить об интересующих его вещах бесконечно и поэтому начал издалека:

— Это колье княгинь Шеловских. Сейчас я вам покажу, как оно выглядит по-настоящему.

Он, подъехав на своем кресле с колесиками к стеллажу, достал оттуда фолиант, полистал его, открыл на нужной странице и положил перед Поповым.

— Вот, полюбуйтесь. Это первая княгиня Шеловская. Точнее, не первая, конечно, но оно было именно ей подарено. Это колье уникально по технике исполнения и занесено во все каталоги, его знают все ювелиры мира.

Попов увидел портрет необыкновенно красивой зеленоглазой женщины в придворном платье, а на шее у нее было именно такое колье.

— Любая вещь такого уровня имеет свою историю. Все началось во время правления Николая Первого. Среди фрейлин его супруги была Анна Павловна Оболенская-Тверская. Красавица, как вы видите, необыкновенная. Судя по всему, между ней и императором была не интрижка, а самая настоящая любовь, уж с его стороны — точно. Конечно же, все обо всем знали. И тем большим сюрпризом для всех стало известие о том, что Анна Павловна выходит замуж за князя Шеловского. Это, надо вам сказать, один из самых древних дворянских родов России, Гедеминовичи! А князь этот входил в ближайшее окружение императора!

— По всей вероятности, девица оказалась в интересном положении, император не захотел, чтобы его ребенок рос байстрюком и воспитывался где-то на задворках в самом дальнем имении, вот и попросил князя покрыть его позор, — предположил Попов.

— Ну, никаких письменных свидетельств этого нет, — развел руками эксперт. — Но! По высочайшему повелению придворными ювелирами к свадьбе Анны Павловны и Шеловского было изготовлено это колье из изумрудов с бриллиантами — у Анны Павловны, как вы, наверное, заметили, были зеленые глаза. И табакерка с портретом Николая Первого и надписью: «Князю Андрею Дмитриевичу Шеловскому в знак вечной дружбы». Полагаю, это о чем-то говорит!

— Значит, в жилах Шеловских течет кровь Романовых?

— Нет! — вздохнул эксперт. — Старший ребенок Анны Павловны и Андрея Дмитриевича умер во младенчестве. Однако брак этот, хоть и заключенный не по доброй воле, а по монаршему повелению оказался удачным. С тех пор это колье переходило из поколения в поколение старшим из княгинь Шеловских. Такая вот семейная реликвия!

— И оно затерялось во время революции? — спросил Попов.

— Опять-таки нет! После революции, во время Гражданской войны практически все Шеловские, а род этот довольно большой, разветвленный, покинули Россию. Время было страшное, многого взять с собой они могли, а может, и не хотели, потому что рассчитывали со временем вернуться, но табакерка в числе прочего уехала вместе с ними. По слухам, она сейчас во Франции. А вот с колье произошла другая история. Константин Николаевич Шеловской был, как и все его предки, военным. Он долго не женился, потому что родители не давали согласие на его брак с, конечно же, дворянкой, но из весьма незнатного рода. А тут, не вынеся крушения жизненных устоев, умер его отец, и старшим в роду стал он. Тут-то он и женился в 1920 году на любимой девушке, и колье перешло к ней. Эмигрировать он отказался, потому что был настоящим русским патриотом и служил не правителям, а России. Он был выдающимся специалистом по фортификационным сооружениям. А в стране таких в то время было очень мало, точнее, не осталось. Его не стали трогать, назначили военспецом и приставили комиссара, чтобы за ним присматривал. Ему даже оставили московскую квартиру, ничего в ней не тронув. Многочисленные имения по всей России, конечно же, отобрали.

— Значит, 1937 год, — заключил Попов.

— Совершенно верно! — подтвердил эксперт. — Константин Николаевич много работал по всей России, а его жена с сыном Александром — он у них родился в 1921 году, ездили везде вместе с ним. И вот в Туркестане его жена умерла. Глупая, нелепая смерть от укуса тарантула. Потом он вернулся в Москву, а был он в то время уже, считая по-современному, полковником. Жил он с сыном по-прежнему в своей квартире, преподавал в академии и в 1931 году снова женился, а на следующий год у них родилась дочь Ольга. Что творилось в 1937 году, теперь известно всем, и, когда за ним пришли, он успел застрелиться.

— Чтобы избежать пыток и мучительной смерти? — предположил Попов. — Как-то малодушно для князя — другие-то не стрелялись и прошли через все это.

— Вы ничего не понимаете! — досадливо отмахнулся эксперт. — Он не боялся смерти. Во всяком случае, в Первую мировую он сражался на фронте наравне с рядовыми и в штабе не отсиживался. Он был человеком чести! Он не мог себе позволить опозорить свой род — чтобы князь Шеловской был арестован, судим, казнен! Нет, он предпочел другой выход. А вот супруга его, кстати, очень красивая женщина была и, несмотря на разницу в возрасте, очень его любила. Так вот она, зная о том, какие муки ее ждут, застрелилась из этого же пистолета над телом мужа. Их так и нашли потом рядом.

— Странно! — удивился Алексей Юрьевич. — Ну, ладно, Александр был ей пасынком, но дочь-то родная. Как она могла бросить ее в таком возрасте? Ведь должна же была понимать, что ту ждет детдом, смена фамилии и самое безрадостное будущее. А главное, она ведь могла получить пусть и большой, но срок, а потом попытаться найти дочь. Странно, — задумчиво повторил он.

— Ну, вероятно, она-то как раз и была малодушной и очень испугалась, — предположил эксперт.

— А как сложилась судьба их детей? — поинтересовался Попов.

— Никто не знает, — пожал плечами эксперт. — Когда чекисты ворвались в квартиру, то кроме трупов ничего и никого не нашли. Детей, как потом выяснилось, еще за несколько месяцев до этого Шеловские отправили погостить к родственникам жены, но они там даже не появлялись. Ничего компрометирующего хозяев в квартире, конечно же, не нашли, но не было там также никаких личных бумаг и драгоценностей, даже фамильного столового серебра. Даже обручальных колец на трупах не было.

— Похоже, что полковник, предвидя грядущие бедствия, где-то спрятал и детей, и все ценное, включая колье, чтобы им было на что потом жить, — отвечая своим мыслям, сказал Алексей Юрьевич и спросил: — Интересно, их искали?

— Скорее всего, да, но, чтобы точно ответить на этот вопрос, нужно посмотреть в архивах ФСБ, но не факт, что там найдется что-то интересное. Двое детей с такими ценностями!

Их могли просто убить, а вещи присвоить — мне приходилось сталкиваться с такими случаями, и в порядочность чекистов я больше не верю.

Если Попов и воспринял эти слова как личное оскорбление, то виду не подал и спросил:

— Скажите, а кто, по вашему мнению, мог сделать эту копию?

Эксперт взял колье с таким брезгливым видом, словно дотрагивался до половой тряпки, и стал его рассматривать.

— Ну, сделано оно не более семи-десяти лет назад. А по манере исполнения... — он задумался, вертя колье и так и эдак, а потом уверенно сказал: — Исаак Соломонович Кох. Его рука. Но помочь вам он уже ничем не сможет — умер два года назад. И знаете, — удивленно сказал он, — я даже представить себе не могу, сколько ему заплатили за то, чтобы он согласился сделать эту дешевку. Ювелиром он был выдающимся, вещи из его рук выходили уникальные, и цену он себе знал. Не со всяким клиентом бы связался. Если ему какая-то дамочка их тех, что вдруг разбогатели, начинала свои условия диктовать, а он был против, то грубо он их, конечно, не посылал, но отказывал твердо и навсегда. И вдруг это, простите, дерьмо. Бериллиевая бронза со стекляшками! Нет, я не понимаю, как он мог на это согласиться!

— Скажите, а чтобы сделать эту копию, ему нужно было иметь под рукой оригинал? — поинтересовался Алексей Юрьевич.

— Да нет! — поморщился эксперт. — Во многих каталогах есть не только изображение колье, но и его подробное описание. Ему бы этого за глаза хватило.

— Напишите мне, пожалуйста, адрес и телефон квартиры Коха — вдруг его вдова и дети смогут что-нибудь рассказать и о заказчике, и о том, почему он вдруг согласился на эту работу.

Эксперт все написал, но предупредил, что вдова Коха и его сын собираются эмигрировать в Израиль, так что им не до разговоров, но может быть, и согласятся побеседовать. Вдову зовут Дора Михайловна, а сына — Лазарь Исаакович. Поблагодарив его, Попов вышел на улицу и тут же позвонил зятю:

— Степан! Запоминай адрес и немедленно отправляйся туда. Нужно поговорить с родственниками ювелира Коха, который делал копию старинного колье. Выжми из ситуации все возможное, — и перечислил ему все данные.

А в доме Кохов действительно шли сборы, и, как услышал даже через две двери Степан, собиралась хозяйка крайне эмоционально. Если бы он заранее по телефону не удостоверился, что дома и мать, и сын, то решил бы, что женщина разговаривает сама с собой, потому что мужского голоса слышно не было. Несмотря на то, что он предварительно предупредил о своем визите, переговоры через дверь велись очень длительные, подробные, с неоднократным предъявлением удостоверения. Когда же он наконец попал внутрь, то сначала решил, что по квартире пронесся торнадо: все, что могло быть сдвинуто с места, было сдвинуто. Более-менее порядок в квартире сохранялся в кухне, но и то весьма относительно. Переставив составленные одна в другую кастрюли на пол, он сел на табурет и приготовился ждать, потому что по опыту уже знал, что прежде, чем ему дадут сказать хоть слово, мадам Кох выговорится сама. Она не заставила себя ждать и тут же напустилась на него:

— Мало мы от вас натерпелись! Мой бедный муж! Кто его только не проверял! Налоговая жила прямо у нас в прихожей, а пожарный надзор появлялся каждую неделю! Мы все понимаем, их дети тоже хотят кушать, но надо же и совесть иметь! Но когда к нам пришла санэпидстанция, я сказала: «Исаак! Хватит! Всех мы накормить не в силах, даже если ты будешь работать сорок восемь часов в сутки и отдавать им все до копейки! Надо ехать!» Но бедный Исаак не дожил до этого светлого дня! Он уже никогда больше не увидит Иерусалим! Он никогда не постоит возле Стены Плача! Скажите, почему у вас всегда и во всем виноваты евреи? Наш несчастный народ!

Поняв, что это песня, как казахский эпос, хоть и со словами, но без конца, Степан все-таки встрял:

— Мадам Кох! Я понимаю, что вы скорбите по своему покойному мужу, но пожалейте же и своего ныне здравствующего сына! А то случится так, что он еще очень не скоро увидит

Иерусалим! — Женщина замолчала мгновенно, словно кто-то звук выключил, и уставилась на него, а он продолжал: — Дело в том, что ваш муж несколько лет тому назад сделал дешевую копию одного очень известного украшения, которая сейчас была найдена в очень необычном месте при очень необычных обстоятельствах. Как вы понимаете, я не произношу слово «подозрительных» только для того, чтобы не пугать вас. Мне нужно знать, для кого он сделал эту копию.

— Почему мой муж? — снова пошла в бой Дора Михайловна. — Можно подумать, что он был единственным ювелиром на всю Москву и ее окрестности!

— Это доказано, — кратко ответил Степан и вкрадчиво сказал: — Мадам Кох! Я понимаю! У вас перед отъездом много дел. У меня их, поверьте, не меньше. Так зачем же мы будем отнимать друг у друга время? Вы сейчас мне все расскажете, и будем считать тему закрытой. А то эти вызовы в полицию, допросы, протоколы... Кстати, вы уже забронировали места на самолет?

Кохи переглянулись и... сдались! Неизвестно, был ли Крячко смолоду таким же пронырой, как сейчас, способным, словно горячий нож в масло, войти в любую компанию, но Степан, несмотря на молодость лет, уже превосходил его по всем показателям и расположить к себе людей для него ничего не стоило. Через пять минут он сидел за столом, пил чай и вовремя и соответствующе реагировал на крайне экспрессивный рассказ Доры Михайловны, впитывая его, как губка.

— Степан, вы не можете себе представить мой ужас! — возмущенно повествовала она. — Чтобы к моему мужу вдруг прямо с улицы, не сославшись на каких-то общих знакомых, пришел неизвестный человек и предложил сделать эту мерзкую работу! Какая наглость!

— Ваш муж был очень неосторожным человеком, — осуждающе покачал головой Степан. — Вот так связаться с первым встречным-поперечным! Но, может быть, он выглядел так солидно, что поневоле внушил доверие?

— Да что вы? — отмахнулась она, но особой уверенности в ее голосе не прозвучало.

— А-а-а, так вы его видели, — сделал вид, что обрадовался, Степан. — Опишите его, пожалуйста.

Дора Михайловна замялась, и Степан взялся за тихо и безмолвно сидевшего Лазаря:

— Значит, это вы его видели?

Оглянувшись на мать, тот сказал:

— Да нет, солидно он не выглядел, а был одет просто и дешево. Шляпа такая, знаете, нелепая. В возрасте. Бородка неаккуратная. Ростом с вас. Не бомж, конечно, но где-то очень близко к нему.

— Представляю себе состояние вашего отца! — воскликнул Степан.

— Вряд ли! Мой муж, уважаемый человек, известный на всю Москву ювелир с золотыми руками... — начала было Дора Михайловна, но под взглядом Степана замолчала, а вот Лазарь продолжил:

— Знаете, папа в первый момент даже онемел, а потом спросил, не ошибся ли этот человек адресом, но тот уверенно заявил, что ему нужен именно ювелир Исаак Соломонович Кох. А уж когда он сказал, что хочет заказать копию колье княгини Шеловской, мы сначала чуть со стульев не попадали, а потом не выдержали и рассмеялись. Папа спросил у него, представляет ли он, сколько это будет стоить, а тот... — Мужчина помолчал, видимо, вспоминая тот момент, а потом задумчиво произнес: — Знаете, он как-то так, — выделил он, — улыбнулся... В общем, нам уже стало не до смеха. Я вообще чуть язык не прикусил. Да что там я? Даже папа вдруг почувствовал себя очень неуютно, а он знаете, каких людей восвояси отправлял? А тут вдруг ничего сказать не смог. Какой-то не такой это был человек.

— Может быть, это был уголовник? — осторожно предположил Степан.

— Мой муж и уголовники? — возмутилась Дора Михайловна. — Да что вы себе позволяете? Подобное даже предположить нельзя!

— Нет, — покачал головой Лазарь, дождавшись, когда возмущение его матери поутихнет. — Что, я их не видел, что ли?

Те из них, кто теперь легальным бизнесом занимается, часто к нам приходили, чтобы что-то заказать для себя или для своих женщин. Так папа с ними не церемонился. Если это был интересный заказ, то брал, а если не хотел делать, то говорил, что за ширпотребом пусть в ювелирный за угол идут.

— Да, странная история, — покачивая головой, задумчиво сказал Степан.

— Очень странная! — согласился Лазарь. — Но когда этот человек сказал, что копия должна быть сделана не из золота и драгоценных камней, а из самого простого желтого металла и обычного стекла, папа все-таки возмутился и закричал: «Вы надо мной издеваетесь?» А тот совершенно невозмутимо ответил: «Вопрос цены. Сколько вы хотите за такую работу?» Папа тогда сказал, что не возьмется за нее ни за какие деньги, даже за... — Тут Лазарь внезапно замолчал, а потом продолжил: — Ну, в общем, за очень большие. У этого человека таких быть не могло просто по определению. А он вдруг сказал: «Вы назвали цену. Я с ней согласен. Половина сейчас в качестве задатка, а вторая половина — при получении заказа. Сколько времени вам нужно на работу? Месяца хватит?» Тут он достал деньги, отсчитал сколько надо и положил их перед папой.

— Да уж, в нелегкое положение вы с ним попали! — произнес Степан.

— Еще бы! И тут этот человек добавил, что идеальное качество не требуется, главное, чтобы на первый взгляд было похоже. Ну, мы... — Лазарь замялся.

— Ах, как я вас понимаю! — поддержал его Степан. — Получить весьма неплохие деньги за относительно несложную работу. Кто бы отказался? Лично я — никогда! Главное, чтобы деньги были настоящие.

— Знаете, это было настолько невероятно, что... Словом, папа извинился перед этим человеком и сказал, что деньги нужно проверить, а тот на это просто кивнул и все. У нас есть такой аппарат, потому что...

— Не надо мне ничего объяснять, — успокоил Лазаря Степан. — Я все понимаю! Ваши клиенты могли быть самыми честными людьми, но кто в наше время гарантирован от того, что ему не подсунут фальшивую купюру, а то и целую упаковку. Сами знаете, такие случаи, к сожалению, были.

Лазарь взглянул на собеседника благодарно и сказал:

— Фальшивых там не было.

— И когда этот человек окончательно рассчитывался, тоже? — спросил Степан, и тот кивнул. — Не понимаю, — пожал плечами он. — Если человек может выложить кругленькую сумму за копию, то почему бы не сделать ее из настоящего золота и камней? Ну пусть не совсем драгоценных, так полу? Есть же такие.

— Подобрать, конечно, можно было, да и огранить, но раз клиент не захотел...

— А он всегда прав! — согласился Степан. — Но тут, я так понимаю, уже он рисковал. Приходит к известному человеку со стороны, оставляет немалую сумму и уходит в надежде, что все будет именно так, как он сказал. Нет, я нимало не сомневаюсь в честности вашего покойного папы и вашей лично, но согласитесь, что это странно. Или он взял расписку?

— Нет, расписку он не взял, — ответил Лазарь, честно глядя Степану в глаза.

— Значит, он подстраховался как-то иначе, — правильно оценив этот взгляд, заметил Савельев. — Как?

Лазарь продолжал все так же честно на него смотреть, и тут вмешалась Дора Михайловна:

— Леньчик! Скажи этому молодому человеку правду! Пожалей свою бедную больную маму! Она уже больше не может кушать тот дрек, который продается на базаре под видом нормальных продуктов! Леньчик! Ты хочешь застрять в России на веки вечные? Ты хочешь меня здесь похоронить? Твоему папе это уже ничем не повредит, а этому молодому человеку может помочь!

— Понимаете, — не выдержал этого напора Лазарь. — Перед тем как уйти, он сказал папе: «Не разочаруйте меня! Вот этот человек отзывался о вас только в превосходной степени, мне бы не хотелось его огорчить». Тут он папе что-то показал и ушел.

— Что это было? — вцепился в Лазаря Степан. — Вещь? Визитка?

— Это было что-то очень маленькое, а я сидел в стороне и просто не успел это увидеть, — ответил Лазарь.

— Так ты этого действительно не видел? — воскликнула Дора Михайловна, и сын кивнул. — Вы знаете, когда Леньчик мне все рассказал, я целую неделю допытывалась у мужа, кто это приходил, от кого и почему нельзя было ему отказать. Поймите, если бы кто-нибудь узнал, что Исаак работает с таким материалом, то количество ювелиров в Москве резко сократилось бы — они бы просто умерли от смеха, а репутация моего мужа была бы подорвана безвозвратно. Но он мне ничего не сказал, а когда я пригрозила, что умру от любопытства, то ответил, что лучше уж так, чем по другой, гораздо более неприятной причине. И вы знаете? Его ответ меня устроил!

— Папа только что не плевался, когда делал эту копию, — добавил Лазарь. — С его-то руками и заниматься такой ерундой! Но за месяц мы справились. Когда этот человек позвонил, папа ему сказал, что все готово. Тот пришел через несколько дней, расплатился, забрал заказ и ушел. Все, больше он у нас никогда не появлялся. Это все, что я знаю.

— Нет, не все. Вы же наверняка неплохой художник, нарисуйте мне его портрет, хотя бы приблизительно, — попросил Степан.

— Художник из меня как раз неважный. Тем более что прошло много лет, шляпа у него была надвинута на глаза, эта бородка... — неуверенно сказал Лазарь. — Но я попробую.

С трудом найдя в этом кавардаке лист бумаги, Лазарь по памяти набросал портрет незнакомца, но это больше походило на детские каракули, и Степан, посмотрев на него, пробормотал:

— Да, негусто, но зато вам теперь не о чем беспокоиться. Собирайтесь спокойно и улетайте в Израиль. Пусть у вас там все сложится хорошо.

Стоя у окна, мать и сын проводили Савельева взглядом, а потом Дора Михайловна спросила:

— Леньчик! Ты действительно все рассказал этому молодому человеку?

— А что я должен был ему сказать?! — взорвался сын. — Что папа весь этот месяц так крыл дядю Яшу последними словами, что стены краснели?

— Какого дядю Яшу? Моего покойного брата? — уточнила она.

— Вот именно! Который сидел за изготовление фальшивых золотых червонцев! А делал он их из того золота, что потихоньку покупал папа! — добавил Лазарь. — Счастье великое, что у него хватило ума не приплести к своему делу еще и его!

— Ха! Кто бы тогда оплачивал его адвоката! — воскликнула женщина.

— О, наш любимый дядя Яша! — язвительно сказал Лазарь. — Это был такой великий гешефтмахер, что мог с легкостью завалить даже самое надежное дело!

— Не смей говорить о Яше плохо! Человек давно уже в могиле! А о мертвых либо хорошо, либо ничего! — прикрикнула на сына мать.

— Мама! Он умер всего год назад! — поправил ее Лазарь. — И давай не будем осквернять память о нем ложью! Он был неудачником!

— Не смей спорить с матерью! — взвилась женщина и уже спокойнее спросила: — Значит, тот человек показал тогда Исааку золотой червонец?

— Да! Причем производства Яши! — раздраженно ответил Лазарь. — А твой брат тогда еще сидел!

— И ты нарисовал для полиции его портрет! — возмутилась она. — Что ты себе думал?

— Мама я сам себе не враг! К тому же уж ты-то знаешь, какой из меня художник! — отбивался сын. — Дяде Яше это повредить уже не может! А мне неприятности не нужны!

— Из Израиля никого не выдают! — уверенно заявила она.

— Сначала туда надо попасть! А если мы будем собираться такими темпами, то приедем как раз ко второму пришествию!

103

— Господи! Когда мы наконец отсюда уедем! — простонала Дора Михайловна и скомандовала: — Ну, что ты стоишь? Давай собираться!

А в это время сидевший в своей машине Степан рассуждал о пользе подслушивающих устройств, которые в этот раз себя не оправдали: Яков умер, а без него выход на неведомого заказчика придется искать самим. И он поехал разговаривать со второй женой Егорова.

Среда

Разбуженный рано утром, причем так, что воспользоваться туалетом он уже не мог, заспанный, с помятым от сна лицом, Гуров вышел из вагона. Толпа направлявшихся к подземному переходу пассажиров была довольно внушительна, так что он в своем неприметном виде легко в ней затерялся. Выйдя на привокзальную площадь, он огляделся: предлагавших свои услуги таксистов и «бомбил» было много, только Гурову спешить было незачем. Город он совершенно не знал — как-то не привелось ему здесь бывать, и он представления не имел, где искать улицу со странным названием Хвесина. Времени у него впереди было еще много — не соваться же к людям в такую рань, и он собрался пока решить насущные вопросы: хотя бы на скорую руку умыться и позавтракать. Идти на вокзал он не рискнул, а, потолкавшись среди торговавших всякой всячиной женщин, выяснил и местонахождение ближайшего туалета, и забегаловки, где он мог бы взять себе чай и съесть приготовленные для него Степаном, но так и не тронутые запасы, и как можно добраться до улицы с таким странным названием. Причину того, что торговки на него смотрели с неприкрытой жалостью, он понял, когда увидел свое отражение в зеркале: седая щетина на щеках, темные круги под глазами и немного опухшее лицо еще никого не красили.

Позавтракав, Гуров решил, чтобы убить время, пойти пешком, благо погода позволяла: дождя не было, довольно сильный и холодный ветер высушил асфальт. Застегнув дешевую, не иначе как китайского производства, куртку доверху и затянув завязки капюшона, он повесил кошелку на руку, сунул руки в карманы и пошел, как ему указали, прямо. К счастью, с чужой ноги ботинки не жали и не натирали ноги, а куртка оказалась довольно теплой. Так что Гуров, можно сказать, неторопливо гулял, посматривая по сторонам, а иногда и останавливался, чтобы разглядеть что-нибудь получше.

Улица Хвесина находилась недалеко от Волги и оказалась недлинной. Было уже начало десятого, взрослые люди ушли на работу, дети и студенты — на учебу, а дома остались только пенсионеры — они-то, знавшие в своем районе все и всех, и были нужны Гурову. Дом под нужным ему номером оказался добротным кирпичным или обложенным кирпичом почти особняком, и идти туда было бесполезно — новые хозяева вряд ли знали кого-нибудь из старожилов. Да, наверное, и не старались узнать — уж больно неказистыми были стоявшие рядом дома. И Гуров, перейдя к соседнему дому, постучал в окно, за которым явно кто-то был. Занавеска на окне дернулась, и показалось лицо очень пожилой женщины. Она открыла форточку и спросила:

— Тебе чего?

— Егоровых ищу, — объяснил Лев. — Только дом у них больно странный. Мне кажется, не может у них такого быть.

— Эк, что вспомнил! Из всей семьи только Колька один и остался, да и тот съехал, — воскликнула она. — А чего ищешь-то?

— Родня я им дальняя, давно друг друга из виду потеряли, а теперь вот приехал, чтобы узнать, как тут у вас в Саратове. Климат у нас уж больно неласковый, решили перебираться куда потеплее.

— Откуда же ты будешь? — поинтересовалась женщина.

— С Северного Урала, — ответил Гуров, потому что бывать ему там действительно приходилось, и он мог бы спокойно ответить на все вопросы, если бы они возникли.

— Эк вас судьба забросила! — покачала головой старушка. — Это по кому ж ты им родня? — насторожилась она. — Я их всех знаю. Ты с Вовкиной стороны или с Тамаркиной?

— С Тамаркиной. У ее матери была сестра, — начал импровизировать Лев.

Он решил, что в семьях, живущих в таких домах еще по-старому, с дедовских времен укладу, по одному ребенку вряд ли бывает, а если выяснится, что у Тамары был как раз брат, то сестра ведь может оказаться и двоюродной. Но старушка не дала ему закончить, а, всплеснув руками, воскликнула:

— Батюшки-светы! Нюрка беспутная нашлась! Ведь как, паршивка, из дома тогда сбежала, так больше и глаз не казала! Погоди, я сейчас выйду!

Через некоторое время калитка открылась, и одетая в ватник поверх халата и боты женщина поманила его рукой во двор, где он был тут же беспощадно облаян сидевшей на цепи крупной дворнягой. Правда, увидев, что угрозы гость никакой не представляет, она тут же вернулась в конуру — ветер возле реки был еще сильнее.

— Не обессудь, а в дом не пущу! — твердо заявила старушка. — Судя по виду, ты от Вовки недалеко ушел!

— Да мне-то ничего, вам бы не замерзнуть, — спокойно отреагировал на это Лев.

— Ты обо мне не беспокойся! — отмахнулась старушка. — Ты кем же Нюрке-то приходишься? Судя по возрасту, так и внуком можешь быть.

— Да вы знаете, я ей родня по мужу ее. Ее золовки сын, — ответил Лев, пускаясь в такие дебри, в которых ничего не понимал, и страшно боясь запутаться.

— Значит, поженились они таки с Федькой?

— Каким Федькой? — опять начал импровизировать Гуров. — Ее мужа Павлом звали.

— Вот ить неугомонная! — всплеснула руками старушка. — Бросила, значит, Федьку! А уж какая любовь у них была! Через него и из дома убежала. Давно померла-то?

— Да уж лет двадцать как, — наугад ответил Лев.

— Хорошо пожила, — одобрительно сказала женщина.

— Вы мне лучше расскажите, как здесь Егоровы жили и где мне теперь Николая искать, если он последним остался, — попросил Гуров.

— Да зачем тебе такая родня сдалась? — вздохнула старушка. — Ты, по всему видать, из простых, да еще и сидел, похоже, не в обиду тебе будет сказано, а он так высоко взлетел, что и не достать. Лучше и не суйся!

— Так хоть повидаться бы, — просительно сказал Лев.

— В Москве он, а где именно, черт его знает, — пожала плечами старушка. — А Егоровых там небось пруд пруди! В последний раз я его видела, когда он сына Вовку приезжал хоронить.

— Ой, какое несчастье! — покачал головой Гуров.

— Так он же их с Веркой бросил, перед тем как в Москву ехать. Парень наркоманом стал, и какой другой конец у него мог быть?

— Так, может, Вера с Николаем отношения поддерживает и знает, как его найти?

— Ну, алименты-то она с него получала, потому и знала, куда сообщить о смерти сына, да вот только на похоронах она ему чуть глаза не выцарапала, орала, что это он в смерти сына виноват, что расти тот с отцом, ничего не случилось бы. Вряд ли после такого они знаются. Да и съехала она куда-то — чего ей здесь душу себе травить, если никого не осталось? А на новом месте, глядишь, и жизнь себе устроит. А уж куда она делась, я не знаю.

Лев опять горестно покачал головой и снова попросил, чтобы она рассказала ему о Егоровых. Видно, старушке и поговорить хотелось со свежим человеком, и подмерзать начала, но и боязно было незнакомца в дом пустить. Наконец она решилась:

— Ладно! Пошли, поговорим. — И представилась: — Меня Пелагея зовут.

— Да вы не бойтесь! Хотите, я вам паспорт покажу, — предложил он.

Достав документ, он открыл его на первой странице, надеясь на то, что место регистрации Пелагея смотреть не будет. Так и получилось. Внимательно посмотрев то, что было написано, она сказала:

— Ну, пошли, Илюша, — на зрение она явно не жаловалась.

Поставив на стол чай с сушками, она принялась повествовать, но давнее прошлое Гурова не интересовало, и он ждал, когда она перейдет к временам не столь отдаленным.

— Ну, значит, поженились Тамарка с Вовкой, и он ее сюда привел! Чего уж она в нем нашла, не знаю, потому что с малолетства с тюрем не вылезал! Катька у них в 1964-м народилась, а Колька — в 1968-м. И ведь опять Вовка сел! Потому как бандит — он и есть бандит, ему за хулиганство два года дали, потому что уже судимый был. Вышел в 1970-м, а в 1973-м его снова забрали. Тут уж он семь лет получил. Осталась Тамарка одна с двумя детьми на руках. Горбатилась на двух работах! Вот Катька шалавой и выросла — еще девчонкой с парнями по сараям отиралась.

— А от чего она умерла? — поинтересовался Лев. — Раз вы сказали, что Николай один остался, то...

— Так от водки паленой в 1986-м! Счастье великое, что Тамарка еще в 1985-м от рака сгорела, не пришлось ей дочку хоронить, — Пелагея перекрестилась.

— А с отцом Николая что приключилось?

— Так он с дружками в 1982-м магазин ограбил. Мало того что деньги взяли, так еще и водки прихватили. Пришли менты его брать, а он спьяну на них с топором, вот его и пристрелили! — вздохнула она.

— Значит, Николай с восемнадцати лет один, как перст, — покачал головой Гуров.

— Как бы не так! Собутыльников у него тут было — вся округа. Как в армию его провожали, так чуть дом не спалили! Два года тихо у нас тут было, а уж как он вернулся да пока не женился, дым стоял коромыслом! Бедные Рожковы! Им-то каково было!

— А это кто? — удивился Гуров.

— А-а-а! Ну да! Ты этого знать не можешь. Это же было уже после того, как Нюрка сбежала! Короче, как бабка Вовкина померла — дед-то еще раньше ушел, Ванька, отец Вовкин с сестрой своей Варькой дом пополам поделили, и Варька свою половину продала! Сначала там Игнатовы жили, а потом его Рожковы купили. Сами-то они не здешние были, в 1965-м

108

откуда-то с юга приехали. Шурка-то в возрасте уже был, а жена у него Света — молоденькая, хорошенькая. Очень он ее любил. С дочкой они уже сюда приехали, Зоей, годик был ей, а уже тут в 1969-м у них Юрка родился. Где уж он теперь, убогий, бог ведает, — Пелагея вздохнула.

— Почему убогий? — поинтересовался Гуров.

— Да все по Колькиной милости, чтоб ему пусто было! Юрка-то мальчик тихий был, домашний, без матери же рос, сестра о нем заботилась.

— Подождите! Вы же сказали, что его мать Светой звали, — удивился Лев.

— Так случай несчастный с ней произошел. В 1972-м дело было. Шурка с работы шел — он тут, как и все, на судоремонтном работал. Ну, детей он из детсада забрал, в дом вошел, а Светка-то на полу с окровавленной головой лежит, мертвая уже. А в доме ничего не взято! Вещи все на местах, на ограбление не похоже. Да и брать-то у них было нечего! Вот и решили тогда, что она или о половик споткнулась, или голова у нее закружилась, и она упала. Короче, что сама виновата. Шурка-то так больше и не женился, хотя охотниц на него было много. Один детей поднимал. В 1991-м помер, царствие ему небесное. На похороны сестра его приехала, Ольга, издалека откуда-то. Она-то Зойку и забрала. А Юрка уезжать не захотел — время-то непонятное было, а у него тут работа была в бухгалтерии на заводе, он же институт, хоть и вечерний, а окончил. А на новом месте вдруг ничего себе не найдет? А уж как Колька свою половину дома в 1993-м продал и уехал, так и Юрка недолго думал и свою тоже продал — новые хозяева небось цену хорошую предложили. Оно и понятно — двор-то у них был один на две семьи, а тут весь участок целиком к ним отошел. А уж куда уехал, не знаю!

— Пелагея, так почему он убогий-то? — напомнил Лев.

— А-а-а! Да Колька его с подловки толкнул. И чего они туда полезли, непонятно. Вот Юрка на землю на спину и упал. В больницу его тогда возили, травма серьезная была, его из-за этого потом и в армию не взяли.

109

— Тогда он скорее враг, чем друг, — заметил Гуров. — Вы мне про друзей Николая расскажите.

Пелагея задумалась, пожала плечами и недоуменно сказала:

— Собутыльников по молодости у него полно было, а вот, чтобы друзей? Славка Макака...

— Господи, твоя воля! — не сдержался Лев. — Неужели у него фамилия такая?

— Да нет! — махнула рукой старушка. — Колька его так и прозвал. Маленький да щуплый, он по деревьям действительно как обезьяна сигал. С детства воровством промышлял, по домам лазал. Сначала на него и не думал никто, на соседей и овражных грешили, а потом застукали его как-то раз, тут-то правда наружу и вылезла. Пожалели его на первый раз, отпустили, а он опять за свое. Ну что ты с ним делать будешь? Поймают его, а бить боятся — еще пришибут ненароком. Так вот он, как Жорка Грозный в армию ушел, возле Кольки стал тереться — все-таки защита.

У Гурова даже ладони вспотели, едва он это услышал — прав он был, когда думал, что подельников Егорова нужно искать среди друзей его детства и молодости.

— Так... — начал было он, но Пелагея, поняв его, тут же перебила:

— Нет его тут. Он же то сидел, то выходил. У домишки его крыша уже с землей сровнялась, охотников на него не нашлось, так он просто участок свой продал и уехал. Чтоб не соврать, или в конце 2004-го или в начале 2005 года.

— А Жорка Грозный это кто? — поинтересовался Лев.

— Да Иванов он на самом деле. Отец его, Сашка, тоже из приезжих. С сестрой Ольгой в 1957-м откуда-то из Средней Азии приехал. Дом их с другой стороны от Егоровых стоял — нет его уже теперь, стоянка там. Сам-то на завод пошел работать, а сестра его — посудомойкой в столовку, потом уже в буфетчицы ее перевели. Ох, орел был мужик, хоть и не моло-денький уже! Бабы вокруг него, как мухи над вареньем, вились. Но цену себе знал! Долго присматривался! А как женил-ся, все аж ахнули! Он же мог себе такую красавицу выбрать!

Ни одна бы не отказала. Нет, Аллочка славная девушка была, но такая... Неброская. Миленькая, хорошенькая, скромная — она в детсаду воспитательницей работала. Потому-то в девках и засиделась — двадцать шесть ей уже было. Вот Жорка у них в 1960-м и родился. И ведь от горшка два вершка был, а уже с характером! А Аллочке все дочку хотелось. Вот на свою беду и забеременела, — Пелагея тяжко вздохнула. — Дочку-то она родила, Леночку, а сама умерла — кровотечение открылось, а остановить не смогли. Ох, как Сашка убивался! Аж почернел весь. Нет, бабы-то у него потом были, но вот в дом никого не привел — мачехи детям не хотел, ими Ольга занималась. С Леночкой-то проблем у нее не было — та в мать пошла, а вот с Жоркой! Всей местной шпаной верховодил! Кабы сразу после армии в военное училище не пошел, сидел бы, как и все остальные!

— А они не могут знать, как найти Николая?

— Откуда же, если они съехали в 1993-м еще по весне? Это уже потом сначала Колька отсюда умотал, а через некоторое время и Юрка, — объяснила старушка. — Где уж Жорка служил, не знаю, он тут наездами был, а как своих увез, так больше и не появлялся ни разу. А Сашка с Ольгой и Ленкой не больно-то с Егоровыми общались. Это в детстве девчонки, что Зойка, что Катька, вечно у Ленки в гостях торчали — оно и понятно, Ольга-то в столовке работала, в доме всегда что-нибудь вкусненькое было. А как повзрослели, так разошлись их пути-дороженьки.

— А Грозный с Николаем не дружил?

— Ну, ты и сказал! — всплеснула руками Пелагея. — Сам подумай: кто Грозный, а кто Колька! Да Кольке за счастье было, если Грозный в его сторону хоть посмотрит! Да и старше был Жорка на восемь лет!

— А почему вы зовете Иванова Сашкой, а Рожкова Шуркой?

— Ну, Иванов приехал первым, потому и стал Сашкой, а уж Рожков, чтобы с ним не путать, Шуркой.

— Значит, никто мне ничего подсказать не может, — вздохнул Гуров.

Старушка задумалась, а потом предложила:

— А сходи-ка ты, Илюша, в нашу школу, да прямиком к директорше — ее Зинаида Леонидовна зовут. Она из наших, местных, все и всех знает. Вдруг когда в четвертом году Колька приезжал, то к ней заходил? Уж если она тебе не поможет, то не знаю, чего и присоветовать. Хотя знаю: не суйся ты к Николаю! Окромя позора ничего не найдешь!

— Спасибо вам, Пелагея! И за чай, и за помощь, — сказал, поднимаясь, Гуров. — Где эта школа?

— Да чем же я тебе помогла-то? — отмахнулась она. — А школа, как выйдешь, направо вверх в горку, да ты ее сразу увидишь.

Школу Гуров действительно нашел легко, и даже охранник, узнав, что он к директрисе, не стал его задерживать, но вот увидев эту пожилую седую женщину — классическую учительницу старой закваски в строгом костюме, белоснежной блузке и с полным отсутствием какой-либо косметики, — Лев понял, что этот педагогический зубр без боя не сдастся. Гуров представился своим новым именем и завел ту же песню — Николая Егорова он ищет. Зинаида Леонидовна посмотрела на него так, словно рентгеном просветила, и кратко ответила:

— Извините, ничем помочь не смогу, — и уткнулась в свои бумаги.

Гуров стоял и размышлял, что делать дальше, когда она подняла на него глаза и сухо поинтересовалась:

— Я неясно выразилась? Мне вызвать охрану? Или сразу полицию?

И тут Лев пошел ва-банк. Сев к ее столу, он достал и протянул ей свое служебное удостоверение. Она его взяла, внимательно прочитала, несколько раз переводя взгляд с фотографии на него, а потом вернула и раздраженно спросила:

— Тогда к чему этот маскарад?

— Так надо! — кратко ответил Лев уже не просительно-искательным, а своим нормальным, то есть властным и жестким тоном.

— Это связано с тем уголовным делом, которое возбуждено против Егорова? — поинтересовалась женщина.

112

— Да! И предупреждаю вас, что моего удостоверения вы никогда не видели, как и меня самого, — добавил он.

— Спрашивайте, — кратко предложила она.

— Зинаида Леонидовна, меня интересует ваше мнение о Егорове, а также все, что вы знаете о его друзьях. Кое-что мне уже рассказала его бывшая соседка Пелагея, но ваша информация, я думаю, будет более исчерпывающей и весомой.

— Про его семью вы уже все знаете? — спросила она, и Лев кивнул. — Хорошо. Тогда по самому Николаю. Учился на тройки, но и двойки тоже бывали. Недалекий, но выгоду свою всегда знал. То, что он сумел втереться в доверие к Григорьеву, который, кстати, тоже из нашего района, меня не удивляет — он очень исполнительный. Знаете, классе в шестом или седьмом ему поручили проконтролировать подготовку класса к смотру художественной самодеятельности. Он носился как угорелый, теребил всех, напоминал, заставлял, и класс выступил очень достойно. Но! Он не привнес ничего своего. Когда мне сказали, что Егорова подозревают в финансовых махинациях, я просто не поверила — он не способен ничего придумать! Выполнить чей-то план — да, но создать свое — никогда! — уверенно заявила она.

— Мы тоже пришли к такому мнению, но в его теперешнем окружении нет людей, которые бы подарили ему такую плодотворную идею. Потому-то я и приехал сюда — вдруг среди друзей его детства такие найдутся? Вдруг, попав на столь хлебное место, он понял, что самостоятельно не сможет выжать из этой ситуации все до капли, вспомнил о ком-то и пригласил к себе в Москву? — предположил Лев.

— Во-первых, друзей у Егорова никогда не было, — заявила женщина. — Он лебезил перед теми, кто сильнее, и помыкал более слабыми.

— Это вы о Рожкове и Макаке? — уточнил Гуров. — А что вы можете о них сказать?

— Юра Рожков, — задумчиво произнесла директор. — Очень способный мальчик. Но знаете, не любил ничем выделяться. Вызовешь его, он ответит так, что придраться будет не к чему, но вот сам руку никогда не поднимет. Из тех, кто нашел — молчит и потерял — молчит. Себе на уме. То, что он окончил экономический, меня не удивляет, странно то, что не пошел дальше, а стал работать бухгалтером.

— Может быть, в этом определенную роль сыграла его травма? Кстати, как потом складывались отношения Егорова и Рожкова? Ведь это же Николай виноват в том, что с ним случилось.

— Насчет первого ничего не скажу: чужая душа — потемки. А вот насчет отношений? Так они как сели в первом классе за одну парту, так до самого выпуска вместе и просидели. Хотя... Они же жили в одном дворе, так что волей-неволей отношения нужно было поддерживать. Егоров у Рожкова, конечно же, списывал, да и контрольные за него Юрий решал.

— А что получал взамен Юрий?

— Защиту — он же был слабеньким мальчиком, а уж после травмы, когда его вообще от физкультуры освободили и над ним стали смеяться, она ему была нужна, — объяснила директриса.

— То есть в этом тандеме Рожков был головой, а Егоров — грубой физической силой, — подытожил Лев. — А что по поводу Ма...

— Не произносите при мне это прозвище, — резко перебила его Зинаида Леонидовна.

— Но я не знаю его фамилии, — извиняющимся тоном сказал Лев.

— Его фамилия Воробьев. Несчастный мальчик, — вздохнула она. — Родился в семье потомственных алкоголиков — здесь такие не редкость. Отец избивал и жену, и сына. Жили впроголодь, потому что пропивалось все, что удавалось заработать или украсть. Когда отец умер, все вздохнули с облегчением. Мать Славу, конечно, не била, но ведь пила по-прежнему, и в доме было шаром покати. Слава и воровать-то начал с голоду. Мы, конечно, ему бесплатно и школьную форму выдавали, и обеды в столовой, но он стеснялся их есть.

— То есть ему казалось, что приличнее будет украсть, — хмыкнул Лев.

— Да! А прозвище это ему дал Егоров — я же говорила, что он любил унижать тех, кто слабее. А в Славе даже метра шестидесяти сантиметров не было, худущий! Его со спины за ребенка принимали. Но ему хотелось чем-то выделиться, быть не хуже, чем другие, и некоторые этим пользовались, подначивали его на всякие пакости. Например, как-то раз он по веревке спустился с крыши, пролез через приоткрытую фрамугу в запертую учительскую и украл классный журнал. Конечно, со временем это открылось. Тогда-то мы и поняли, кто и каким образом у нас из сумок деньги воровал. Ну, разбирали мы его на педсовете, а что дальше? На учете в детской комнате милиции он и так состоял. Исключить из школы в то время было невозможно — обязательное среднее образование. Перевести его в школу для трудных подростков — совсем пропадет. Сейчас я думаю, что было бы лучше, если бы мы все-таки ходатайствовали о лишении его матери родительских прав или просто определили его в интернат или детдом. Но, с другой стороны, там такие нравы, что его просто забили бы насмерть или затравили, а здесь его взял под свое крыло Иванов.

— Это тот, который Грозный? — уточнил Лев.

— Да! Вот уж кто был нашей постоянной головной болью! Настоящая гроза школы и окрестностей. Прирожденный лидер! Вожак! Ему еще четырнадцати не было, а он уже всех под себя подмял! И ведь даже те парни, что были намного старше, беспрекословно его слушались. Тут наши постоянно с овражными воевали...

— Уже второй раз слышу про этих овражных, кто это? — спросил Гуров.

— Раньше здесь рядом овраг был. Теперь там всего несколько домов осталось, да и те наверху, а в то время он был застроен так, что напоминал пчелиные соты. Население там кротостью нрава не отличалось, и нашим там пройти без ущерба для здоровья было практически невозможно. Так вот Георгий после нескольких серьезных драк сумел наладить с овражными мирные отношения.

— Да, это надо было суметь, — согласился Лев. — Значит, по-настоящему его имя Георгий, а то Пелагея его все Жоркой называла.

— Да, его больше Грозным звали. Иван Грозный, Иванов Грозный, а потом сократили просто до Грозный. Авторитетом он пользовался здесь непререкаемым, ему ничего не стоило сорганизовать парней на что угодно: и на плохое, и на хорошее. Несмотря на все это, учился он довольно прилично, хотя при желании мог бы быть круглым отличником, а может, и медалистом. Но ему это было неинтересно. Зато сестра его, Леночка, таким солнечным ребенком была! Доброжелательная, открытая, веселая, училась хорошо! По сравнению с братом ну просто небо и земля.

— Георгий тоже состоял на учете в детской комнате милиции?

— Знаете, нет — его же никто не выдавал. Нашкодят что-нибудь, поймают их, а они про него ни гу-гу. Участковый с ним и с его отцом Александром Константиновичем неоднократно разговаривал, а толку? Уж он и грозил Георгию всеми мыслимыми карами, и уговаривал, а потом махнул рукой и сказал, что горбатого могила исправит. Но! — Она рассмеялась. — Когда Георгий ушел в армию и вся эта компания, оставшись без вожака, пустилась во все тяжкие, тут-то наш участковый волком и взвыл. Приходил ко мне и только что не плакал, все удивлялся, как же Иванов умудрялся этих бандитов в руках держать. Тогда очень многих из этой компании посадили, — уже серьезно сказала она. — Кое-кто потом исправился, но ушел из нашего района, чтобы старые связи оборвать, но многие с этого пути сойти уже не смогли. Не знаю, какое будущее ждало бы Георгия, если бы он после армии не поступил в военное училище. Он потом, когда на каникулы или в отпуск приезжал, всегда в школу заходил, рассказывал, что у него все хорошо, служит, интересовался, кто где, кто кем стал. Очень его форма красила — совсем другой человек! Последний раз я его видела в 1993-м, когда он семью отсюда забирал. Зашел он сюда попрощаться, посидели мы с ним, поговорили, одноклассников и друзей его вспомнили. Где он теперь, не знаю, но думаю, что уже полковник, с его-то лидерским характером! — Зинаида Леонидовна подумала, а потом пожала плечами: — Ну, вот, наверное, и все, что я могу вам рассказать.

— Спасибо большое, вы даже не представляете себе, как мне помогли, — искренне поблагодарил директора Гуров. — И еще раз напоминаю: меня здесь никогда не было и вы даже имени моего никогда не слышали.

— Я помню, — кивнула женщина и вдруг улыбнулась. — А ведь я вас сразу узнала, потому что видела по телевизору передачу о вас и вашей жене, а вела себя так, потому что не люблю, когда меня считают дурой. Вы подозреваете, что за этой историей стоит Егоров? — Лев промолчал, а она сказала: — Уверяю вас: сделать подобную гадость Егоров может с удовольствием, но вот придумать ее — нет. Это за него сделал кто-то другой.

Лев не стал ей ничего на это отвечать, а еще раз поблагодарил за помощь и вышел, мысленно ворча: «Как будто я сам это уже не понял».

Чтобы не проводить много времени на вокзале, Лев доехал на троллейбусе до заранее примеченной им железнодорожной кассы и купил билет на ближайший поезд в Москву, чуть не забыв, что его-то конечной станцией будет Михайлов. Место его оказалось на верхней боковой полке возле туалета, что автоматически обеспечивало ему бессонную ночь, но зато давало время хорошенько проанализировать всю полученную информацию. Если бы Дубов с подачи неизвестных — ну, кроме Егорова, конечно, — пока Гурову «доброжелателей» не загнал его в угол, то Лев, находясь в Саратове официально, мог бы обратиться за помощью к местным коллегам, а теперь дополнительные сведения придется запрашивать из Москвы, а на это уйдет время.

Позвонив Степану и сообщив ему, в каком поезде и вагоне он едет, Гуров решил пообедать, потому что от чая с сушками уже не осталось даже воспоминаний. Найдя более-менее приличную на вид забегаловку, Гуров основательно поел и появился на вокзале как раз к окончанию посадки. Забравшись на полку, он устроился поудобнее и принялся размышлять.

117

И тут среди ночи в вагон села женщина с маленьким ребенком, который надрывался так, что в ушах звенело. Все, естественно, проснулись. Женщина, сама чуть не плача, объясняла, что у ее сыночка зубки режутся. Все, конечно, все понимали и сочувствовали, но спать-то хотелось. Ребенок все не успокаивался, и мужчины, сдавленно матерясь, потянулись в тамбур курить, как потом выяснилось, и некурящие тоже. Скоро к ним присоединились женщины. Места всем не хватало, так что часть пассажиров переместилась в коридорчик перед туалетом. Озверевшая не хуже пассажиров проводница пыталась хоть как-то навести порядок, но ее сначала вежливо, а потом уже, не стесняясь в выражениях, посылали. Оставшиеся в вагоне по причине преклонных лет женщины пытались давать мамаше какие-то советы, но толку от них не было.

— Какого черта ты с ребенком в дорогу поперлась? — раздался чей-то стонущий голос.

— Да вы потерпите, пожалуйста, — уговаривала всех мамаша. — Мы скоро выходим.

— Где? — с робкой надеждой простонал тот же голос.

— В Узуново, — ответила женщина и услышала в ответ зубовный скрежет.

Четверг

Когда Степан увидел выходившего из вагона Гурова, то просто испугался — на том в буквальном смысле этого слова не было лица.

— Что случилось? — спросил парень, заранее готовясь к самому худшему.

— Что-нибудь от головной боли, — прошептал Лев. — Гильотина тоже подойдет, — и объяснил, в чем дело.

— И вы будете рассказывать мне что бывает, когда у детей режутся зубы? — спросил Степан. — У меня их, между прочим, двое. — Но, встретив бешеный взгляд Гурова, тут же пошел на попятную: — Понял, вопрос был неуместен.

118

Притормозив у ближайшей аптеки, Степан выскочил и быстро вернулся с упаковкой лекарства и бутылкой воды. Подождав, когда Лев примет таблетку, он предложил:

— Перебирайтесь на заднее сиденье и постарайтесь уснуть.

— Уснуть? Да я сейчас просто вырублюсь, — пробурчал Гуров.

Он устроился на заднем сиденье так, чтобы хотя бы верхняя часть туловища лежала, а ноги, черт с ними, пусть остаются внизу, сунул под голову кошелку и действительно вырубился. Да так, что, когда они добрались до его временного дома, Степан еле-еле его растолкал.

Приведя себя в относительно нормальное состояние под контрастным душем, Гуров съел сваренные Степаном пельмени и, прихлебывая горячий кофе, почувствовал, что, кажется, начинает что-то соображать.

— Ну, кто начнет? — спросил Гуров.

— Наверное, я, потому что новостей немного, — сказал Степан. — Так вот, то, что мы принимали за оргазм, оказалось бронхиальной астмой.

Пивший в этот момент кофе Гуров подавился и долго кашлял, а Савельев деликатно постучал его по спине. Наконец, отдышавшись, Лев возмущенно спросил:

— Ты можешь хоть раз обойтись без своих штучек? — И потребовал: — Расшифруй!

— Объясняю! То, что Мария спрятала, оказалось дешевой копией действительно безумно дорогого колье княгини Шеловской. А сделана она была из бериллиевой бронзы и стекляшек. Потому-то ее и не нашли, что металлоискатель был настроен на золото. Представляете, сколько всяких металлических прибамбасов в театре? Если бы полицейские с каждым разбирались, то работы им на год бы хватило. Вот они и искали конкретно золото, которого там и в помине не было.

— Твою мать! — не сдержался Лев.

— Вот и я в том же разрезе, — поддержал полковника Степан. — Копия была сделана несколько лет назад ныне покойным ювелиром Кохом и его ныне здравствующим сыном Лазарем не с оригинала, а с фотографии в каталоге, причем заказчик предупредил, что идеального сходства не требуется. Он расплатился с ювелирами по-царски, а в качестве верительной грамоты и превентивной меры, поскольку оставил крупный задаток, продемонстрировал фальшивый золотой царский червонец, изготовлением которых баловался ныне покойный брат мадам Кох. Нарисованный Лазарем портрет заказчика получил бы последнее место даже на конкурсе детского рисунка.

— Это надо обдумать, — медленно сказал Гуров. — Количество идиотов в России неуклонно падает с каждым годом, так что если уж человек выбрасывает бешеные деньги за изготовление дешевой копии, значит, ему это зачем-то надо. Причем копию определенной вещи. Еще что?

— Почерк на записке, которая лежала с якобы колье, Александрову не принадлежит. Более того, его даже не пытались подделать.

— Час от часу не легче, — пробормотал Лев, а Степан продолжал:

— Я имел беседу с мадам Егоровой номер два. Ну что сказать? Она вспоминает о семейной жизни с Егоровым без особого удовольствия, но и не кроет его последними словами. Как я понял, это был брак даже не по расчету, а по здравому смыслу: он — министр областного правительства, она — заместитель управляющего не самым захудалым банком. Поскольку был заключен брачный контракт, то развелись они в полном соответствии с ним. Егоров, будучи инициатором развода, выплатил ей нехилые отступные, хотя она и до этого не бедствовала. Их круг общения — нужные люди, деловые партнеры и все в этом духе. Никаких его личных друзей она никогда в жизни не видела и даже не слышала о них — Егоров вообще мало рассказывал о своей жизни в Саратове. Сейчас у нее, как я понял, есть постоянный друг, и она всем довольна. Я бы предположил, что она просветила своего бывшего мужа по части некоторых банковских операций, например открытия счетов в офшорах.

— Вполне вероятно, — согласился Лев. — А что нынешняя супруга?

120

— А эта в субботу вылетела на Мальдивы. Я тут влегкую прошелся по клубам, навел справки, поговорил с некоторыми ее приятельницами. Она ни с кем пока оттуда не созванивалась, но это еще ни о чем не говорит, потому что дамочка любит крутить романы с местными мачо и в этот момент забывает обо всем.

— А как на это смотрит муж? — удивился Гуров.

— А ему до фонаря! И вообще у них, как я понял, бартерные отношения: он ее достойно содержит, она ему служит для престижа, и подробностями личной жизни друг друга они не интересуются. Главное, чтобы приличия были соблюдены. Сейчас ее ищут на Мальдивах и, когда найдут, обязательно побеседуют. Пока все.

— Ну, тогда о моих новостях. И сразу же записывай поручения.

Парень тут же взял лист бумаги и изобразил величайшую внимательность, на что Гуров фыркнул и начал:

— Первое. Пробить по всем возможным базам и найти в кратчайшие сроки вора-форточника Вячеслава Воробьева, год рождения не знаю, а место — Саратов. По всей вероятности, кличка у него осталась та же, что в юности, — Макака.

— Упаси господи от такой, — пробормотал парень.

— Второе. Найти в Москве Рожкова Юрия Александровича, 1969 года рождения, опять же из Саратова, образование экономическое, а более подробную информацию о нем и его семье нужно запросить из Саратова. Есть у меня очень обоснованное подозрение, что за Егорова думает именно он, а это значит, что и находится где-то неподалеку.

— Как вы вообще-то съездили? Или подробностей не будет? — поинтересовался Степан.

— Будут, но позже, а сейчас я спать лягу.

— Ну, тогда мы с тестем вечером приедем. Он сказал, что с этим колье все очень непросто.

Спал Гуров как убитый. Он даже не слышал, как открылась входная дверь, и проснулся только тогда, когда Степан основательно потряс его за плечо. Попов уже сидел возле стола и сочувственно смотрел на полковника. Умывшись, чтобы взбодриться, Лев заглянул в комнату и сказал:

— Ну, поскольку я здесь временно вроде хозяина, то интересуюсь, чай? Кофе?

— Спасибо, ничего не надо, — ответил Попов.

— Ну а я, с вашего позволения, приготовлю себе чаю покрепче, чтобы окончательно проснуться.

— Да вы сейчас и без этого проснетесь, — заметил Алексей Юрьевич.

— Начало интригующее, — только и смог сказать Гуров и, забыв о чае, сел к столу.

— Давай, Степа, для начала ты, а потом уже я подключусь, — предложил Попов.

В присутствии тестя парень себе особых вольностей не позволял, так что рассказ его был даже скучен:

— Докладываю. Проживавший в Долгопрудном вордомушник рецидивист Вячеслав Иванович Воробьев по кличке Макака умер осенью 2008 года от ботулизма — маринованных грибов поел. Я сам лично туда съездил и поговорил с соседями. Картина такова. Покойный злоупотреблял, причем только качественными и дорогими спиртными напитками, и вообще деньги у него водились. А в связи с этим в собутыльниках у него недостатка не было. По их словам, вел он себя важно, об источнике средств существования не распространялся, порой напускал туману, а когда его просили выразиться яснее, отмахивался и говорил, что это не их ума дело. Выпивать-то он с людьми выпивал, но дружбы ни с кем не водил, посторонние его не посещали, а вот сам он периодически куда-то уезжал. По поводу звонков, как его, так и ему, ничего теперь выяснить нельзя: дело сочли обычным несчастным случаем, и где теперь его телефон искать, никто не знает, а сотового оператора запрашивать бесполезно — столько лет у них информация не хранится. Был близок с женщиной из того же дома. А поскольку все люди невысокого роста предпочитают, как правило, женщин крупных, эта оказалась довольно габаритной особой. О любви и браке речи не заходило, но он делал ей довольно дорогие подарки: шуба, золотишко, телевизор, причем намекал, что дальше будет еще круче.

— Все правильно! — кивнул Гуров. — Вот потому-то после 2008 года больше никаких несчастных случаев не было. Воробьев стал слишком много болтать и пить, Егоров испугался и подстроил несчастный случай с самим исполнителем. Но вот как?

— По словам тех же соседей, Воробьев похвалился им, что ему с оказией друзья из Саратова банку маринованных грибов передали, — объяснил Степан. — Поностальгировал по поводу босоного детства, повспоминал, как мальчишками они на островах грибы собирали, и решил употребить подарок единолично, за что и поплатился.

— Ну что ж, в общую картину это вполне вписывается, но доказать то, что ему эти грибы подсунул именно Егоров, мы не сможем. Это только умозаключение, не подтвержденное никакими фактами, все на словах. Надо искать Рожкова.

— Информацию из Саратова мы получили, — сказал Степан. — Итак, Юрий Александрович Рожков, 1969 года рождения, образование высшее экономическое, последнее место работы в Саратове — бухгалтерия судоремонтного завода. Отец Александр Константинович, мать Светлана Андреевна, оба ныне покойные, сестру отца Ольгу и сестру Юрия Зою мы пока, — подчеркнул он, — не нашли, потому что их фамилии неизвестны, но продолжаем искать. А вот Юрия Александровича Рожкова с такими данными в Москве и области нет.

— Может жить без регистрации, — заметил Гуров. — А может в какой-нибудь из соседних областей — электрички-то ходят исправно.

— Значит, будем искать по всей России, — согласился парень. — Перехожу к следующему пункту. Что касается взаимоотношений Егорова и руководителей районов и городов, то в последнее время его влияние стало заметно падать. Конечно, есть люди, которые продолжают прогибаться под него, но есть и такие, кто, пусть и не нарываясь на скандал, действует уже самостоятельно. В подконтрольных ему фирмах вдруг накануне тендеров начинаются аудиторские проверки и прочие неприятности. Короче — ставят палки в колеса.

— И ответить теперь Егорову на это нечем — Воробьева-то нет! Искать нового исполнителя такого уровня? Но у него нет таких связей! — сказал Лев.

— Расскажите, как вы съездили в Саратов, — попросил Попов. — Это как-то прояснило картину?

— Целиком и полностью. Егоров ничтожество, и сам знает об этом. За него всегда думал Рожков. Мне немного непонятна подоплека этих отношений, но этот тандем просуществовал все годы, что они учились в школе, где просидели за одной партой, да и потом не распался. И это несмотря на то, что Рожков по вине Егорова сильно пострадал. В 1993 году Егоров переехал в Москву, и Рожков вскоре тоже уехал из Саратова. В 2004 году Егоров был в Саратове в последний раз — приезжал хоронить сына. На этом факты заканчиваются, и идут мои предположения. В Саратове Егоров встретил друга детства Воробьева, который с малолетства уже был вором-домушником. Вскоре после этого Воробьев уехал из Саратова и, как теперь стало известно, оказался в Долгопрудном. Допускаю, что, вернувшись в Москву, Егоров рассказал о встрече с Воробьевым Рожкову, и в голове у того созрел план, как использовать Воробьева. Замаскированные под несчастные случаи убийства начались в 2005-м и закончились со смертью Воробьева. Но все это только умозаключения.

— Ну а теперь я вам расскажу, что это за колье, — предложил Попов.

Когда он закончил, Гуров, который все время его рассказа вышагивал по комнате, не в силах усидеть на месте, но и не решаясь перебить его, уверенно заявил:

— Это Рожков!

— Обоснуйте, — попросил Алексей Юрьевич.

По-прежнему расхаживая по комнате, Гуров начал рассуждать:

— Примем за аксиому, что за провокацией против меня стоит именно Егоров, чтобы не допустить моего участия в его деле. А это, в свою очередь, значит, что колье было у него. —

Степан собрался было возразить, но Лев остановил его: — Сейчас я все объясню. Если уж он готовил такую подставу, то должен был быть уверен, что колье настоящее. Ведь найди у Марии подделку, все его усилия пошли бы прахом — это сочли бы чьей-то неудачной шуткой, тем более что записку писал не Александров. Значит, он был уверен в подлинности колье. Но как оно к нему попало? Где могли пересечься пути Егоровых и Шеловских? Только в Саратове, где Егоровы жили испокон веков. Отец Николая был закоренелым преступником, застреленным при задержании, для него украсть что-то было делом заурядным. Теперь Рожковы. Александр, как теперь выяснилось, Константинович, — подчеркнул Лев, — приехал с женой и дочерью в Саратов в 1965 году откуда-то с юга. Его проживавшую отдельно где-то в другом городе сестру звали Ольга. Конечно, это может быть совпадением, но пойдем дальше. Рожковы и Егоровы невольно соседствовали: дом на двух хозяев, а двор общий. Зоя, сестра Юрия, и Катя, сестра Николая, дружили, вместе играли. Могла Зоя, зная, что в доме есть такая красивая вещь, похвалиться перед подругой? Могла!

— Вряд ли несмышленой девочке стали показывать тайник, где оно лежало, — возразил Попов.

— Она могла сама случайно это увидеть — дети ведь лазают где угодно. Ну пусть не она! Отец Николая мог просто посмотреть в окно и увидеть, как Рожков-старший, предположим, проверяет, на месте ли их семейная реликвия. Вариантов масса. Дело в другом! В 1972 году, а отец Николая в это время был как раз временно на свободе, Рожков по дороге с работы забрал детей из детского сада и, вернувшись домой, увидел там труп жены, у которой была разбита голова. Из дома, заметим, ничего не было украдено и все вещи оставались на своих местах. Дело тогда списали на несчастный случай. Но было ли так на самом деле? Отец Николая, предположим, никак не ожидал застать дома женщину, а при таком соседстве Рожковы дверь наверняка держали на замке. Или же она, войдя, вдруг увидела нежданного гостя. И он ее убил, а поскольку точно знал, где что лежит, все остальное и осталось нетронутым. Заявлять о пропаже колье Рожков не стал — как бы он объяснил, откуда у него такая дорогая вещь? Пришлось бы рассказывать все с самого начала и объяснять, откуда взялась фамилия Рожков. Вот он и промолчал. Тогда промолчал, — подчеркнул Гуров. — А отец Николая, поняв, насколько приметная и дорогая вещь к нему попала, не стал ее продавать. То ли он боялся быть обманутым при продаже, то ли сесть за убийство, неизвестно. Но он решил ее попридержать и спрятал. Но вскоре снова сел, а выйдя, пошел на новое преступление и был убит. Николаю тогда было четырнадцать лет, и рассказывать ему отец ничего не стал. А вот Рожков, когда его сын подрос, все ему рассказал и, наверное, поделился своими подозрениями по поводу Егорова-старшего, а уж Юрий, в чьем уме я теперь не сомневаюсь, видимо, сумел это вычислить точно. Этим-то и объясняется ранее непонятная мне дружба Юрия и Николая, хотя, по всему, Рожков за свое увечье должен был ненавидеть того лютой ненавистью. А еще это объясняет тот факт, что после смерти отца в 1991 году Юрий отказался уезжать с сестрой к своей тете, которую, я напоминаю, звали Ольга. Он объяснил это тем, что боится не найти там работу, а на самом деле он продолжал наблюдать за Николаем и ждать удобного случая. А вот в 1993 году он бестрепетно уехал. Что же касается характеристики, которую дала ему директор школы: старается не привлекать к себе внимание, себе на уме — то это полностью вписывается в нашу картину, потому что, когда семья вынуждена на протяжение десятилетий таиться, стремление быть незаметным становится второй натурой. Николай же, найдя колье и понимая, что вещь попала к ним незаконно, тоже его припрятал, — продолжал Гуров. — Не подозревая об истинных мотивах Рожкова, Николая, зная, что он без него — ноль без палочки, перетащил его за собой в Москву. Рожков действительно оказался для него очень полезен, но и сам внакладе не остался. Деньги у него были, вот он и заказал копию, чтобы, дождавшись удобного случая, подменить колье. И когда такой случай представился, а точнее, Рожков его и смоделировал, не упустил его. Вывод: нужно искать Рожкова, что-то мне кажется, что он в бега подался — деньги у него есть, колье он вернул, так что Егоров ему теперь больше не нужен. То, что он потомок Шеловских, несомненно, его права на колье — неоспоримы, но вот за финансовые махинации и соучастие в убийстве девяти человек пусть отвечает.

— Если тому найдутся доказательства, — добавил Попов, чем сразу испортил настроение Гурову.

— Нужно будет срочно найти какую-нибудь фотографию Рожкова и предъявить ее для опознания Лазарю Коху, пока они не уехали, — добавил Гуров. — Хотя, впрочем, их ради такого дела и задержать можно.

— А наведаюсь-ка я завтра в Дворянское собрание и с людьми поговорю, узнаю, что там про Шеловских известно, — задумчиво сказал Алексей Юрьевич. — А еще запрошу в нашем архиве все, что относится к Константину Николаевичу Шеловскому, где работал, где служил и все остальное.

— У вас вызывает сомнение моя версия? — насторожился Гуров.

— Не обижайтесь, Лев Иванович, но когда все вот так легко складывается и логично вытекает одно из другого, жди подвоха, — тихо объяснил Алексей Юрьевич. — По большому счету, ваша версия выстроена только на том, что отца Юрия звали Александром Константиновичем, его сестру — Ольгой, а его мать то ли была убита, то ли погибла в результате несчастного случая. Это неоспоримые факты, а все остальное — основанные на них логические построения и, простите, домыслы. А если предположить, что отправная точка не верна? Подумайте об этом.

Такой моральной пощечины Гуров не получал еще никогда! И она была тем более болезненна, что получил он ее от Попова, которого искренне уважал.

— Вы очень устали, Лев Иванович, — постарался подсластить пилюлю Попов. — Выспитесь, отвлекитесь чем-нибудь... Да вот хоть телевизор посмотрите! Дайте отдых мозгам, а потом уже на свежую голову переберите поштучно все факты и только факты. Глядишь, и другая версия появится. К сожалению, помочь вам в этом я не могу, потому что просто знаю меньше вас — это же вы в Саратов ездили. Ну, отдыхайте, а я, как новая информация появится, к вам наведаюсь.

— Я сегодня с Крячко встречаюсь, так что завтра утром приеду с новостями, — пообещал Степан с таким видом, словно и не слышал, как его тесть очень элегантно размазал Гурова.

Попов вышел из квартиры первым, а вот Степан задержался и прошептал Гурову:

— Лев Иванович, это не Рожков. Тот человек, что приходил к Кохам, хоть и был очень просто одет, но когда те стали над ним смеяться, так им улыбнулся, что они чуть в штаны не наделали. А старик-то был с большим гонором! Не смог бы Рожков так их на место поставить!

— Что же в его улыбке было такого грозного? — усмехнулся Гуров и вдруг, все поняв, чуть не застонал.

— Что с вами? — встревожился парень.

— Иди, Степа, — попросил Лев. — Иди! — и чуть не вытолкал того за дверь.

Захлопнув дверь, он прислонился к ней лбом — таким законченным идиотом он не чувствовал себя еще никогда. Сам не свой от пережитого унижения и осознания собственной тупости, Лев понял, что у него сейчас только одно-единственное желание: даже не напиться, а нажраться до провалов в биографии, благо спиртное в холодильнике было. И чтобы, проснувшись, не помнить ни этих тихих, произнесенных очень вежливым тоном слов Попова, ни того, что он сам лопухнулся, как последний растяпа. Но он решил, что такого малодушия себе позволить не может, а вот просто выпить, чтобы успокоить взвинченные нервы и уснуть, — вполне. Полстакана водки оказали нужно воздействие, и Лев лег спать — никакие кошмары его, к счастью, не мучили.

Пятница

Гуров проснулся, когда за окном было еще темно, но сна уже не было ни в одном глазу. Решив, что нечего себе бока отлеживать, он встал, привел себя в порядок, позавтракал и тут вдруг поймал себя на том, что сознательно оттягивал момент, когда нужно будет сесть и, перебирая факты и только факты, выработать новую версию. Хотя чего ее вырабатывать? Он уже и так все знал, нужно было только привести мысли в порядок, выстроить такую стройную схему, чтобы к ней невозможно было придраться, а если вдруг возникнут неясные моменты, то, прежде чем рот разевать, выяснить все до мельчайших подробностей. Сев один раз в лужу, Гуров ни в коем случае не хотел повторения. То садясь, то меряя шагами комнату, он рассуждал вслух:

— То, что Рожков здесь ни при чем, теперь понятно. Да! Рожков не смог бы так нагнуть ювелира Коха, чтобы тот взялся за нежеланную работу. А вот Грозный, иначе говоря, Георгий Александрович Иванов, непререкаемый авторитет для всей окрестной шпаны, мог! И фальшивый царский червонец у него не мог появиться просто так — не зря же он постоянно интересовался судьбой друзей юности и выяснял, где они. И видимо, нашел! И отношения с ними поддерживал! И, скорее всего, поддержкой их пользовался! А я, законченный идиот, совершенно упустил из виду то, что его отца тоже звали Александром Константиновичем, а тетку — Ольгой! Я решил, что тихушник Рожков больше подходит на роль «серого кардинала» при Егорове, чем предводитель шпаны Жорка Грозный! Кретин безмозглый!

Лев приготовил себе бокал крепкого чая, сел к столу и стал сопоставлять то, что ему рассказал Попов о судьбе Константина Николаевича Шеловского, и то, что узнал от Пелагеи.

— Итак, — стал рассуждать он вслух, — детей Константина Николаевича звали Александр 1921 года рождения и Ольга, которая родилась в 1932-м. В 1937-м Александру было шестнадцать, и он уже многое понимал, а уж при отце-военном неженкой вырасти просто не мог. Они исчезли из Москвы за несколько месяцев до того, как пришли за их отцом. А тот, заметим, строил фортификационные сооружения по всей стране. Могли у него где-то оказаться такие верные друзья, кому он рискнул бы отправить детей? Могли. А поскольку при обыске не были найдены не только какие-либо ценности, но и личные документы, то получается, что он отдал все детям. Где они осели, неизвестно, но раз сохранили колье, то и документы должны были тоже остаться. Теперь перейдем к прошлому, не столь отдаленному. Отец Георгия — Александр Константинович, а его сестра Ольга — фамилии сейчас неважны, приехали откуда-то из Средней Азии в 1957 году. Если учесть, что в 1956-м состоялся 20-й съезд КПСС, развенчавший культ личности Сталина, то они вполне могли решить, что бояться им больше нечего, и вернулись в Россию. Но в Москве им было бы трудно устроиться, и они выбрали Саратов. Соседка сказала, что Александр был уже немолодой — правильно, ему было 35 лет, о его сестре она не говорила, но это уже неважно.

Лев поднялся и, разгуливая по комнате, спросил у своего отражения в стекле:

— Мог Егоров-старший обворовать соседей? Да! Если знал, что там есть что взять. Но откуда он мог знать? Подглядел, как они рассматривают свою фамильную реликвию, но вряд ли они стали бы делать это во дворе или возле окна — уж они-то знали ее настоящую цену. Откуда же он мог узнать? Стоп!

Гуров остановился и яростно помотал головой, злясь на собственную тупость. Кретин! Идиот! Ему же Пелагея ясно сказала, что сестры Николая и Юрия постоянно торчали в доме у своей подружки Лены, потому что Ольга работала в столовой и приносила домой кое-что вкусное! А Лена, по словам директрисы школы, была открытым, доверчивым ребенком, вся в мать! Вот она-то колье подружкам и показала! Тайник она, конечно же, увидела случайно, потому что, будь иначе, взрослые обязательно предупредили бы ее, чтобы она никому ничего не говорила, или перепрятали колье. Истинной ценности украшения она не представляла, для нее это была просто красивая вещь и только. И доставала она его наверняка при подружках, потому что даже представить себе не могла, что кто-то может взять чужое. Вот Катя место тайника и узнала. Она пришла домой, рассказала о том, что видела, и отец Николая, дождавшись, когда соседей не будет дома, пошел на дело. Но, увидев, что именно ему досталось, не стал рисковать и спрятал колье. Что он планировал сделать с ним потом, теперь уже никто никогда не узнает. Гуров даже застонал от обиды — его вчерашние умозаключения были безупречны, но вот с отправной точкой он ошибся! Его ввела в заблуждение смерть

130

матери Юрия. Прав был Попов! В Саратов он не ездил, в тонкости дела не вникал, но ему было достаточно выслушать Льва, и он тут же понял, что этот карточный выстроенный Львом домик разлетится от малейшего дуновения ветерка. Да что там ветерка? Он сам собой рухнет!

Чтобы немного успокоиться, Гуров пошел и умылся холодной водой — стало вроде бы легче. Вернувшись, он сел на диван и принялся обдумывать сложившуюся ситуацию дальше. Знал ли Георгий, к какому роду принадлежит? Должно быть, со временем узнал, как и о пропаже семейной реликвии. Но вот когда повзрослевшая Елена об этом узнала, то, поняв, что натворила, вполне могла признаться, кому показывала колье. Стал бы такой человек, как Жорка Грозный, мириться с потерей? Нет! Значит, у него были на выбор Рожковы и Егоровы. Так! Он забрал семью из Саратова весной 1993-го, а уже после этого оттуда уехали Николай и Юрий. Сам Георгий больше в Саратове не появлялся, но это не значит, что ему кто-то не сообщил об их отъезде — связи у него в городе обязательно остались. Дальнейшую судьбу Егорова проследить было нетрудно — все знали, за кем он уехал в Москву, но, видимо, по какой-то причине Рожков вызывал у Иванова больше подозрений, и он начал с него. Только военная служба и поиски как-то плохо между собой сочетаются, так что свободного времени у него было не очень много. Итак, предположим, Георгий нашел Рожкова, убедился, что он здесь ни при чем, и у него остался Николай Егоров со своим папашей-бандитом! Георгий нашел его и подмял — а он это умеет! То, что не Егоров эту схему разработал, было ясно изначально, но вот мог ли Георгий к ней приложить руку? Гуров подумал и решил, что мог. И, узнав про Вячеслава Воробьева, мог сообразить, как того припрячь к делу. В конечном счете он организовал все это предприятие. Сколько он заработал — остается только гадать, но, скорее всего, еще его правнукам хватит. Но тут запахло жареным, Егорову наступили на хвост, к его делу было решено привлечь Гурова, то есть оно уже перестало быть чисто экономическим, а приобрело уголовный оттенок. Георгий с его-то связями в уголовном мире мигом узнал, что собой представляет Гуров, и у него появилась возможность под благовидным предлогом изъять у Егорова настоящее колье, а Марии подбросили заказанную им заранее его грубую копию.

Но тут возникает другой вопрос: как Георгий мог так рисковать своей семьей? Предположим, арестовали бы Егорова, тот его мигом бы сдал, его бы тоже взяли, а потом начали таскать на допрос его отца... Хотя тот вряд ли жив — возраст все-таки! Ну, так тетку, сестру, ее мужа, может быть. Позор для всей семьи! Его дед, чтобы не опозорить род Шеловских, застрелился, а он? И тут Гуров все понял! Как он сам выводил из-под удара Марию и Сашку, чтобы не бояться за них, а у него самого была свобода действий, так же поступил и Георгий. А это значило, что в 1993-м Александр и Ольга с Еленой уехали не только из Саратова, но и из России! Георгий же, уже ни за кого не боясь, занялся поисками колье, а потом, когда появилась возможность, стал с помощью Егорова зарабатывать деньги для их безбедной жизни где-то за границей.

А что? Все правильно! Ведь тогда в России творилось такое, что ужас охватывал, вполне могла еще одна гражданская война начаться. Российское Дворянское собрание было юридически зарегистрировано в мае 1991 года. Документы у Ивановых все сохранились, так что подтвердить свое происхождение они могли. А в какой-нибудь Франции, Швейцарии или Австрии наверняка живут потомки эмигрировавших тогда Шеловских. Найти их через Международный Красный Крест или то же Дворянское собрание было несложно, так что выезд по причине воссоединения семьи, и вся недолга. А впрочем, в 1993-м творилась такая неразбериха, что, может, и этого не потребовалось. Оформили загранпаспорта, подали документы в какое-нибудь посольство и уехали. И сейчас, когда колье наконец у Георгия, его самого наверняка и след простыл. Ну и как же теперь без него доказывать причастность Егорова к якобы несчастным случаям?

Расстроиться по этому поводу Лев не успел, потому что приехал Степан, причем с таким невинным выражением лица, как будто и не в его присутствии Гурова мордой по столу возили, да и сам парень не влез со своими тремя грошами, чем окончательно добил Льва.

— Если кто-нибудь когда-нибудь узнает о моем вчерашнем разговоре с Поповым, я тебя убью, веришь? — серьезно спросил Гуров.

— Да бросьте вы, Лев Иванович, — отмахнулся парень. — Рассказать я, конечно, никому не расскажу, но вот злиться на Алексея Юрьевича не надо. Он вас вчера, можно сказать, ласково по шерстке погладил, а вот я от него порой так огребаю, что хоть топиться беги.

— Тебе положено терпеть, ты зять, — заметил Лев.

— А я терплю! Но не потому, что зять. Я научиться хочу! А Алексей Юрьевич знает и умеет много такого, чему нигде не научат, — с неожиданной горячностью говорил Степан. — С дочкой у него не получилось, с сыном не получилось, так он хочет хотя бы мне свои знания передать. Поэтому и задания дает самые сложные, и спрашивает за них по полной программе, а если ошибаюсь, то объясняет, где я напортачил и почему.

— Себе в преемники готовит?

— Нет, конечно. Голова у меня не та, а выше нее не прыгнешь. Но свое дело я изучу досконально! Чтобы и он, и жена, и дети могли мной гордиться!

— И какое же это дело? — как бы между прочим спросил Лев, наливая себе кофе.

— А хотя бы то, которым мы сейчас занимаемся, — не попался на эту удочку Степан и тут же сменил тему: — Новости послушать не желаете?

Они переместились из кухни в комнату, и парень начал рассказывать:

— То, что вы в розыске, вы уже знаете. Хуже другое, в управлении собственной безопасности смогли узнать, что вашей жены в Кремлевке нет. Алексей Юрьевич сейчас занимается выяснением того, как могла произойти утечка информации.

— Она тоже в розыске? — воскликнул Гуров.

— Да, подали сегодня утром, — сообщил Степан.

— А Сашка?

— Так он же просто в отпуске и может проводить его где угодно.

— Слава богу, хоть с ним обошлось. Чем еще «порадуешь»? — криво улыбнулся Лев.

— Все остальное уже не так страшно. Во-первых, вас по какой-то причине уже давно ищет Рыбовод, причем весьма настойчиво. Орлов клялся и божился ему, что не знает, где вы, но тот, кажется, ему не поверил.

— Ничего! Это подождет! — отмахнулся Лев. — Что во-вторых?

— Отчет по вашим поручениям. Итак, дежурному управления собственной безопасности поступил анонимный звонок, и некий мужчина сообщил, что вам через вашу жену, актрису Марию Строеву, только что была передана крупная взятка от Александрова в виде безумно дорогого колье, спрятанного в корзине с желтыми розами. А поскольку там все от лейтенанта до генерала точат на вас зубы, по которым уже однажды крепко получили, когда пытались вас необоснованно прищучить, об этом тут же доложили Дубову. Тот с огромной радостью ухватился за эту информацию и нажал на все педали разом. Операцией руководил лично он из своего кабинета, ему-то подчиненные и отзвонились! И доложили, что голяк! А он закусил удила и приказал задержать вашу жену на сорок восемь часов.

— Послушай! Все это я уже давно понял и без Крячко! — раздраженно сказал Лев. — Кто конкретно приказал Никифорову посадить Марию к уголовницам?

— Так Дубов и приказал! Никифоров же у него на мертвом кукане сидит! — удивленно объяснил Степан.

— Застрелить его, что ли? — тоскливо спросил Гуров. — Вот скажи мне, чья светлая голова додумалась посадить его в это кресло?

— Да не надо в него стрелять! Его и без этого уберут! — успокоил Льва Степан. — Теперь дальше. Дело о возможной причастности Егорова к несчастным случаям поручили вести Шатрову, придав ему в помощь Богданова. Приказ отдал некий господин, коего вы за глаза именуете Щенком.

— Степа! Ты знаешь, мне становится страшно! — искренне сказал Гуров. — Как же должна была разрастись эта паутина, чтобы в нее такие люди попали?

— Лев Иванович! Да снимите же вы розовые очки! — не выдержав, воскликнул Степан. — Они туда не попали! Они ее сами сплели!

— Послушай, но ведь только слепоглухонемой не знает, что Шатров — это всем известная продажная сволочь, а Богданов просто тупой служащий и законченный дурак, — никак не мог успокоиться Гуров. — Поручать дело им — значит, завалить его на корню!

— Так для того вас и выводили из игры, чтобы дело можно было поручить управляемым людям. А теперь о хорошем. Александров, оказывается, уже был в курсе всего, что с вами произошло и как вас от его имени подставили. Его еще не этапировали, и Станислав Васильевич нашел возможность с ними поговорить. Тот клялся и зуб давал, что к этому делу никаким боком непричастен, потому что все знают, что Гуров не берет, так и он не дурак, чтобы к нему соваться, а то потом огрести можно по самое не балуй. И сказал, когда он найдет того, кто его так подставил, то, где бы тот ни сидел, мало ему не покажется. А вот вам он очень просил передать привет и уважуху.

— Ну это я так знал. Это все?

— Нет, сегодня ночью переслали, — сказал Степан, доставая карту памяти и подключая ее к ноутбуку.

— Что это?

— Весьма познавательный диалог.

Тут на экране появилась сидящая за столиком довольно молодая, смазливая вертлявая женщина в купальнике, а рядом с ней знойный смуглый мачо с обнаженным торсом и в белых шортах. Судя по тому, как они обменивались томными взглядами, языковой барьер был успешно преодолен. Вдруг она повернулась и посмотрела прямо в камеру, и тут же раздался вкрадчивый мужской голос:

— Лариса Сергеевна, голубушка! Ну что же вы творите? Уехали из Москвы, никого не предупредив! Мы вас уже обыскались! Хорошо, что вас тут люди видели и сообщили нам, где вы!

— А вы кто? — недоуменно спросила женщина.

— Журнал «V.I.P.»! У нас новый номер готовится, а вас нет! Ну как же мы без вас? Какой же это будет номер без вашей фотографии?

— Вы знаете, все так спонтанно получилось! — томно сказала она.

— Так расскажите! Расскажите нашим читателям обо всем! Вы же знаете, как им это будет интересно!

— Ну конечно, расскажу! — охотно согласилась Лариса Сергеевна.

Глядя на эту недалекую бабенку, Гуров вздохнул и спросил:

— Степа, в нашем так называемом высшем свете все такие дуры? Или вменяемые все-таки попадаются?

— Поголовно! Умные кучкуются в других местах, — со знанием дела ответил тот, потому что в свое время тоже отдал дань светским тусовкам.

Гуров не мог видеть лица человека, который беседовал с женой Егорова, но искренне восхищался тем, как тот мастерски задавал вопросы. И в результате эта «светская львица» рассказала ему все, даже то, о чем ей, наверное, было строго-настрого приказано молчать.

Оказывается, в пятницу, когда в доме собрались гости по случаю ее дня рождения, муж вдруг по какой-то непонятной причине оставил и ее, и гостей и куда-то ушел. Хоть он сказал, что скоро вернется, но время шло, а его все не было и не было. Гости уже начали удивленно переглядываться — неприлично как-то, чтобы хозяин бросал гостей, и она пошла искать мужа. Тот оказался в кабинете, где был еще этот побирушка.

— Какой побирушка? — удивился мужчина. — В вашем кругу таких нет и быть не может! Лариса Сергеевна! Вы ничего не путаете?

— Да калека-побирушка! — стояла на своем она. — Он уже давно из мужа деньги тянет.

— Ну, может быть, это попавший в беду друг его детства? — предположил мужчина. — Тогда это очень благородно со стороны Николая Владимировича оказывать ему помощь! Расскажите-ка поподробнее. Сейчас, когда у вашего мужа возникли некоторые неприятные обстоятельства, эта история может сыграть ему только на пользу.

— Ну, в общем, первый раз я его видела года три назад или даже больше — уже не помню, — ничего не подозревая, начала откровенничать женщина. — Как вы знаете, мы обычно живем за городом, но в Москве у нас есть квартира. Вот мне и потребовалось как-то туда заехать. И вы представляете, вдруг, к своему удивлению, я застала там Николая и какого-то калеку на костылях. Он, знаете, такой пришибленный был. И одет так... — она брезгливо поморщилась. — Он так благодарил мужа за помощь, только что не плакал — я так поняла, что Николай ему денег дал или еще что-то. Я очень удивилась, но муж мне сказал, что потом все объяснит. Я, естественно, с ними не осталась! Они о чем-то еще поговорили, а потом этот калека ушел!

— Потрясающе! Из этого может получиться великолепная история! Ваш муж не говорил, как звали этого человека? Если Николай Владимирович ему действительно помог, то мы могли бы взять у того интервью, дать фотографию в журнал! Это очень хорошо прозвучало бы! И с большой выгодой для вашего мужа!

— Чтобы я интересовалась каким-то калекой? — удивилась Лариса Сергеевна. — Конечно, я его имени не спрашивала, а муж не говорил. Объяснил только, что помогал деньгами своему старому знакомому, но теперь лавочка закрылась — он, знаете, любит подобные выражения. Причем говорил о нем с таким пренебрежением. И вдруг я опять вижу этого калеку на костылях в собственном доме да еще в свой день рождения! — возмущенно воскликнула она. — И ради него Николай бросил и меня и гостей! Конечно, я вспылила! А кто бы поступил иначе на моем месте?

— Как я вас понимаю! — сочувственно сказал мужчина.

— Я была оскорблена настолько, что наорала на этого инвалида и приказала немедленно уходить! Ну сколько можно тянуть деньги из моего мужа?

137

— А у этого несчастного в руках были деньги?

— Кажется, нет. Но что-то определенно было... Коробка какая-то. Такая небольшая. Или она стояла на столе? Нет, не помню! Но что-то он с ней делал! Я высказала мужу все, что думаю по этому поводу, и ушла! А через некоторое время и Николай к нам присоединился.

— Но Николай Владимирович как-то объяснил вам, что это за человек?

— Нет, — помедлив, сказала Лариса Сергеевна. — Да мне и неинтересно. А когда гости разошлись, Николай передо мной извинился и дал деньги на эту поездку. И вот я здесь! — лучезарно улыбнулась она.

— Знаете, Лариса Сергеевна! У меня складывается впечатление, что Николай Владимирович втайне от вас занимается благотворительностью, — предположил мужчина.

— Николай? Благотворительностью? — Она просто опешила.

— А почему бы и нет? Скажите, вы уверены, что это был тот же самый человек, что и в первый раз?

Женщина призадумалась, хотя ее состояние впору было описать совсем другими словами: впала в ступор — непривычный для нее мыслительный процесс явно протекал очень мучительно. Наконец она недоуменно сказала:

— Знаете, я вот сейчас вспомнила... Кажется, это был другой калека. Тот, первый, был жалкий и потерянный, а этот... Да нет, таким он не выглядел.

— Ну, вот вам и вся разгадка! — весело сказал мужчина. — Николай Владимирович действительно просто помогает несчастным.

— Но не в мой же день рождения!

— Ну, конечно, ваш муж не стал бы никого приглашать в такой день даже для того, чтобы помочь ему, но вдруг у человека случилось какое-то несчастье, и он пришел за помощью сам? Знаете, бывают обстоятельства, когда нужда заставляет человека забыть обо всем, в том числе и о правилах приличия.

— Но это еще не повод, чтобы орать на меня, да к тому же еще и при посторонних, — проболталась она.

— Лариса Сергеевна, мужчины очень не любят, когда женщины раскрывают их маленькие тайны.

— Ой, а ведь действительно перед тем, как Николай ушел, к нему наш охранник Толик подходил, — вспомнила она.

— Ну вот видите! Значит, у этого несчастного случилось что-то настолько страшное, что он решился побеспокоить вашего мужа даже дома. Вот мы все и выяснили! А теперь давайте перейдем к съемкам! Вы так очаровательно выглядите в этом купальнике, что станете просто украшением нового номера...

— Дальше уже неинтересно, — сказал Степан, выключая ноутбук.

— Два разных человека на костылях, — задумчиво сказал Лев. — Ты в такие совпадения веришь?

— Я вообще человек недоверчивый, — ответил тот.

Степан молчал, никаких вопросов не задавал, и это действовало Гурову на нервы. Наконец он не выдержал:

— Можешь радоваться — ты оказался прав: Рожков действительно не имеет никакого отношения к делу Егорова.

— Лев Иванович, мы делаем общее серьезное дело и работаем на результат. Так что ни радоваться, ни злорадствовать я не собираюсь. Не в моем это характере, не по-пацански как-то, — сухо ответил парень.

— Извини, я не хотел тебя обидеть, — вынужден был сказать Лев. — Просто не привык вот так, по-крупному, мордой в грязь плюхаться, да еще в присутствии свидетелей.

— Не стыдно упасть! Стыдно долго лежать! — заметил Степан. — А ошибиться может каждый. Так что проехали и работаем дальше.

Возразить на это Льву было нечего, но он решил отыграться по-своему и, попридержав козырной туз в рукаве, бросить его на стол в последнюю минуту. И он сказал:

— Рожков, конечно, ни при чем, но плясать будем от него. Если предположить, что именно его Лариса Сергеевна видела вместе с мужем в их городской квартире, то это многое объясняет. Как известно, с позвоночником шутки плохи, если уж Рожкова в армию не взяли, то травма была серьезная. Со временем она могла дать настолько тяжкие последствия, что ему пришлось пользоваться костылями. Раз Юрий в Москве не зарегистрирован, но здесь был, то приезжать сюда он мог только лечиться. А раз так униженно благодарил Егорова, то не без его помощи. Причины, по которым Егоров вдруг решил через столько лет ему помочь, оставим на потом. Почему пригласил его в свой дом? Ну, это понятно! В школе он у Юрия списывал, а теперь решил продемонстрировать, чего добился. В загородный дом он его вести не стал, а вот в городскую квартиру привел, чтобы похвалиться. Там их вместе увидела его жена, которой он дал довольно правдоподобное объяснение появления такого гостя. И тогда настоящий подельник Егорова, будучи совершенно здоровым, решил использовать для маскировки костыли. А Егоров предупредил свою охрану, что если придет человек на костылях, то его нужно тут же пропустить. Вероятный вариант? — спросил Лев.

— Вполне! — кивнул Степан.

— Рожкова найти, конечно, надо и, чем прочесывать всю Россию, проще навести справки в столичных специализированных клиниках, там все компьютеризировано и сложностей не предвидится. Правда, вряд ли он может знать что-то по существу, но, с другой стороны, лишней информации не бывает. А теперь вернемся к тому, почему Егоров решил помочь Рожкову? Почему решил старый грех искупить? Совесть замучила? Но у таких, как Николай, стыд, честь и совесть отсутствуют. Значит, что? Его заставили! Но кто? Кто имел на него такое влияние? Кто знал, что Рожков пострадал по его вине? Только кто-то из Саратова, который не только знал истинную причину травмы, но и мог надавить! Но, судя по тому, что говорили Пелагея, а потом Зинаида Леонидовна, многие из той давней компании из тюрем не вылезают. Да и не стал бы Егоров к ним прислушиваться. А если бы начали давить, что очень сомнительно, потому что Рожков для них не фигура, так обратился бы в полицию. Нет, это был человек, которому Егоров не мог отказать. Кем же он так восхищался в молодости? А только тем, о ком вчера я подумал, услышав твои слова. Бери бумагу и пиши! У меня будет для тебя сверхсрочное задание, потому что впереди выходные и выяснить что-нибудь будет намного сложнее.

— Для того и приставлен, — просто ответил Савельев.

— Георгий Александрович Иванов, год рождения 1960-й, уроженец Саратова. Служил в армии, потом поступил в военное училище. Если я все правильно просчитал, то его отец Александр Константинович должен быть 1921 года рождения, а сестра отца Ольга — 1932-го. У самого Георгия есть сестра Елена 1965 года рождения. Если окажется, что они не Шеловские, я подам в отставку. Если же я прав, то никого из них в России уже нет. Последним уехал сам Георгий, потому что в России его ничего больше не держало — колье-то он себе вернул! Это должно было произойти вскоре после того, как Марии вручили те чертовы цветы: либо в ночь с пятницы на субботу, либо в субботу. Но есть малюсенькая, почти нереальная надежда на то, что он, может быть, еще здесь — вдруг остался, чтобы досмотреть спектакль и узнать, чем он закончится.

— Хорошо, запросы отправим немедленно, а все пограничники будут предупреждены, никуда не денется, — сказал Степан. — Что еще?

Парень вел себя, как обычно, глаз не отводил, не усмехался, смотрел прямо и спокойно, но вот чувствовалось что-то недосказанное. Гуров ощутил, как у него каменеет лицо, и спросил:

— Как я понял, для тебя это не новость?

— Просто я не успел вам сказать о том, что вчера вечером нашли Рожкова и поговорили с ним, а потом не хотел перебивать вас, — ответил парень.

— Пожалел меня, значит! — звенящим от гнева голосом произнес Лев. — Я что, похож на человека, которого можно и нужно жалеть?

— Нет, я действительно просто не успел сказать, — совершенно спокойно отреагировал Савельев. — А пожалеть вас я могу посоветовать только своему злейшему врагу, чтобы у него еще один враг в вашем лице появился — вы же его за это лютой ненавистью возненавидите. Да и за что жалеть? Мы же все сами кузнецы своего несчастья.

Гуров стоял, тяжело дыша, и готов был броситься на Степана с кулаками — более прозрачного намека на то, что во всех его нынешних бедах виновата Мария, трудно было придумать. Но так же хорошо Гуров понимал, что выиграть схватку у этого парня у него нет ни единого шанса. Да, Лев был не новичок в рукопашной, но Степан, несмотря на молодость, уже успел пройти такую школу, какой у Гурова не было и быть не могло, а получить после моральных пощечин еще и вполне очевидные синяки не хотелось.

— Про Рожкова слушать будете? — как ни в чем не бывало спросил Степан.

— Сейчас, — буркнул Гуров.

Ему пришлось опять идти в ванную, чтобы не только умыться холодной водой, но и напиться прямо из-под крана. Вернувшись, он сел к столу и сказал:

— Давай!

— Итак, в 1993 году Егоров продал свою половину дома и уехал в Москву. Тут новые соседи стали приставать к Рожкову с просьбой продать им и его половину. Уезжать он вообще-то не хотел, потому что по жизни трус страшный, но врачи ему сказали, что для его позвоночника будут очень полезны грязи и сероводородные ванны. Ездить по курортам ему было не на что, и он решил перебраться поближе к ним насовсем. Трус трусом, но с домом он не продешевил, причем заплатили ему в долларах. Приехал он в Минводы, купил там себе полдома и нашел работу по специальности — бухгалтером. С болячкой его стало сначала немного полегче, так что он даже женился, дети пошли — у него их трое, а вот потом скрутило его всерьез — даже на костыли пришлось встать. А денег на операцию, которая была ему остро необходима, не было, потому что на детей все средства уходили. И вдруг в конце 2003 года встретил он на улице Георгия Александровича Иванова, более известного ему как Жорка Грозный. Рожков, как и все подростки, им всегда восхищался и сам не поверил своему счастью, когда тот его узнал. Иванов сказал, что приехал туда лечиться, но о подробностях, как относительно своего здоровья, так и жизни своих родственников, не распространялся.

— Значит, Иванов первым нашел Рожкова, посмотрел, как тот живет, и понял, что колье у него нет, потому что ради жизненно необходимой ему операции тот мог бы несколько камней из колье вынуть и продать, — подытожил Гуров.

А Степан продолжил:

— Рожков пригласил его в гости, они посидели, выпили, поговорили об общих знакомых, в том числе и о Егорове. Увидев, насколько у Рожкова серьезные проблемы с позвоночником, Иванов, зная, кто был в этом виноват, пообещал найти Егорова и «ноги ему вырвать» — цитирую дословно. Рожков ему не очень поверил, но, когда через пару месяцев ему от Егорова стали приходить ежемесячные денежные переводы на сумму десять тысяч рублей, готов был Иванову ноги целовать, да вот только найти его нигде не смог. А уж когда ему пришел персональный вызов из московской больницы, где ему по квоте должны были сделать операцию, то от счастья чуть с ума не сошел. Операция прошла успешно, но он первое время продолжал пользоваться костылями — врачи велели. Егорова в Москве он найти сумел и слезно благодарил, а тот дал ему денег и сказал, что свой долг перед ним выполнил и они квиты. В городской квартире Егорова он действительно был и жену его видел. А вот его попытки узнать у Егорова, где ему найти Иванова, чтобы поблагодарить, успехом не увенчались — Егоров сказал, что давно того не видел и ничего о нем не знает. Сейчас у Рожкова со здоровьем все в порядке. Он выразил скромное удивление по поводу того, что Николай смог достичь таких высот, но не более. По Рожкову все. Что касается Иванова, то его ищут с сегодняшнего утра, из архива подняли его личное дело офицера, по адресной базе и всем прочим пробивают, но результатов придется подождать. Лазарю Коху были предъявлены для опознания несколько фотографий, среди которых были Рожкова и Иванова. Кох уверенно опознал Иванова как того мужчину, что заказывал копию колье. И еще. Тесть связался с Дворянским собранием, но человека, который мог бы внятно ответить на все вопросы, сейчас в России нет. Он вернется в воскресенье, так что встретиться они смогут только в понедельник. У вас будут какие-нибудь поручения? — вежливо спросил Савельев.

Уже немного успокоившийся Гуров только тяжело вздохнул, но потом все-таки ответил:

— Иди, Степан. Какие могут быть поручения, если от меня сейчас уже ничего не зависит? Будут новости, приезжай.

Парень ушел, а Гуров, чувствуя себя разбитым, лег на диван и уставился в потолок. Сейчас, когда злость на Степана уже прошла, он мог, пусть и только самому себе, признаться в том, что тот был прав — мы действительно сами кузнецы своего несчастья, потому что, будь на месте Марии другая женщина, он избежал бы очень многих неприятностей в своей жизни.

Он лежал и вспоминал свою жизнь с Марией с момента их первого знакомства до последнего времени, потому что раньше у него как-то просто не было для этого времени. И чем дальше он размышлял, тем больше убеждался в том, как же прав был Пушкин, когда написал: «В одну телегу впрячь не можно коня и трепетную лань». Он, Гуров, был полицейским конем-трудягой, а вот Мария — не столько трепетной, сколько легкомысленной ланью, которая, присоседившись к везущему тяжелый воз коню, бежит себе рядом, беззаботно посматривая по сторонам, и при этом периодически взбрыкивает, уверенная в том, что этот конь-дурак из любой беды ее вытащит, а значит, ей ничего не грозит. И стало Гурову до того горько и больно, что впору заплакать, да вот разучился как-то. Погруженный в эти тягостные размышления, Лев даже обрадовался, когда приехал Степан — все не один в доме. Но, увидев его выражение лица, мигом забыл обо всех своих мыслях и жестко спросил:

— Так! Что случилось?

— Странные события имеют место быть, — начал тот. — Я сейчас прямо от отца. Он мне позвонил и попросил, чтобы я приехал и забрал игрушки, которые он купил внукам, и это при том, что я собирался завтра утром отвезти детей к нему.

— Короче можешь? — не выдержал Гуров.

— Могу! Я, естественно, приехал, а там Крячко, и глаза у него квадратные. В общем, Орлова сегодня утром вызвал к себе Рыбовод и орал на него в голос по поводу того, что он и Крячко скрывают вас от следствия, а это может значить только то, что вы действительно виноваты, а он никого покрывать не наме-

144

рен. А пока надрывался, показал Петру Николаевичу записку интереснейшего содержания. Итак, если вы, Лев Иванович, сегодня же вечером не приедете к нему домой, то в понедельник он своей властью разгонит вашу теплую компанию, не буду уточнять, к какой именно матери.

— Вечером домой? — переспросил Гуров. — Значит, дело серьезное и где-то что-то по-крупному горит. Надо ехать.

— А если там засада? — предположил парень.

— Не тот Андрей Сергеевич человек, чтобы на такое пойти, — покачал головой Лев.

— Так ведь и приказать могли, — стоял на своем Степан.

— Нет, — уверенно заявил Гуров. — Он нашел бы способ выкрутиться.

— Ох, погубит вас доверчивость, — покачал головой парень. — Ладно! Едем! Но со всеми правилами конспирации.

Представив себе, какое выражение лица будет у замминистра, когда он увидит Гурова небритым и черт-те как одетым, Лев, несмотря на всю серьезность момента, не выдержал и хмыкнул. Пока Гуров собирался, Степан вышел на кухню, откуда кому-то позвонил, так что встретились они уже в коридоре.

— Ну, с богом! — сказал парень, когда они уже были в машине, и тронулся с места.

Дорога много времени не заняла — Москву Степан изучил досконально и ехал такими улочками и переулками, где люди о пробках даже не слышали. И вот они подъехали к дому Рыбовода. Гуров вошел в подъезд, а Степан остался ждать его в машине. Лев, конечно, предполагал, что теплый прием его вряд ли ждет, но Рыбовод встретил его, будучи в бешенстве. В квартире стояла какая-то испуганная тишина, и даже огромный невероятно пушистый сибирский кот Ермак, обычно ведший себя в доме как хозяин, предпочел не нарываться. Сейчас он скромно лежал в стоявшем в коридоре персональном домике, где виднелся только кончик его рыжего хвоста. Замминистра кивком показал Льву в сторону кухни, даже не предложив раздеться, и уже там, не скрывая бушевавшей в его душе ярости, но стараясь все-таки не орать, спросил:

— Ну и где тебя черти носят? В какую дыру ты забился? И зачем? Предъявить тебе, по большому счету, нечего, а то, что ты бегаешь от управления собственной безопасности, как заяц от волка, в твою пользу не говорит! Тебе что, не передали, что я тебя искал?

— Андрей Сергеевич, — стараясь оставаться спокойным, начал Гуров, которому уже до смерти надоело это ежедневное тыкание мордой в собственное дерьмо. — Обстоятельства сложились так, что мое дело оказалось переплетенным с другим, намного более важным делом, и я был подключен к его расследованию, что требовало соблюдения определенных правил конспирации. Большего сказать не имею права. Что касается Орлова и Крячко, то они действительно не знали и не знают, где я нахожусь, но у нас есть определенный канал связи, который в силу ряда причин работает нерегулярно. Как только я узнал, что вы меня ищете, я приехал.

— Да понял я уже, что это за дело! И то, что оно нужное и важное, не спорю, но вот работать твоим персональным почтовым ящиком и камерой хранения больше не хочу! — раздраженно заявил Рыбовод.

— Не понял! — удивленно сказал Лев.

— Ничего! Сейчас поймешь! — С этими словами он достал из-под стола большой полиэтиленовый пакет, из которого торчала обычная коробка для посылок, и поставил его на стол. — В среду получил. По почте посылка пришла. Ну, я, ты сам понимаешь, ее предварительно проверил, потому что неприятных неожиданностей не люблю, но вот когда оказалось, что ничего опасного там нет, вскрыл — мне же адресовано. А внутри письмо для меня и другая коробка, поменьше, закрепленная пенопластом так, чтобы не елозила. Ну, письмо-то я прочитал и узнал много интересного. Полюбопытствовать не желаешь?

Вопрос был чисто риторический, ответа не требовал, да Рыбовод его и не ждал, а сразу протянул Гурову листок бумаги и тот прочитал:

«Господин генерал! Зная о Ваших доверительных отношениях с полковником Гуровым, я взял на себя смелость прибегнуть к Вашей помощи, чтобы через Вас передать ему некоторые сведения, которые могут оказать ему неоценимую помощь в работе. Убедительно прошу Вас для собственного же спокойствия не вскрывать внутреннюю коробку. Уверяю Вас, что ничего опасного для жизни полковника Гурова в ней не находится. С уважением, Иванов Г.А.»

Увидев, как побледнел Лев, замминистра язвительно спросил:

— Что? Проняло? А уж мне-то как лестно стало поработать на старости лет, да в моем звании, да при занимаемой должности курьером!

— Вы вскрыли внутреннюю коробку? — спросил Лев, понимая, что там может находиться нечто совершенно невероятное.

— Представь себе, вскрыл! — тем же тоном сказал Андрей Сергеевич. — Видимо потому, что собственным спокойствием не дорожу, а забочусь исключительно о благе подчиненных!

— И что там? — с трудом сохраняя хладнокровие, поинтересовался Гуров.

— А ты сам посмотри! — наконец-то разрешил Рыбовод.

Лев достал из пакета коробку и увидел, что посылка была отправлена с московского главпочтамта в субботу рано утром — ну, правильно, к среде уже должна была дойти. Адрес отправителя тоже имелся, но не это было сейчас главным. Он достал внутреннюю, тоже вскрытую коробку и увидел, что там лежали диски и карты памяти в футлярах, а поверх них — письмо. Лев начал читать написанный от руки текст и постепенно наливался такой яростью, таким неукротимым бешенством, что кровь застучала в висках, а сердце бухало в груди, как кузнечный молот.

«Господин Гуров! Господин заместитель министра внутренних дел пользуется заслуженной репутацией честного человека, и я не сомневаюсь, что эта посылка дойдет до Вас. Отправь я ее на Ваш адрес или кому-то из Ваших друзей, с ней могли бы произойти неприятные неожиданности, а вот с полицейским такого уровня, как замминистра, этот номер не прошел бы.

147

Должен Вам сразу сказать, что это я убедил бывшего мэра Кабанова, когда он окажется в безопасности, направить информацию о незаконной деятельности Егорова во все возможные правоохранительные органы России, потому что считал некую свою миссию практически выполненной и мне нужен был только завершающий штрих. Узнав же о том, что Вас собираются подключить к делу Егорова, я понял, что мне несказанно повезло, потому что Вы именно тот человек, который сможет закончить начатое мной дело, хотя я и знал о Вас только от наших общих знакомых, которые обычно сидят от Вас по другую сторону стола. Поверьте, мои друзья детства очень высокого мнения как о Ваших умственных способностях, так и о человеческих качествах и моральных принципах, которые, к сожалению, встречаются в наше время все реже и реже.

В этой коробке вы найдете всю возможную информацию о незаконной деятельности Николая Владимировича Егорова, как экономического, так и уголовного характера. Любая экспертиза признает эти записи подлинными, для удобства они все пронумерованы, и на них указаны даты, когда происходили какой-либо разговор или встреча, а также место. Думаю, Вам будет также небезынтересно узнать, какие люди и какие суммы получали от Егорова, и не только от него. Впрочем, там найдется еще много такого, что Вас, как порядочного человека, может шокировать. Очень хочу надеяться, что Вы сумеете использовать также и эту информацию. Кто и как собирал для меня эти данные, теперь неважно, главное, что они достоверны.

Что касается похищенных Егоровым денежных средств, искать их бесполезно, поверьте мне на слово. Полагаю, что Вы со мной не согласитесь, но эта сумма является ничтожно малой компенсацией за разрушенную жизнь и даже гибель нескольких поколений моего, и не только моего рода, на протяжении веков верой и правдой служивших России. Я не собираюсь тратить эти деньги на приобретение замков, яхт и футбольных клубов — они послужат другой, несоизмеримо более благородной цели.

Можно было бы многое сказать о стране, где не воруют только те, кто лишен такой возможности, а взятки не берут только те, кому их не дают, но я воздержусь — это больше не моя страна. Это ваша страна, вы ее такой сделали, вам в ней и жить. Но я русский, и мне обидно и за нее, и за ее народ.

Попутно сообщаю, что я оставил себе некоторые записи настолько взрывоопасного свойства, что разоблачения Эдварда Сноудена по сравнению с ними покажутся невинными признаниями — господин Григорьев, будучи особой, приближенной к власть предержащим, знает очень многое, но во хмелю бывает крайне невоздержан на язык. Так что хотя найти меня при желании будет несложно, советовал бы этого не делать.

Не стоит также искать человека, который вручил Вашей жене цветы, а потом позвонил в управление собственной безопасности — это был я. Когда правда открылась бы, все сочли бы это злым розыгрышем, но Вы бы уже знали, в каком направлении искать, а лежащие в этой коробке материалы намного облегчили бы Вам работу.

Приношу Вам свои самые искренние извинения за возможные причиненные неудобства. Князь Шеловской».

— Неудобства?! — не сдержавшись, заорал Гуров. — Он натравил на меня службу собственной безопасности и называет это неудобствами?!

— Сядь! — рявкнул на Гурова Андрей Сергеевич. — Я уже понял, что колье все-таки было. Ну и куда оно делось? Ты говори! Говори! Дела государственной важности меня сейчас не интересуют. Меня интересует то, что творится с моими подчиненными.

— Это было не настоящее колье, а его дешевая копия из простых материалов. А записку «Носи на здоровье. Санька Рыжий» написала, наверное, эта же сволочь, — Лев раздраженно бросил письмо на стол. — Мария заподозрила неладное, порылась в цветах и нашла колье, но решила, что оно настоящее. Вот и подумала, что будет лучше, если она спрячет эти улики, чтобы я потом сам мог разобраться, кто меня так подставляет, а телевизионщиков на всякий случай вызвала, благо повод был — премьера же!

— Скажи, Гуров, она у тебя законченная дура или только с придурью? — сдавленным от ярости голосом спросил замминистра. — Ты поговори с моей женой, с женой Орлова, Крячко, да любого из своих коллег! Что сделала бы на ее месте нормальная милицейская жена? Тут же позвонила бы мужу! — все-таки срываясь на крик, продолжал бушевать Рыбовод. — Нет его — его друзьям! Коллегам! Да хоть 02 бы набрала. А вдруг там бомба была? Так от театра и ее самой даже следа не осталось бы! Она у тебя хоть что-нибудь своими куриными мозгами соображает? Она хоть понимает, что наделала? Да если бы она не спрятала колье и записку, то недоразумение разрешилось бы в тот же день — колье фальшивое, а в записке не указано, кому оно адресовано. Может, действительно кто-то так неудачно пошутил? Причем в первую очередь не над тобой, а над службой собственной безопасности! Тем более что даже почерк не этого бандита! Так ведь нет! В сыщика ей поиграть захотелось! Мисс Марпл, блин! И ведь не в первый раз она тебя так подставляет! Помнишь, что с подарками было и каким боком они тебе потом вышли? Нет, не идет ей наука впрок! Опять вляпалась всеми лапами, как муха в дерьмо! Да за такое в старые времена мужики своих жен вожжами вдоль спины учили! И были правы!

— Андрей Сергеевич! — попытался вставить хоть слово Лев, но тот шарахнул по столу так, что даже посуда в шкафу зазвенела:

— Я тебе сейчас не Андрей Сергеевич! Я тебе сейчас товарищ генерал или господин заместитель министра внутренних дел! — проорал он. — И мне на тебя смотреть противно до того, что плеваться хочется! Если ты нормальный умный мужик, сыскарь-волчара, которого даже матерые уголовники уважают, с собственной женой справиться не можешь, то катись из органов к чертовой матери! Подавай рапорт, и я его тебе лично с огромным удовольствием подпишу! А вот потом можешь ей хоть в глазки заглядывать, хоть ноги мыть да воду пить, хоть задницу подтирать! — Он швырнул адресованное Гурову письмо в коробку, закрыл ее и приказал: — А теперь пошел вон! Видеть тебя больше могу! Слизняк!

У Гурова перед глазами все плыло, противно ныло сердце, а голова раскалывалась от боли. Он не помнил, как, прижимая к себе коробку, вышел из квартиры, как исключительно на автопилоте дошел до машины и сел. Увидев его состояние, Степан, перегнувшись, открыл окно с его стороны и рванул с места.

— Ничего, Лев Иванович! — успокаивающе проговорил он. — Сейчас вам на ветерке получше станет. Это давление! Это пройдет! Там дома таблетки есть — примете и полегчает. Я знаю, какие надо, у моей тещи такое бывает, — приговаривал он, гоня машину, а потом все-таки спросил: — А что это у вас в руках?

— А это князюшка нам с барского плеча улики против Егорова подкинул, — пробормотал Лев. — Если со мной чего, отдай это тестю.

Степан тут же достал откуда-то из-под куртки рацию и сказал:

— Вариант два и нужен врач. А еще передайте, что в огороде бузина.

— Чего это ты? — Льву от свежего воздуха действительно стало немного лучше.

— Так моя группа на двух машинах нас страховала, на тот случай, если вас вдруг повяжут, — просто объяснил парень.

— Неужели отбивать стали бы? — вяло удивился Гуров.

— Конечно, но очень элегантно, без членовредительства.

— Значит, ты старший группы? — продолжал расспрашивать Лев, но не потому, что ему это было действительно в данный момент интересно, а для того, чтобы немного отвлечься от своего беспомощного состояния.

— Да уже год, — подтвердил Степан.

— А звание какое?

— Нет их у нас. Мы люди гражданские, — не отрываясь от дороги впереди, ответил Степан и вдруг одобрительно сказал: — Молодцы, сумели раньше нас приехать, — и тут же успокоил Гурова: — Врач ждет.

В квартиру поднимались вчетвером: Лев, наотрез отказавшийся от какой-либо помощи, Степан, врач и еще какой-то парень. В квартире Гуров не выдержал и рухнул на диван. Степан забрал у него коробку, убрал ее в шкаф и глазами показал парню на него — тот тут же подошел и встал рядом. А врач тем временем взялся за Гурова. Самым внимательным образом расспросив, как Лев себя чувствует и где болит, он померил ему давление и сказал:

— У вас гипертонический криз — видимо, переволновались, да и погода поспособствовала — мало того что давление скачет как бешеное, так сегодня еще и возмущенная геомагнитная обстановка. — А потом повернулся к Степану: — Укол я ему сейчас сделаю, но по-хорошему надо бы госпитализировать.

— Давайте кое-кого подождем, — попросил тот.

После укола Гурову стало намного легче: прошла и головная боль, и сердце больше не ныло, и он блаженствовал — как же это замечательно, когда у тебя ничего не болит. Потом, видимо, приехал Попов, потому что Степан достал из шкафа коробку и вынес на кухню, а парень-охранник расслабился и сел в кресло. О чем говорилось на кухне, Лев не знал, но к нему они пришли все втроем: Попов, Степан и врач, и Алексей Юрьевич сказал:

— Лев Иванович, я в курсе всего и прошу вас максимально объективно оценить свое состояние. Объем предстоящей вам работы огромен, а состояние здоровья — неважное. Если бы я мог вас кем-то заменить, то даже спрашивать ни о чем не стал бы, а немедленно распорядился отвезти вас в госпиталь. Поэтому я прошу вас подумать и ответить, чувствуете ли вы себя в силах составить подробный доклад, основанный на вновь полученных данных?

— Смогу, для меня это уже давно личное дело, и я хочу сам довести его до конца, — даже не задумываясь, ответил Лев. — Сроки?

— Наикратчайшие, но в зависимости от вашего самочувствия. Вам оставят все лекарства, а Степан будет самым внимательным образом следить, чтобы вы их регулярно принимали. Он останется с вами, благо здесь есть кресло-кровать, будет готовить, чтобы вы на это не отвлекались, и во всем помогать. Охрана будет находиться в соседней квартире.

— Думаете, одного Степана недостаточно? — усмехнулся Гуров.

— Лев Иванович, если я все просчитал правильно, то вы, когда ознакомитесь с содержимым коробки, сами убедитесь в ее необходимости. И помните, если вы вдруг почувствуете себя плохо, не геройствуйте! Скажите об этом Степану, и вас тут же отвезут в больницу, а уж тогда я сам напишу доклад. Хотя из-за большой загруженности на работе провожусь я с ним намного дольше, но рисковать вашей жизнью я не могу и не хочу.

— Я все сделаю, — твердо пообещал Лев и не лукавил, потому что чувствовал он себя сейчас довольно прилично.

Врач аккуратно расписал, что и когда Льву надо принимать, и оставил на столе такую гору лекарств, что Гурову вмиг стало тоскливо — неужели это теперь навсегда? Он, Попов и охранник вышли, а Степан, закрыв за ними дверь, совсем было собрался отправиться на кухню, чтобы приготовить ужин, но Гуров остановил его:

— Эй! Добычу отдай!

— Лев Иванович! Может, до завтра отложите? — укоризненно покачал головой тот.

— Я что, в футбол собрался играть? — удивился Гуров. — Лежать и слушать я вполне могу.

Степан принес коробку и ушел, а Лев принялся разбираться с ее содержимым. Рассортировав по датам отдельно диски и карты памяти, он начал слушать. И чем дальше он слушал, тем с большим омерзением. Да, он за годы своей службы сталкивался с самыми разными преступниками: и начинающими, и закоренелыми, а в последние годы из-за своей репутации именно с последними, но даже в них порой, исключая маньяков и садистов, все-таки оставалась хоть капля своеобразной порядочности, хоть какие-то воспоминания о ней. А эти, считавшие себя неприкосновенными, люди даже не знали значения этого слова. Пользуясь своим положением, они хапали, хапали и хапали! Да Егоров на их фоне выглядел невинней новорожденного младенца. Да, он заносил в очень высокие кабинеты конверты, а получал в ответ разрешение действовать безнаказанно и ту же возможность хапать! Когда Степан появился с тарелками, состояние у Льва было такое, что кусок в горло не лез, но, увидев, как он вяло ковыряется в тарелке, парень тут же ласково предложил:

— Лев Иванович, если вам лень руками шевелить, так я ведь и с ложечки вас покормить могу, навыки есть.

— Так я тебе и дался, — буркнул в ответ Гуров.

— Ну, так через зонд кормление организуем, — продолжал парень. — Будем всякие смеси разводить, и они по трубочке сразу в желудок попадут, тут и жевать не надо!

— Ты тиран и узурпатор! — возмутился Гуров.

— Так служба заставляет, — развел руками Савельев. — У меня приказ вас кормить, вот я его и выполняю.

— Знал бы ты, чего я сейчас наслушался, у самого бы с души воротило, — хмуро сказал Лев.

— А то я на кухне это не слышал? — усмехнулся Степан. — Просто вы готовы к подобному не были.

— А ты, значит, был? — заинтересовался Гуров.

— Ладно, приоткрою тайну. Когда Алексей Юрьевич все концы с концами свел, то получилась замкнутая система взаимовыручки. Он стал искать в ней слабое звено, но долго не получалось, а когда поступила информация на Егорова...

— Твой тесть решил, что нашел его, и стал копать в этом направлении, — догадался Лев. — То-то я удивился, что он такой мелочью занимается.

— Только вы уж при нем слово «копать» не произносите, — усмехнулся парень и продолжил: — В этой системе Егоров и те, с кем он был связан на своем уровне, пешки из самых последних, но они, какими бы мелкими ни были, в нее входят. В основании пирамиды, конечно, много мелких камней, но если их начать одно за другим оттуда выдергивать, то пирамида накренится. А если очень постараться, то и рухнет. Потому-то на помощь Егорову и были брошены такие силы. А еще потому, что, если мелочь пузатая, что основание составляет, поймет, что ее сдают беспощадно, эффект может быть и помощнее.

— Какого же черта мы с тобой сидим и лясы точим, когда делом заниматься надо? — возмутился Гуров.

— Так, пока не съедите, я вам все равно ничего делать не дам, — решительно заявил Степан.

— И Крячко еще меня называл узурпатором, — вздохнул Лев.

Быстро доев и под бдительным присмотром парня выпив все предназначенные ему лекарства, он вернулся к прослушиванию записей, а Степан, вымыв посуду, присоединился к нему.

— Дайте-ка я посмотрю, что у вас здесь, — попросил он, подтягивая к себе диски и карты памяти.

— Только смотри, не перепутай, — предупредил Гуров.

Степан начал смотреть и вдруг спросил:

— Лев Иванович, это вы их в таком порядке сами разложили?

Лев кивнул.

— Напрасно! — сказал Савельев.

— Это еще почему? — возмутился Гуров, не привыкший, чтобы кто-то критиковал его работу.

— Потому что Иванов или Шеловской, как уж вам удобнее, разложил все именно в том порядке, в каком надо было слушать, — объяснил Степан. — Вот это, — он потряс двумя дисками, — явно куплет из другой песни.

— Почему ты так решил? — удивился Лев.

— Потому что даты указаны разные, а место — одно. И это не чей-то кабинет, не загородный дом, не навороченный ресторан, не элитный клуб и все в этом духе, а обычное кафе, причем весьма средненькое! Потому-то наверняка и лежали эти диски отдельно, а вы, когда все по датам рассортировывали, их с другими перемешали. Давайте я отберу все, что с этим кафе связано, и послушаю отдельно, а вы пока остальным занимайтесь.

— А ноутбук где возьмешь? — спросил Гуров, злясь на себя за то, что не заметил это сам — видимо, стареет.

— А в Греции все есть, — усмехнулся парень и принес из прихожей, где оставил свои вещи, ноутбук. — Я, чтобы вам не мешать, через наушники слушать буду, — предложил он.

Он отобрал все нужные ему диски из общей массы, устроился в кресле, положил ноги на стул, закрыл глаза и стал слушать.

Гуров, глядя на него, только головой покачал — ну, просто ковбой с Дикого Запада. Вот так они и сидели, и спохватился Степан только во втором часу ночи:

— Все! Отбой! — решительно заявил. — Спят усталые игрушки!

— Брось, Степа! Я все равно не усну после того, что наслушался, — мрачно сказал Гуров.

— А на этот случай у нас есть волшебная пилюля, — обращаясь к нему, как к маленькому, сказал Степан. — Сейчас вы ее примете и будете спать сном младенца! — А потом уже серьезно добавил: — Думаю, вы не хотите повторения того, что с вами недавно случилось, так вот и не рискуйте. Лично на вашем месте поберег бы себя.

Льву ничего не оставалось, как выпить таблетку, но потом он, пока Степан раскладывал кресло-кровать, попросил:

— Ты пока расскажи, у тебя-то что за записи были?

— Встреча Егорова и Иванова. Николай, чтобы похвалиться, потащил Георгия смотреть его городскую квартиру, а Иванов только посмеялся и сказал, что Колька оказался обыкновенным жуликом и по мелочи тырит, что плохо лежит, а вот организовать настоящий бизнес не в силах — ума не хватает. Короче, именно он предложил схему с двумя подставными фирмами. Кто-то из руководителей прогнулся перед Егоровым, но кто-то начал взбрыкивать. Потом Егоров, вернувшись с похорон сына, рассказал Иванову о встрече с Воробьевым, и тот сообразил, как можно использовать вора-домушника для запугивания строптивых.

— Запугивания? — уточнил Лев.

— Вот именно! О смертях Иванов узнавал постфактум! А уж где он в то время был, неизвестно. Первый раз он поверил, что с газом произошла просто накладка. После второго, когда Власенко упал и разбил себе голову о раковину, попросил действовать более аккуратно. Но вот после того, как Яковлев выпил смертельную дозу снотворного, хотя это должна была быть смесь рвотного и слабительного, он ни в какие объяснения не поверил и, просто набив морду и Егорову, и Воробьеву,

156

приказал остановиться, объяснив, что люди уже все поняли и больше никто возражать не будет.

— Но Егоров и Воробьев уже вошли во вкус и остановиться не пожелали, — продолжил Гуров.

— Точно! Почему Егоров так злобствовал, не знаю...

— А почему он толкнул Рожкова с чердака? — спросил Лев. — Это же его натура: если можно сделать человеку гадость и при этом остаться безнаказанным, он такого случая не упустит.

— Ну а для Воробьева, этого карлика с кучей комплексов, власть над жизнью людей — слаще меда, — продолжал Степан. — Но вот в случае с Сидоровым он практически облажался. Сидоров был намного сильнее его физически и вполне мог его задержать, парню просто не повезло, что он не удержался и упал с балкона.

— А может быть, это Воробьев все-таки сумел как-то его спихнуть — теперь уже не узнаем, — предположил Гуров.

— Между прочим, Иванов предлагал после этого оставить Воробьева на пособии и сказать, что работы больше не будет, и Егоров на это охотно согласился. А сам, пользуясь тем, что Иванова почему-то близко не было, отравил подельника. Как Иванов об этом узнал? Остается только гадать...

— Пусть цыганки гадают, а я тебе и так скажу, — уверенно произнес Лев. — У Иванова были обширные связи среди уголовников. А с кем мог общаться рецидивист Воробьев? Только с подобными себе, так что у Иванова наверняка был свой человек в его окружении и, узнав о причине смерти Воробьева, ему не нужно было гадать, откуда вдруг взялась банка маринованных грибов.

— Так вот почему, узнав об этом, Иванов на Егорова в голос орал, что тот превратился в патологического садиста, а Егоров ему на это ответил, что раз они получают доходы поровну, то и ответственность у них равная.

— И что ему на это ответил Иванов? — с интересом спросил Лев.

— Не стал возражать и согласился, что равная. А потом Егоров узнал, что бывший мэр Кабанов раскрыл его делишки, и стал советоваться с Ивановым, как бы ему выкрутиться. И тот порекомендовал обратиться к Григорьеву, чтобы тот помог ему прикрыть это дело, причем звонил Егоров в присутствии Иванова, так что хоть часть разговора, но есть. И судя по тому, что Егоров, записывая не только фамилии тех, к кому ему нужно было зайти, но также и суммы, которые нужно было иметь при себе, произносил все это вслух, глупость его границ не имеет. Потом Егоров жаловался Иванову на то, что все и всем раздал, но информация уже ушла наверх и прикрыть дело будет невозможно, но его обещали так заволокитить, что концов никто не найдет. Егоров также сказал, что его предупредили о вероятной прослушке его телефонов и попросили дать номер для связи, вот он номер Иванова и дал.

— Но должна быть запись и последнего разговора, где они обсуждали подготовку провокации против меня, — чувствуя, что глаза уже совсем слипаются, пробормотал Гуров.

— А она, наверное, среди тех записей, что у вас остались — не в кафе же разговор происходил. Завтра найдем и послушаем, — пообещал Степан и тут увидел, что Гуров уже спит. — Спокойной ночи, Лев Иванович, и сладких снов, — усмехнулся он.

Суббота и воскресенье

Гуров проснулся бодрым, свежим и готовым к новым свершениям. О вчерашнем сердечном приступе не осталось даже воспоминаний, и настроение у Льва было чудесным. Он прошел в туалет и услышал за спиной голос Степана:

— Завтрак скоро будет.

Попытка Гурова сделать хотя бы скромную разминку была решительно пресечена на корню:

— Лев Иванович! Без фанатизма! Ложитесь и ждите завтрака!

— Я себя нормально чувствую, — возмутился полковник.

— Вот вернетесь домой и делайте там что хотите, а здесь я за вас отвечаю, — отрезал Савельев.

Лев услышал это вроде бы родное и теплое слово «дом», и настроение у него испортилось: он тут же вспомнил, какой там кавардак, который еще разгребать и разгребать, а потом... Там же, когда все успокоится, появится Мария, а вот видеть жену после всего, что он из-за нее, точнее, из-за ее глупости, самонадеянности и амбиций вынес, у него не было ни малейшего желания. Он сел на диван, покопался в коробке и нашел в ней запись, сделанную в прошлую пятницу, — по идее, это должно быть то, что он хотел услышать. И это действительно оказался разговор Иванова и Егорова, произошедший в кабинете загородного дома последнего. Беседа была недолгой, но, прослушав ее, Лев невольно восхитился: как же ловко и плавно Иванов подвел Егорова к разговору о колье, и ведь ни разу не прокололся, не надавил, не форсировал события. Нет, все прошло как по маслу. «Эх! — подумал Гуров. — Такую бы голову и энергию, да в мирных целях! Цены бы ему не было! — но тут же остановил себя. — А прижился бы Иванов-Шеловской там, наверху? С его-то характером лидера и нежеланием прогибаться? Нет! Такого туда просто не пустили бы! Его отсеяли бы еще на самых подступах к вершинам власти». Если раньше Гуров был зол на Георгия, то сейчас злость прошла, и появилось даже невольное восхищением тем, как упорно на протяжении многих лет Георгий шел к своей цели. И ведь добился своего! Нашел колье, вернул в семью фамильную реликвию. Его размышления прервал появившийся с тарелками Степан.

— Да что я, больной, что ли? — возмутился Лев. — Мог бы и сам на кухню пойти и поесть!

— Разговорчики в строю! — прикрикнул парень. — Потом и без меня делайте что хотите, а мне за вас, если что, тесть голову оторвет!

— Не оторвет! — успокоил Савельева Гуров. — Не захочет внуков осиротить!

— Тем и утешаюсь, — притворно вздохнул парень. — Ну-с! Для начала те таблеточки, что вам перед едой положено пить, — и он протянул Гурову чашку с водой и блюдце, на котором лежало штук пять таблеток.

— Ты надо мной издеваешься, что ли? — увидев лекарство, возмутился Лев. — Я себя прекрасно чувствую! Не нужны мне ваши таблетки. Не буду я их пить!

— Лев Иванович! Я вас сам бить не буду, но сейчас вызову парня, что по соседству находится, и выпьете вы у нас эти таблетки, как миленький! Звать? — совершенно серьезно спросил Степан.

— Ну я тебе это припомню! — пригрозил Гуров и выпил все до единой, а потом, когда они стали есть, не выдержал и сказал: — Ну послушал я последнюю запись и должен тебе сказать, что слукавила дамочка. Огребла она от мужа звонкую оплеуху за то, что не вовремя в кабинет вломилась, да и высказался он по полной программе. Хотя, впрочем, сам послушаешь и все поймешь. Но Иванов, я тебе скажу, настоящий мужик! И ум, и характер — все при нем. Истинный князь!

— Ну, я и других мужчин знаю, у которых и без благородных предков и с умом, и с характером все в порядке, — заметил Степан. — Тесть мой, например, Орлов...

— А у меня, значит, чего-то не хватает? — язвительно спросил Лев.

— С каких пор вы полюбили грубую лесть да еще в глаза? — сделал вид, что удивился, Степан. — Нужно будет Крячко предупредить, чтобы случаем воспользовался — вдруг у него от этого жизнь легче станет?

— Два сапога пара, — только и мог заметить на это Гуров. — Никакого спасу от вас нет.

Потом он сидел и слушал записи, а парень маялся от безделья в кресле, но вот, когда пришла пора смотреть видео, Степан быстренько присоседился к нему. Гуров кого-то узнавал, кого-то нет, а вот парень, как оказалось, знал всех и называл по именам и должностям, периодически отпуская сквозь зубы такие комментарии, что Лев не выдержал и сказал:

— Степа! Ну не у пивного же мы ларька! Держи себя в руках!

— Так ведь сил же нет! — гневно воскликнул тот.

— Одолжить? — невинного поинтересовался Гуров.

Степана это несколько отрезвило, и он больше не ругался, но периодически стонал и скрипел зубами. Так с перерывом на обед с неизменными таблетками до и после еды они просидели до вечера, а потом Лев сказал:

— А теперь меня нет дома. Не трогать меня ни под каким предлогом.

— Все ясно, Гуров думать будет, — сказал Степан, но на кухню не ушел, а, достав какую-то книгу, начал читать.

Лев же сидел и мысленно выстраивал схему взаимоотношений тех людей, о которых он узнал из видео- и аудиозаписей. Конечно, он понимал, что исчерпывающей картины представить не сможет, но он должен был выжать из этой информации максимум того, что она могла дать. Он сидел, вставал, ходил по комнате настолько погруженный в свои мысли, что не замечал ничего вокруг. Ему мало было перечислить факты, каждый из них он должен был подкрепить соответствующим доказательством, для чего нужно было держать в памяти все то, что он узнал, а то иначе придется постоянно нырять в коробку и копаться среди дисков, чтобы не только указать его номер, дату и место записи, но и привести наиболее весомые цитаты из разговора. Продумав схему, Лев перешел к самому докладу, решая, с чего начать, в какой последовательности излагать факты, а чем закончить. Когда Степан сунулся было к нему по поводу ужина, Лев просто остановил его взмахом руки, а взгляд у него при этом был настолько отрешенный, что парень, слегка испугавшись, решил оставить его в покое. Потом Гуров в таком же задумчивом состоянии начал раскладывать диски в той последовательности, в какой они могут ему потребоваться при написании доклада, и, только закончив, вроде бы очнулся и посмотрел вокруг осмысленным взглядом.

— Четыре часа утра, сэр! — тут же встрял Степан. — Чего желаете? Очень поздний ужин или очень ранний завтрак?

Гуров посмотрел на часы — Степан не шутил. Лев прислушался к себе: есть вроде бы не хотелось, спать тоже, и он сказал:

— Приготовь мне лучше чай покрепче, а я работать сяду.

161

— Что предпочтете, сэр? Кремацию? Или традиционные похороны? — вроде бы шутливо спросил парень, и Гуров, выражая недовольство, поморщился — уж очень невысокого пошиба была шутка, но тут Степан взорвался: — Лев Иванович! Когда вы как лунатик по комнате рассекали, я молчал. Когда вы ужинать отказались, стерпел. Но сейчас вы у меня выпьете все таблетки и ляжете спать! Хотите сдохнуть? Ваше право! Но без меня! Вы что, еще не поняли, что вчера чуть кони не двинули?

— Брось! — отмахнулся Лев. — Просто Рыбовод на меня наорал, и у меня подскочило давление — не мог же я орать в ответ на замминистра?

— Это не вчера началось, Лев Иванович, — стоял на своем парень. — Вы уже больше недели живете в состоянии стресса, а это бесследно не проходит! Вы жжете нервы, как будто их у вас немереные запасы, а инфаркт, между прочим, с вами, может быть, уже на соседней подушке спит.

Вряд ли парень имел в виду Марию, но Гуров воспринял его слова именно так и тоже взорвался:

— Оставь меня в покое со своей заботой! Мое здоровье — это мое личное дело! Ты здесь для чего? Чтобы мне помогать! Вот и приготовь мне чай, а таблетки засунь сам знаешь куда! Я сказал, что сяду работать, и сяду! Все! Я жду чай!

Степан обиделся, причем всерьез — он действительно искренне переживал за Гурова. Ни слова не говоря, он пошел на кухню за чаем, а Лев поставил ноутбук на стол и начал работать. Увлекшись, он забыл обо всем, писал, переписывал, редактировал, убирая шероховатости в тексте, и шлифовал стиль, как будто собирался с этим докладом претендовать на Букеровскую премию. Дав сначала общую картину существовавшей преступной схемы, он начал прописывать ее по пунктам, подтверждая каждый свой вывод соответствующими фактами, то есть номером и датой записи. Некоторые диски ему пришлось все-таки прослушать еще раз, чтобы привести в тексте точные выражения собеседников. Он работал как автомат, а Степан только и делал, что подносил ему все новые и новые бокалы чая — он решил, что если человек хочет умереть, то его ничто не остановит.

Наступил уже новый день, а, судя по тому, что Гуров не сбавлял темп, он и усталости не чувствовал. Попытка подсунуть ему хотя бы бутерброд не увенчалась успехом, потому что, чтобы его съесть, нужно было хоть на время перестать печатать, а Лев этого сделать уже не мог — он изо всех сил старался закончить доклад как можно быстрее. Ему казалось, что как только он поставит последнюю точку, с него тут же упадет невероятной тяжести ноша, состоявшая из отвратительных по своей циничности фактов коррупции, прямого подкупа и беззастенчивого разворовывания бюджетных средств. Причем все это происходило в масштабах, превосходивших его воображение. А уж участвовавшие во всем этом люди были ему омерзительны больше, чем все вместе взятые преступники, которых он только встретил за свою жизнь. Увидев, как он откинулся на спинку стула, Степан с надеждой спросил:

— Все?

— Нет, нужно еще обоснование для задержания Егорова написать, — не глядя на него, ответил Гуров и снова принялся печатать.

Был уже вечер, когда он наконец закончил и, отодвинувшись от стола, устало произнес:

— А вот теперь все! Забирай!

— Ну наконец-то вы поедите, — решительно сказал Степан, но Гуров помотал головой:

— У меня на это уже нет сил — кончились! Теперь только спать! — Он буквально дополз до дивана и упал на него, не раздеваясь, но еще успел сказать: — Спасибо тебе большое за чай — ты мне очень помог.

Гуров уже забыл о том, что наорал на парня. Его перегруженный информацией мозг требовал немедленного отдыха, Лев, опустошенный, истративший до последней капли все свои силы, просто ничего не соображал. Степан хотел напомнить ему, что нужно выпить таблетки, но Гуров уже спал. Да не просто спал — он выключился. Понимая, что добром для Льва Ивановича такое перенапряжение кончиться просто не может, парень, которому нужно было срочно отвезти материалы и документы тестю, и поэтому дежурить возле Гурова он не мог, вызвал из соседней квартиры охрану.

— Слушай сюда! Я сейчас уеду и вернусь, как только освобожусь, а ты оставайся здесь. Глаз с Льва Ивановича не спускай. Если вдруг ему станет плохо с сердцем, чего я не исключаю, сделаешь ему наш укол и тут же вызовешь нашу «Скорую», а потом позвонишь мне. Все ясно?

— Шурган, может, его лучше сразу в больничку? — предложил подчиненный Савельева.

— Да ты посмотри, как он спит, — кивнул в сторону Гурова Степан. — Он почти двое суток на ногах! Причем не книгу читал и не телевизор смотрел, а работал. Его же сейчас никакими силами не разбудишь и не поднимешь. Пусть отдохнет сколько получится, а, может, бог даст, и обойдется. Ну а я постараюсь вернуться как можно скорее.

Степан собрал все исходные материалы, какие только были в квартире, забрал ноутбук и уехал, а охранник, закрыв за ним дверь, сел в кресло и, периодически посматривая на Гурова, стал спокойно ждать. А что? Дело привычное! По сути — та же засада, но только в более комфортабельных условиях.

А Гуров спал тяжелым беспамятным сном, но вдруг его стали мучить кошмары — ему казалось, что он тонет и ему мучительно не хватает воздуха. Внезапно очнувшись, он понял, что это не сон, что все происходило на самом деле и он действительно задыхался, а в сердце словно кто-то нож всадил, и боль была такая, что хотелось кричать, но не получалось. Его охватил такой панический ужас, какого он никогда раньше не испытывал. Да, ему приходилось и в перестрелки вступать, и с вооруженным бандитом один на один выходить, и убить его не раз пытались, но тогда все зависело от него самого, его ловкости, мастерства, умения просчитать ситуацию, предвосхитить события и опередить врага. Сейчас же от него не зависело ничего, он был совершенно беспомощным, и это было самым страшным.

— Ничего-ничего! — услышал он над собой мужской голос и открыл глаза.

164

В комнате горел свет, дверь на балкон была настежь открыта, но над ним стоял не Степан, а другой парень, чье лицо показалось ему знакомым.

— Сейчас все пройдет, — успокаивающе говорил он ему. — Укол я вам уже сделал, скоро машина подъедет, и повезем мы вас в больничку, а уж там вам помогут.

Ненавидевший больницы Гуров сейчас был согласен абсолютно на все, чтобы только снова почувствовать себя здоровым человеком. Он закрыл глаза и лежал, прислушиваясь к своему состоянию и вдруг — о чудо! — почувствовал, что ему стало легче дышать, а боль постепенно уходит. Какое это, оказывается, счастье — просто вдохнуть полной грудью! Даже не напоенный лесными ароматами или влажный, пахнущий морем воздух, а самый обычный, городской, наполненный вонью выхлопных газов. Почувствовав себя значительно лучше, но все еще боясь пошевелиться из опасения, что боль может вернуться, Лев сказал:

— Я вас где-то видел.

— Конечно, видели, — усмехнулся парень. — Я с вами и в Саратов, и обратно ехал — неужели вы думали, что мы вас без прикрытия отпустим? А если бы вас задержали? Кто бы вас тогда вытаскивать стал?

— Может, на мне еще и «жучок» был? — быстро спросил Гуров.

— Упаси бог! — воскликнул парень. — Представляете, что было бы, если бы вас с ним взяли? Тут уж вас вытаскивать стало бы намного сложнее.

Гуров вздохнул. Услышав о том, что за ним в Саратове присматривали, он подумал, что на его новую одежду могли навесить «жучок». Проверить же, есть он там или нет, Лев не мог, потому что вся аппаратура была в портфеле, который он так и не забрал у Стаса, а второй комплект остался дома. Ну не до того ему как-то в тот момент было, чтобы еще и о таких вещах думать. Значит, никто в Саратове его разговоры с Пелагеей и Зинаидой Леонидовной не слушал. А из этого следовал только один вывод: Попов действительно ничего не знал заранее, на что совсем было понадеялся Гуров. Он просто тогда мгновенно просчитал ситуацию и сделал единственно правильный вывод, а вот Лев ошибся. «Да! Старею! — с грустью подумал Гуров. — И голова уже не соображает так быстро, как раньше, и здоровье подводит! Может, действительно пора в отставку, пока не опозорился окончательно, да не перед теми, кто умеет держать язык за зубами, а публично, перед своими «дорогими» коллегами, которые будут этому только рады, как ребенок пакету с новогодними гостинцами! Вот уж позлорадствуют! Вот уж будет праздник на их улице!» Настроение у него испортилось, и он мрачно спросил парня:

— Мне шевелиться можно?

Тот посмотрел на часы и ответил:

— Да! Пока да! Что? В туалет?

В ответ Лев лишь кивнул.

— Давайте я вам все-таки помогу, — предложил парень и протянул руку.

Когда Гуров вернулся на диван, то спросил:

— Что вы мне такое вкололи?

— Да есть одно такое специальное лекарство. Действует минимум час, но бывает и дольше — тут уж все от организма зависит. Да вы не волнуйтесь — до приезда машины вы продержитесь, времени хватит.

Врачи приехали действительно довольно быстро, и Гуров, хоть парень его страховал, крепко держа под руку, даже сам смог, хоть и в лифте, спуститься вниз, а потом дойти до машины. К его удивлению, это оказалась не «Скорая помощь», а самая обыкновенная «Газель», но, войдя в нее, он увидел, что внутри она была оборудована соответствующе. Несмотря на возражения Льва, его заставили лечь, закрепили на лице кислородную маску, а в вену, безжалостно разрезав одежду, поставили капельницу.

— Ехать нам недалеко, — успокоил Гурова врач. — Но рисковать не будем.

— В какой госпиталь хоть везете? — глухим голосом из-под маски поинтересовался Гуров.

— А зачем нам какой-то госпиталь? — усмехнулся врач. — Мы сами с усами.

Льву такой ответ категорически не понравился, но возразить он не успел — неизвестно, что такое вводили ему прямо в кровь, — просто уснул.

Вторник и потом

Открыв глаза, Гуров не сразу понял, где он, но, оглядевшись, вспомнил все, хотя и не очень отчетливо. Это была небольшая больничная палата на одного человека. К его вене была по-прежнему подсоединена капельница, а сам он был облеплен разнообразными датчиками, провода от них вели к приборам, на экранах которых мигали разноцветные лампочки или выплясывали непонятный танец опять же разноцветные линии. А вот на стуле рядом с кроватью сидел Степан и укоризненно смотрел на него.

— Доигрались, Лев Иванович? Совершили геройский марш-бросок по пересеченной местности с полной боевой выкладкой, да вот только финишировали не там, где планировали.

— Где я? — спросил Лев.

— Для ада вы не насколько уж грешны, но и в рай вам дороги нет — особой святости тоже не наблюдается, так что считайте, что вы пока в чистилище. А если серьезно, то вы в нашей больнице, потому что допрыгались до предынфарктного состояния, причем по собственной вине. Ну, на эту тему вам мой тесть отдельную лекцию прочтет с отступлениями и комментариями, а я приехал вам сказать, что материалы ваши он прочитал, остался очень доволен и уже даже предъявил их куда следует. С сегодняшнего утра начал работать пылесос, который собирает всю грязь.

— Когда же Попов успел? Сегодня же понедельник, — удивился Гуров.

— Затерялись вы, Лев Иванович, во времени и пространстве! — вздохнул парень. — Вторник сегодня.

167

— Это я столько времени проспал? — удивился полковник.

— Так ведь помогли, а то вы у нас такой неугомонный, что и с больничной койки сорвались бы подвиги совершать, — своим обычным бесшабашным тоном сказал Степан. — А отсюда вам убежать не удастся! Одежду вашу и документы, как временные, так и постоянные, а также наш служебный телефон я забрал, и связи с внешним миром у вас нет. Вы у нас теперь яко благ, яко наг.

— Я задержан? — спросил Гуров.

— Лев Иванович! Вы что, обалдели? Или это на вас так лекарства действуют? — возмутился Степан. — Вы здесь лечитесь, причем так, как ни в каком вашем госпитале не смогли бы! А вот когда опасность окончательно перестанет угрожать, вас перевезут в ваш ведомственный. Исключительно для проформы, чтобы потом в санаторий на законном основании отправить. Нет, это надо было такое сказать! — никак не мог успокоиться он.

— Ладно! Не бурли! — извиняющимся тоном произнес Гуров. — Что со мной? В смысле, с моим делом?

— Ну, тут все в порядке! Дубов, Никифоров, Лесков и Задорожный мало того, что уволены из органов, причем отнюдь не по собственному желанию, так против них еще и дела возбуждены. Вы и Мария с розыска сняты, Егоров арестован...

— Кто будет вести его дело? — быстро спросил Лев.

— Да уж не Шатров с Богдановым! — усмехнулся Савельев. — Большого шума не будет, потому что он никому не нужен. Все дела возбуждены по 285-й УК РФ, а вести их будет ФСБ ...

— Степан! — поморщился Гуров. — Там максимальный срок — 10 лет.

— Не умеете вы видеть перспективу! — огорченно сказал парень. — Это для начала 285-я, а потом к ней другие приседятся, и наберется по совокупности столько, что сидеть — не пересидеть! И заметим, 10 лет — это тоже срок, особенно если отбывать его придется в таких местах, куда Макар телят не гонял!

— Что с моими? — поинтересовался Гуров.

168

— Марию и вашего племянника со дня на день в Россию вернут, а Крячко я через папу передам, что с вами все в порядке. Телевизора у вас здесь пока нет, чтобы вы не расстраивались, а то передачи сейчас такие, что можно и настоящий инфаркт схватить. Вот как на поправку пойдете, так и принесут.

— Слушай, у меня от этой тишины уже в ушах звенит, — раздраженно сказал Лев. — Ну хоть музыку какую-нибудь можно включить, а то я скоро сам с собой разговаривать начну.

— Ладно, сейчас скажу, что вы меломаном оказались, — усмехнулся Степан и, поднимаясь, произнес: — Ну, я пошел, а то у меня дел полно. Выздоравливайте, Лев Иванович!

— Степа! Ты Орлову с Крячко все-таки внятно объясни, что к чему, а то ведь они не успокоятся, пока меня не найдут, — попросил Гуров.

— Объясню, но их к вам сюда все равно не пустят, — предупредил тот.

— Почему? Ну к чему такая секретность? — недоуменно спросил Лев.

— Да потому, что этой больницы в природе не существует, как и всей нашей службы! — раздраженно ответил Степан. — Не могли мы вас везти ни в ваш госпиталь, ни в какую другую больницу, пока все формальности с вами не были урегулированы. А вы уже на ладан дышали. Вот и привезли сюда. Теперь понятно?

— Ладно! Иди! А то ты меня сейчас сам до инфаркта доведешь! — буркнул Гуров.

Степан ушел, а Лев принялся размышлять, но не на тему, что это за служба и больница — мало ли их, секретных? — а о том, какой резонанс получил его доклад. Но он даже близко не мог себе представить, что происходило.

Сначала с его докладом ознакомился начальник Попова, а потом оно мигом пошло выше и попало именно туда, куда надо. Вызванное на встречу руководство ФСБ, МВД и других силовых структур, ознакомившись с данным им без всяких комментариев докладом, не решилось даже переглянуться. И тогда раздалось очень короткое, но исчерпывающее распоряжение:

— По всей строгости закона, невзирая на лица, должности и заслуги. Вопросы будут?

Когда начальство спрашивает таким тоном, у подчиненных, как правило, вопросов не возникает. И механизм завертелся. Людей приглашали в высокие кабинеты, где перед ними клали лист бумаги и вежливо просили написать заявление по собственному, которое тут же визировалось, а уже в приемной человека ждали, чтобы препроводить для беседы с заинтересованными лицами, и домой, что характерно, никто из них не вернулся. Тех же, кто отказался писать заявление, стал взбрыкивать, поминать высоких покровителей или даже грозить, вежливо выпроваживали через второй выход, где их опять-таки ждали. Доказательства предъявлялись неоспоримые, так что виновным ничего не оставалось, как яростно топить друг друга, выдавая при этом и тех, на кого в докладе и намека не было. Егоров, с которого все и началось, и здесь был в первых рядах и взахлеб говорил, говорил и говорил. Особенно он стал усердствовать, когда узнал, что Григорьев уже никогда больше не сможет его защитить — самому бы уцелеть! А уж МВД чистили со всем возможным прилежанием! Дубов, Никифоров, Лесков и Задорожный были только первыми ласточками, потому что оказались и так замазаны по самые уши, следом полетели те, кто с радостью коллекционировал пухлые конверты, а там и до Щенка очередь дошла.

Все это Гурову еще только предстояло узнать, а пока он наслаждался доносившейся из динамика негромкой, приятной, ненавязчивой инструменталкой, мелодии сменяли одна другую, и он под эту музыку заснул.

В это время Орлов и Крячко, которые уже извелись от беспокойства, сидели в генеральском кабинете и активно чесали затылки: с розыска Гурова сняли, а его и духу нет — хоть бы позвонил, паразит! И дома его не было, и телефоны молчали, и спросить не у кого: Мария и Сашка как в воду канули. Все морги и больницы они уже проверили — Гурова нигде не было. В обезьянниках, ИВС и СИЗО его тоже не оказалось. Оставался только один выход. Они переглянулись, и Стас сказал:

— Степан! Раз этот прохиндей и раньше Леву где-то прятал, то и теперь должен знать, куда он делся!

— Не факт! — возразил Орлов. — Когда Лева вышел из подполья, он мог самостоятельно куда-то отправиться, и там с ним что-то случилось: он же по части поиска приключений на собственную задницу — олимпийский чемпион!

— Но проверить надо! — настойчиво сказал Крячко, и Петр не стал возражать.

— Штурмовать дом Попова мы не будем, так что звони отцу Степки и пусть он к себе сына за чем-нибудь вызовет, а уж мы его там ласково встретим!

— И пусть только попробует мне юлить! Я ему башку отверну! — пригрозил Стас, берясь за трубку.

Но тут на столе Орлова зазвонила вертушка, и они насторожились — не так уж часто она звонила. Орлов снял трубку и стал разговаривать, а Крячко по его ответам пытался понять, с кем он беседует, но ничего не получалось.

— Нет, не появлялся! ...Нет, не звонил! ...Да, искали, но не нашли! ...Есть, сейчас прибудем! — И, положив трубку, Орлов озадаченно сказал: — Однако, Рыбовод вызывает. Уж очень он Гуровым интересуется. К чему бы это?

— Уж не к хорошему, точно, — вздохнул Стас. — Вспомни, как он его на прошлой неделе искал! И в среду звонил, и в пятницу!

— Погоди! — замер Орлов. — Раз он сегодня про свои угрозы не вспоминал, так, может, он в выходные Гурова видел? Что-то ему, предположим, поручил, а тот пропал? Что-то, знаешь, голос Рыбовода мне не понравился, неуверенный какой-то.

— Погнали! — решительно заявил Крячко.

И не знали они в тот момент, что сам Андрей Сергеевич получил в пятницу после ухода Гурова от жены такую взбучку, что стекла в окнах звенели. При постороннем она себе такого позволить не могла, но вот оставшись с мужем вдвоем, сдерживаться не стала:

— Значит, когда Мишку подстрелили, и надо было преступников найти, ты Леву в Якутию послал и не поморщился! — гремела она. — Когда у Сашки неприятности были, ты к кому бросился? К Гурову! Так какого черта ты сейчас на него разорался? Ты думаешь, я не слышала, что ты тут говорил? Да до последнего словечка! Значит, Гуров должен из полиции к черту катиться? А если у Сашки опять что-то случится, ты кого о помощи просить будешь? Ты здесь чего кулаками стучал? Ему и так несладко, а тут еще ты на него напустился!

— Так ведь дурак же он! И подкаблучник! — отбивался Рыбовод.

— И как же этот дурак тебе столько раз помогать мог? — всплеснула руками супруга. — Как же ты ему мог судьбу своих родственников доверить?

— Он не в этом смысле дурак, а в том, что с женой своей справиться не может!

— Вот на нее и ори! Да, дура она набитая и эгоистка законченная! Чего ж ты его с грязью смешал и вон выгнал?

— Ничего! Может, хоть так его проймет! Увидит, каким посмешищем в глазах других выглядит, и выводы соответствующие сделает! — стоял на своем Андрей Сергеевич.

В результате он, убежденный в собственной правоте на сто процентов, разругался с женой вдрызг, в субботу утром уехал на все выходные на дачу, откуда вернулся в понедельник утром сразу на работу. Вечером он с женой почти не разговаривал, а когда сегодня с утра события приняли настолько лавинообразный характер, что сметали все на своем пути, всерьез призадумался — а не гуровских ли рук это дело? Уж очень этот кадровый разгром сочетался с тем, что он в пятницу ему отдал. Содержание дисков он не знал, но вот в письме князя Шеловского содержались столь прозрачные намеки, что трактовать их двояко было невозможно. Прикинув объем проведенной Гуровым работы, Андрей Сергеевич мысленно ахнул и почувствовал себя виноватым — а он-то еще на него и наорал! Ни один из телефонов Гурова, в том числе и секретный, не отвечал, и он позвонил тем, кто наверняка должен был быть в курсе, но, как оказалось, и они пребывали в неведении. Тут Рыбоводу стало уже очень стыдно за свое безобразное поведение по отношению к Гурову, и он позвал к себе Орлова и Крячко, чтобы узнать, что тем удалось выяснить, а потом и самому заняться поисками. Вот в таком-то раздрызганном состоянии души он и встретил Петра со Стасом. Официальная часть была опущена за ненадобностью, и Андрей Сергеевич сразу спросил:

— Где искали? — А, выслушав ответ, поинтересовался: — И в Кремлевке тоже?

Орлов и Крячко переглянулись и удивленно уставились на замминистра.

— Простите, но как Гуров мог туда попасть? — осторожно спросил Петр.

Ничего не ответив, Рыбовод позвонил туда сам, а потом, положив трубку, призадумался, и друзья поняли, что Льва нет и там.

— Андрей Сергеевич, может быть, вы немного проясните для нас ситуацию? — попросил Петр.

Взвешивая каждое слово, чтобы не сказать лишнего, замминистра начал:

— Гуров был у меня дома вечером в пятницу. Я поинтересовался подоплекой закрутившейся вокруг него и его жены истории. Оказалось, что...

Рыбовод поведал им все от начала до конца, опустив только историю с посылкой и письмами, и друзья поняли, что всю кашу заварила Мария, а вот расхлебывать ее пришлось Гурову.

— Убил бы ее своими руками, — зло сказал Орлов.

— А вот я сослагательного наклонения не приемлю! Как только увижу, тут же пришибу! — зло сказал Крячко. — Но где Лева сейчас-то?

— Ушел он от меня совершенно нормально, но вот состояние у него было несколько возбужденное — я довольно резко высказался в отношении его супруги и его слишком мягкого отношения к ее поведению, — дипломатично ответил замминистра, а потом махнул рукой и честно признался: — Да наорал я на него! Просто не мог видеть, как такой мужик в половую тряпку превратился! Эта самовлюбленная идиотка с непомерными амбициями подставляет его раз за разом, он за это огребает по полной программе и продолжает терпеть! — раздраженно сказал Рыбовод, глубоко вздохнул, чтобы успокоиться, и продолжил: — Я уверен, что до места он добрался нормально...

— Какого места? — быстро спросил Орлов.

— А я знаю? — удивился замминистра. — Но у меня есть веские основания полагать, что еще некоторое время он был жив-здоров. А уж что с ним сейчас? — Он развел руками.

Орлов с Крячко вышли от него ничуть не успокоенные за судьбу друга, но теперь у них был козел, точнее, коза отпущения, и дайте им только до нее добраться! Когда они сели в машину Петра, Стас спросил:

— Ну, что? Я звоню Савельеву?

— Нет уж! Поехали туда сами! И лично я не уйду оттуда до тех пор, пока Степан не появится! Я там такое устрою, что он мигом прибежит! — гневно проговорил Орлов.

Со своими удостоверениями они беспрепятственно прошли в офис Савельева, впрочем, Крячко был там частым гостем. Они уже приближались по коридору к приемной, когда у Стаса зазвонил телефон. Увидев номер звонившего, Крячко присвистнул:

— А Савельев-то у нас экстрасенс! — И, ответив, спросил в трубку: — Ты мое приближение заранее чуешь? Так мы уже на подходе.

Когда они вошли в кабинет, Николай Степанович удивленно сказал:

— А я-то собирался у тебя спросить, когда ты подъехать сможешь, а то тебя Степан ищет.

— На ловца и зверь, — буркнул Орлов.

— Кто ловец, а кто зверь? — тут же уточнил Савельев.

— Вот когда придет, тогда и разберемся, — мрачно ответил Петр.

— Что-то случилось? — насторожился Николай Степанович.

— Вот если Степан в течение ближайшего времени здесь не появится, то тогда точно случится! С ним! — многообещающе сказал Крячко.

Зная, что никакие угрозы в отношении его сына этими двумя людьми никогда не будут претворены в жизнь, Савельев даже беспокоиться не стал. Он спокойно позвонил сыну и попросил его немедленно приехать, потому что его уже ждут, а потом повернулся к гостям:

— Как я понимаю, в таком состоянии предлагать вам чай или кофе бессмысленно, так, может, чего покрепче?

— Давай что есть, а то нервы на взводе, — махнул рукой Крячко.

Так, потягивая коньячок в комнате для отдыха, они и провели полчаса, пока не появился Степан. Вылезти из мягких низких кресел, что Стасу, что Петру было не так-то просто, так что к активным действиям они перейти не могли, зато рты у них были не заткнуты, и они высказали парню все, что думали о его безобразном поведении. Он их спокойно выслушал, а потом вежливо спросил:

— Это все, для чего вы хотели меня видеть? Тогда я пойду, потому что судьба Льва Ивановича, как я понял, вас не волнует, а то бы вы начали не с мата, а с вопросов о нем. А он-то думает, что вы о нем беспокоитесь, вот уж разочаруется!

И он действительно повернулся, чтобы уйти, тут Крячко — все-таки помоложе — справился со своим креслом и бросился за ним.

— Степа! Прости! Возраст! Нервы!

— Тяжелое детство, — продолжил, поворачиваясь к нему, Степан. — Деревянные игрушки, жизнь впроголодь, и петушок-леденец два раза в год на день рождения и Пасху.

Стасу стало стыдно, потому что все перечисленное относилось как раз к детству самого Степана. Орлов, к тому времени тоже вылезший из кресла, примирительно сказал:

— Степа! Ну ты нас тоже пойми! За столько времени от него ни звука не было! Ладно, тогда это хоть как-то понять можно было! Но сейчас-то, когда с него все обвинения сняты, он опять молчит! Что мы должны были думать? Мы его уже по всей Москве искали, только что под кусты не заглядывали!

— Ладно! На первый раз прощаю, — сухо ответил Степан — значит, все-таки всерьез обиделся. — Времени у меня мало, поэтому я тезисно. Гуров жив и жить будет — опасность миновала.

— Какая опасность? — похолодев, спросил Стас. — Он что, был ранен?

— Нет, предынфарктное состояние. Лев Иванович находится в ведомственной больнице, куда вас не пустят, да и рано ему еще гостей принимать — под капельницей лежит. Все необходимое, включая лекарства, там есть. Как только врачи разрешат, его перевезут в ваш госпиталь, а уже оттуда — в санаторий, договоренность об этом уже есть.

— И надолго он там? — севшим голосом поинтересовался Стас.

— Никто не знает. Состояние у него было очень тяжелое: судите сами — больше недели прожить в состоянии ежесекундного стресса и при этом еще работать как каторжный. Вот здоровье и подвело.

— Ты случайно не знаешь, где Мария? — невинно спросил Орлов.

— Не знаю, но скоро будет в России, — уклончиво ответил парень.

— Степа! — приобняв его, ласково сказал Стас. — Кое-что мы уже знаем, но хотелось бы больше.

— Что мог, то сказал, — покачал головой парень.

— Да не нужны нам государственные тайны, — улыбнулся Крячко. — Ты просто выскажи свое мнение, это правда, что всю эту кашу Мария заварила? Что будь она умнее и вызови полицию, ничего этого не было бы?

— Станислав Васильевич, — высвобождаясь, сказал Степан. — Муж и жена — одна сатана, и лезть между ними не только бесполезно, но и опасно. Пусть они сами между собой разберутся.

— Значит, действительно она, — вздохнул Орлов. — Ладно, Степа, ты вроде торопился, так иди.

Парень ушел, а вскоре и Петр со Стасом поехали обратно на работу. По дороге Крячко задумчиво сказал:

— Кажется, у меня в сарае на даче оглобля была.

— Еще трудиться! — хмыкнул Орлов. — Да я ее собственноручно застрелю — ведь чуть не угробила мужика! И ведь наверняка не чувствует себя ни капли виноватой! Отсиживается где-то за границей, а ее муж здесь за ней дерьмо подчищает! И ведь выставила себя перед всей страной страдалицей безвинной! Ну, пусть только вернется!

— Это хорошо, что Лева сейчас в больнице, — подумав, сказал Стас.

— Ты что, с ума сошел? — уставился на него Петр.

— Я в том смысле, что поговорить с ней по душам никто не помешает, — объяснил Крячко.

— Понял, — кивнул Орлов, и они обменялись понимающими взглядами.

Гуров даже предположить не мог, какие интриги плетутся у него за спиной, а усиленно лечился. В больнице, несмотря на ее небольшие размеры, имелось самое современное оборудование, и Льва обследовали со всех сторон самым тщательным образом. Иногда ему казалось, что его разобрали на молекулы, выбросили все испорченные, заменив их новыми, и собрали обратно. Однообразная жизнь тяготила его, но он также понимал, что довел свой организм, правда, не без активной помощи извне, до самого крайнего предела, и привести его в порядок действительно необходимо.

Тем временем Мария и Саша вернулись в Москву на том же частном самолете, на каком и улетали. Мария была в полном восторге! Она прекрасно провела время в Эмиратах, загорела, накупалась и наелась настоящих фруктов, подружилась с Лейлой, хозяйкой имения, где они жили, — та была уроженкой Северного Кавказа и прекрасно говорила по-русски. Красоты она была совершенно необыкновенной, и наверное, именно поэтому ей несказанно повезло выйти замуж за богатого, а, главное, нестарого эмира, причем стать его старшей женой. И вот теперь обвешанная подарками Лейлы Мария вернулась в Москву, уверенная, что там уже все в порядке. А вот Саша так радужно настроен не был. От беспокойства за Гурова он только что ногти не грыз, так что ему отдых был не в отдых.

До дома их довезли на роскошной машине. Мария, как и положено, шла впереди налегке, а Саша, нагруженный сумками с подаренными тетке вещами, за ней, потому что лично он очень вежливо, но твердо от всего отказался. Ключи от квартиры Гурова у Саши были, и он открыл дверь. Когда они вошли, то даже беззаботное настроение Марии мигом улетучилось — сразу стало ясно, что в доме уже давно никто не жил. Разбросанные при обыске вещи были кое-как распиханы по шкафам, да и то не все, везде лежала пыль, продукты в холодильнике давно испортились, и вонь стояла жуткая, посуда с намертво присохшими остатками еды лежала в мойке. Одним словом, дом встретил их пустотой, тишиной и беспорядком.

— А где Лева? — растерянно спросила Мария.

Свой сотовый она тогда оставила дома, и он, конечно, давно разрядился, так что она бросилась к обычному телефону. Мобильник мужа оказался отключен, на работе никто не отвечал — был уже восьмой час вечера. И тогда она позвонила Крячко — уж Стас-то должен был знать, где Лева и что с ним. Но едва она успела сказать пару слов, как Крячко гневно заявил:

— Забудь этот номер раз и навсегда и не смей сюда больше звонить! Я тебя знать не знаю! — А дальше последовал такой водопад брани, что она просто онемела.

Нетвердой рукой Мария положила трубку на место, рухнула в кресло и разрыдалась:

— За что же он меня так? Что я ему сделала?

Саша принес ей воды, успокаивающе похлопал по руке, а сам в это время думал, что, видимо, произошло нечто из ряда вон выходящее, раз Станислав Васильевич так обошелся с женой своего лучшего друга. Но что? Оставив Марию, он прошел в кухню и со своего сотового позвонил Крячко.

— Эта стерва рядом? — узнав его голос, спросил тот.

— Относительно, — неопределенно ответил Вилков.

— Ну, тогда потом поговорим.

— Хорошо, но только скажите, что с дядей Левой? — попросил Саша.

— Он в больнице, — кратко ответил Крячко и язвительно добавил: — Женушка любимая довела чуть ли не до инфаркта. Она наворопятила дел и смылась, а он расхлебывал.

— К нему можно?

— Нет, — вздохнул Стас. — Пока нельзя.

178

— Все так плохо? — всполошился Саша.

— Да уж чего хорошего.

Когда Вилков вернулся в комнату, Марии там не было. Подумав, что она решила прилечь, он осторожно заглянул в спальню и увидел, что она стоит перед открытым шкафом в полной растерянности.

— Саша, все вещи Левы на месте, — повернувшись к парню, сказала она. — Значит, он не в командировке, но где тогда?

— Дядя Лева в больнице, у него предынфарктное состояние, к нему пока никого не пускают, — объяснил он.

Услышав это, Мария обрушилась на постель и закрыла лицо руками.

— Ну, я пойду домой, а то очень устал, — сказал Саша.

— И ты оставишь меня в такую минуту одну? — возмутилась она.

— Я очень устал, — с нажимом произнес Вилков и, несмотря на возражения Марии, ушел.

Но домой он забежал только для того, чтобы переодеться — за то время, что их не было, в Москве похолодало, а потом поехал к Крячко — должен же он был узнать правду. Конечно, Стас и сам всего до конца не знал, но и того, что он рассказал, хватило Вилкову выше крыши, чтобы окончательно возненавидеть Марию. Успокоило его только то, что опасности для жизни Гурова больше нет, а полное выздоровление — дело времени.

— Вот таким путем, Сашка, — вздыхая, говорил Вилкову Крячко. — Жениться надо с умом! Думать головой, а не другим местом. А то вляпаешься, как Лева, и будешь потом маяться! Это же надо, как Машка его подставила! И смылась!

— Дядя Лева сам попросил нас спрятать, чтобы у него была свобода действий, — ради справедливости пояснил Вилков.

— Что ж в Якутию не увезли и на дальней заимке не поселили, где вас сам черт не нашел бы, а в теплые края за границу отправили? Вон ты какой загорелый! — усмехнулся Стас. — В общем, Лева как хочет, но мы с Петром решили, что такой подлости ей не простим!

— И я тоже, — твердо заявил Вилков.

179

Он поехал к себе домой, а вот Мария, не в силах больше оставаться в неведении и не понимая, за что на нее так сорвался Крячко, решила, что звонить она Орлову не будет, а поедет к нему сама. Пусть он все расскажет, а уж она постарается понять, в чем ее обвиняют, если она ни в чем не виновата. И поехала. Генерал оглядел ее с ног до головы неодобрительным взглядом, а потом язвительно поинтересовался:

— Где прибарахлилась-то? И костюмчик, я смотрю, не из дешевых, и золотишком обвешалась, как новогодняя елка шарами.

— Мне все это подарили, — начала было объяснять Мария, решив, что все вытерпит, но узнает, что случилось.

— Опять подарили? — не сдержавшись, простонал Орлов. — Господи! Ты уже столько раз подставляла Леву с разными подарками, а тебе все наука впрок не идет! Все равно что об стену горох!

— Петр! Говори что хочешь, но сначала скажи мне, где Лева, — попросила Мария. — Я уже знаю, что в больнице, но в какой именно?

— А тебе-то зачем? — сделал вид, что удивился, Орлов.

— Между прочим, я его жена, — стараясь оставаться спокойной, ответила Мария.

— Жена?! — воскликнул Петр. — А что же ты только сейчас о муже вспомнила? Почему ты не подумала о нем, когда эту кашу заваривала? — И, видя ее недоумение, грозно пообещал: — Ничего! Я тебе сейчас в доступных для твоей дурной башки выражениях объясню, что ты натворила.

И он, все больше и больше накаляясь, объяснил. И выражения были самые доступные, но при этом очень неприличные, а закончил он уже вовсе угрожающе:

— Короче, так! Сегодня и завтра тебе на то, чтобы собрать вещи и убраться из квартиры Левы хоть к чертовой матери. Настоящих друзей у меня не так много, чтобы я ими бросался, и я тебе угробить Левку не дам! Если тебя еще раз рядом с ним увидят! Если ты хоть раз сама ему позвонишь, то пеняй на себя! Тебе та ночь в ИВС раем покажется! Ты у меня и через изолятор пройдешь! И через СИЗО, а закончишь на зоне!

180

— За что? — только и смогла в ужасе спросить Мария.

— Был бы человек, а статью найдем! — твердо пообещал Орлов. — Ты меня поняла?

Сил Марии хватило только на то, чтобы едва заметно кивнуть и стремглав выбежать из квартиры. Заперев за женщиной дверь, Орлов пошел к жене, слышавшей весь этот разговор из кухни, и удивленно спросил:

— Вот скажи мне, мать, как Гуров, умный, взрослый уже мужик, не мальчишка сопливый, мог жениться на такой непроходимой дуре?

— Ох, Петруша, зря ты между ними полез, сами бы разобрались, — вздохнув, ответила она.

— Нет, мать! — покачал головой Орлов. — Сама Мария теперь к нему первой не сунется — я на нее достаточно страху нагнал, а вот если Гуров первым ей навстречу шаг сделает после всего, что из-за нее вытерпел, то тогда я буду знать, что он действительно не мужик, а половая тряпка, и относиться соответственно. Кстати, мать, где мои таблетки от давления? Что-то затылок ломит.

— Не нервничал, вот и не ломило бы, — проворчала она, но таблетки, конечно, достала.

Мария же, добравшись до дому, заперлась на все замки и еще долго не могла прийти в себя. Есть хотелось страшно, но в холодильнике ничего подходящего не было. Она уехала так стремительно, что не догадалась хотя бы собрать испортившиеся продукты и выбросить их, а возвращалась в такой панике, что мысль заехать в магазин даже не пришла ей в голову. Конечно, можно было бы заказать пиццу или суши на дом, но она теперь просто боялась открывать дверь. Она сложила все испортившиеся продукты в большой мешок для мусора и выставила его на балкон, а потом, порывшись в морозилке, нашла застарелую пачку пельменей и решила их сварить.

После всего, что ей наговорили Крячко и Орлов, да еще демонстративного ухода Вилкова она начала понимать, что действительно сделала тогда что-то не так, но что именно? Достав из заветного места в кухне пачку сигарет, она выпила немного водки и стала вспоминать вечер той проклятой пятницы по минутам. Она сравнивала то, что сделала, с тем, что должна была, по мнению Петра, сделать, и постепенно поняла, что своей самодеятельностью втравила мужа в такие неприятности, что он чуть инфаркт не получил. А теперь она даже не знала, в какой он больнице, чтобы поехать к нему, плакать, рыдать, просить прощенья, объяснять, что это она не со зла. А он все поймет, как понимал всегда, и простит ее. Уж сколько раз они ругались и даже разъезжались, но потом все равно мирились. Ну и пусть Крячко и Орлов не хотят говорить ей, где Лева, она сама обзвонит все больницы и узнает. Но тут она вспомнила слова Петра о том, что если она хотя бы приблизится к Гурову, то он ее посадит, его горящие ненавистью глаза, его искаженное гневом лицо, и поняла, что он это действительно может сделать. Что же тогда делать ей? В ее голове метались разные мысли, но ни одну из них она не смогла додумать до конца. Когда она очнулась, оказалось, что пельмени разварились, превратившись в какую-то кашу, но есть хотелось страшно, и она ела их, обжигаясь и плача от обиды. А потом она выпила еще водки и легла спать — да, не таким ей представлялось возвращение к любимому и любящему мужу!

Проснувшись утром, она вспомнила все ужасы вчерашнего дня и — недаром говорят, что утро вечера мудренее — решила, что самым лучшим для нее сейчас будет действительно перебраться в свою квартиру, чтобы не злить Орлова. Ее не хотят пускать к мужу — пусть! Но ведь он сам выйдет из больницы и обязательно захочет узнать, что с ней, не может не захотеть! И тогда он найдет ее сам! А уж она ему все объяснит, и он ее поймет! Надо только подождать! И она подождет, потому что ей есть чего и кого ждать!

Завтракать в доме было нечем, так что она просто выпила кофе и стала собираться. Процесс затянулся почти на весь день, но зато в квартире не осталось ни одной ее вещи. С трудом перетащив все сумки в машину, Мария задумалась о том, что делать с ключами, а потом решила отдать их Саше. Да, так и надо сделать, но при этом объяснить ему, что она не по своей воле ушла из дома, а ее заставил Орлов. Тогда Саша все расскажет Леве, и тот сам ей позвонит. Так Мария и сделала, но вот, к величайшему ее разочарованию, Саша воспринял ее поступок как само собой разумеющееся и даже намеком не дал понять, что осуждает Петра. Мария от этого растерялась, но потом взяла себя в руки и решила, что ей все равно ничего не остается делать, как ждать, когда Гуров выйдет из больницы.

Шли дни, недели, уже целый месяц прошел, и следующий начался, но Лев не давал о себе знать. Звонить ему Мария боялась, но ведь никто не мог ей запретить общаться с племянником. Сначала Саша сухо отвечал ей, что дядя Лева еще в больнице, а потом сказал, что он уехал в санаторий.

— Саша, но ведь когда он собирался в санаторий, то не мог не заметить, что в доме нет моих вещей. Ты сказал ему, что это не я сама от него ушла, а меня Орлов заставил? — обрадовалась Мария. — Как он на это отреагировал?

— Никак! Вы же знаете, какой он сдержанный человек.

— То есть совсем никак? — растерялась Мария.

— Да, он просто промолчал, и все.

Мир для Марии рухнул — это был конец. А вот Саша, окончательно решивший для себя, что она его дяде не пара, закончив разговор с ней, не испытывал ни малейших угрызений совести за то, что соврал, потому что Гурову ничего не сказал, а тот, увидев, что вещей жены нет в доме, только заметил:

— Ну, что ж! Это было ее решение.

Гуров продержался в санатории всего две недели, да и то только потому, что с погодой повезло — природа наконец-то расщедрилась, и наступило запоздалое бабье лето. Но как только погода начала портиться, а перспектива ее улучшения не просматривалась, он сбежал из санатория и вышел на работу. Квартира к его возвращению приобрела приличный вид, но порядок наводился явно не женской рукой. О Марии Лев старался не думать и не вспоминать — ушла так ушла. Потом дела навалились, и стало уже совсем не до нее. А вот у самой Марии дела шли все хуже и хуже. Увидев актрису после ее последнего разговора с Сашей, главреж ахнул:

— Марья! Что с тобой? У тебя же глаза мертвые!

— Ничего! Выйду на сцену, и все будет нормально, — пообещала она.

Играла она, как и прежде, блистательно, пресса была благожелательной, об истории с ее арестом все забыли, потому что новые сенсации навалились, но она почувствовала, что в ней что-то надломилось. Хуже всего было то, что это понял и главреж.

— Маша, ты с собой что-то делай, — попросил он ее. — Мы скоро новый спектакль будем в работу запускать, так ты в таком состоянии роль главной героини просто не потянешь.

— Брось! — небрежно отмахнулась она. — Я уже столько всего вытянула, что по сравнению с этим роль главной героини — просто не стоящая внимания мелочь.

Но вот вернувшись домой, где ее никто не мог видеть, она уже не могла сдерживаться и разрыдалась — роль второго плана была бы для нее равносильна смерти. На людях Мария старалась держаться, но одинокими вечерами тоска по мужу изводила ее хуже самой страшной болезни, потому что от нее не было лекарства. Советоваться с приятельницами, как помириться с мужем, ей и в голову не приходило — их зависть всегда окружала ее плотным кольцом. Они завидовали ее славе, успеху, материальному благополучию, тому, что у нее такой долгий и счастливый брак, а мелких размолвок у кого не бывает? Мария перебирала в уме всех своих знакомых в поисках тех, с кем могла бы откровенно, по душам поговорить и знать, что никто не посмеется над ней, не позлорадствует, а искренне посочувствует и постарается помочь. И оказалось, что таких людей всего двое, причем это жены ее нынешних врагов Крячко и Орлова. И, подумав, Мария решила ехать к Крячко, потому что в дом к Орлову ее не загнали бы теперь даже под дулом пистолета.

Жена Крячко была женщиной простой, хорошей хозяйкой, и все ее интересы крутились вокруг семьи: накормить, напоить, обстирать, посадить по весне на даче то, что потом можно засолить, замариновать или сварить, чтобы потом всю зиму есть с удовольствием. В свободное время она любила смотреть сериалы, а позже обсуждать их со своими подругами. В общем, с высоты своего положения Мария относилась к ней несколько пренебрежительно-снисходительно. А вот теперь оказалось, что обратиться-то больше и не к кому. Звонить предварительно Мария не стала, а, подъехав утром к дому Крячко и дождавшись, когда он уедет на работу, поднялась к его квартире. Открывшая ей жена Стаса оторопела:

— Маша? Ты? — Но, приглядевшись, всплеснула руками и, затащив ее в дом, повела на кухню, причитая по дороге: — Господи! Да на тебе же лица нет! Садись, я сейчас чай приготовлю, вот пирожки со вчера остались, ты кушай! Да что же это делается? До чего ж ты себя довела! — И только собрав на стол и налив чай, села напротив и, пригорюнившись, спросила: — Ну, чего у тебя стряслось?

И от этого искреннего сочувствия, этой неподдельной душевной теплоты Мария разрыдалась так, что слезы градом полились, а женщина пересела к ней, обняла за плечи и стала утешать:

— Ну, будет! Будет тебе! Ты скажи, что случилось, авось чего придумаем. Стас с Петькой на тебя злые, как черти, так ты плюнь! Только чего ты от Левки ушла, даже не поговорив с ним? Поплакала бы, повинилась! Ну, поскандалил бы он, наорал на тебя, так потом все равно помирились бы!

— Я ушла?! — воскликнула Мария. — Да у меня и в мыслях не было! — И рассказала, как все было.

Выслушав ее, хозяйка поднялась, уперла руки в бока и грозно сказала:

— Вот оно, значит, как! Ты погоди, я сейчас оденусь, и мы поедем.

— Куда? — удивилась Мария.

— Как это куда? К Орловой! Ее же муж кашу заварил, ей и расхлебывать!

— Я туда не пойду, — испуганно сказала Мария.

— Значит, в машине посидишь! Я и сама к ней поднимусь! Авось не переломлюсь! Вот ведь паразиты, наши мужики! Сами дел натворили, а нам, бабам, их огрехи исправлять! Ты пирожки пока ешь!

Мария стала покорно есть очень вкусные пирожки, запивая их уже остывшим чаем, а там и хозяйка появилась. Они поехали к дому Орлова, и Мария осталась в машине, а жена Крячко поднялась наверх сама, но спустилась через некоторое время уже с женой Петра, которая, залезая в высокий джип, ворчала:

— А ведь говорила я своему, чтобы не лез в чужую семью! Да только кто ж нас вовремя слушает? — Велела Марии: — Домой поезжай!

— В чей дом? — робко спросила та, видя решительный настрой женщин.

— В Левкин, конечно! Я тут позвонила и узнала, что дома он, простыл немного, вот и отлеживается.

Возле дома Гурова женщины вышли из машины, а Маше велели ждать их, а уж они постараются особо не задерживаться. Увидев в глазок, кто к нему пришел, Гуров, конечно, тут же открыл дверь и, пригласив женщин проходить, удивленно спросил:

— Что-то случилось?

— Да нет! — язвительно ответила ему жена Орлова. — Просто скучно стало дома сидеть, вот и решили немного развлечься — ну, где же еще такого дурака, как ты, увидеть можно? Теперь таких даже в цирке не показывают!

— Подождите! Я ничего не понимаю! — недоуменно сказал Гуров.

— Поздновато ты хватился! Ты уже давно ничего не понимаешь! — в тон жене Орлова подключилась супруга Крячко.

— Стоп! — решительно заявил Лев. — Давайте сядем и поговорим!

— Да нет, друг Левушка! Это мы говорить будем, а ты слушать! — не менее решительно произнесла жена Орлова.

Следующие полчаса Лев действительно только слушал то, что на два голоса, дополняя и перебивая друг друга, говорили ему женщины, но, вопреки их ожиданиям, оставался при этом совершенно спокойным. Ожидая от него более бурной реакции, которой, к их удивлению, не последовало, они несколько растерялись, так что под конец жена Орлова спросила у Гурова уже без прежнего запала.

— Ну и кто ты после всего этого? Неужели умный?

— Где Маша? — ровным голосом спросил Лев.

— Внизу, в машине сидит, — ответила жена Крячко.

— Позвони ей, пожалуйста, и скажи, чтобы поднялась, — попросил он.

— А тебе самому что, трудно? — буркнула та, но позвонила: — Маша, поднимайся! — Она и хотела бы сказать, что все в порядке, но не решилась — уж слишком спокойным выглядел Лев.

Раздался звонок в дверь, но Гуров не поднялся, и дверь пошла открывать опять же жена Крячко. Когда Маша вошла в комнату, Лев увидел ее зареванное лицо, растрепавшуюся прическу, затравленный несчастный вид, а, главное, глаза! Это были глаза умирающего человека, не было в них ни блеска, ни жизни, ни хоть капли надежды на светлое будущее! Гуров прислушался к себе, не почувствовал в душе любви к этой женщине, только жалость, и просто сказал:

— Маша! У нас гости. Сообрази что-нибудь на стол.

Услышав это, державшаяся из последних сил Мария просто поплыла, глаза наполнились слезами, плечи затряслись, лицо исказила судорога едва сдерживаемых рыданий, она с трудом всхлипнула, и тогда он, никогда не любивший подобных сцен, тем более при посторонних, добавил:

— Там в кухне, кажется, должно что-то быть. — Мария тут же бросилась в кухню, а Гуров обратился к женщинам: — Спасибо вам большое. Вы нам очень помогли.

— Не надо нам ничего, пойдем мы, — сказала, поднимаясь, жена Орлова.

Разочарованные тем, что сцены бурного примирения не увидят, женщины вышли. Лев закрыл за ними дверь и поэтому не слышал, как они, посовещавшись возле лифта, решили ничего пока своим мужьям не говорить, пусть получат от Гурова готовое, а то повадились в чужие семьи нос совать и распоряжаться в них, как у себя дома.

Гуров же, войдя в кухню, застал там плачущую теперь уже от счастья Марию. Она бросилась к нему, прижалась, уцепилась, как утопающий за соломинку, и зарыдала уже в голос, по-бабьи, со всхлипами, шумным хлюпаньем носа и причитаниями. А он ничего не говорил, просто обнял ее и ждал, когда она успокоится. Потом супруга умылась и, устроившись с но-

187

гами на диване, прижалась к нему, такому родному, надежному, сильному, и стала потихоньку рассказывать, как плохо ей было без него, иногда она снова принималась плакать, и тогда Гуров, утешая, гладил ее по руке. Он слушал Марию, а сам думал о том, что если уж ты по неосмотрительности завел себе кошку и по глупости избаловал ее до полной невозможности, то нечего злиться, когда она гадит по углам, потому что сам виноват в том, что сделал ее такой. И на улицу ее, не приспособленную к самостоятельной жизни, выбрасывать подло, потому что человек в ответе за каждое прирученное ему существо. Почему его друзья, искренне переживавшие за него, поступили именно так, он прекрасно понимал, но поговорить с ними все-таки надо было. И он, поднявшись, сказал:

— Маша, ты придумай что-нибудь на обед, а я пока по делам съезжу.

Супруга с готовностью кивнула, а Гуров поехал на работу, где был встречен дружным возмущением Стаса и Саши — мол, отлежаться надо было как следует.

— Да обсудить кое-что надо. Пошли к Орлову, — предложил он.

Петр встретил Гурова с не меньшим возмущением из-за досрочного выхода на работу, но Лев объяснил, что заехал ненадолго, а потом вернется домой долечиваться. Тут все поняли, что причина его появления более чем уважительная, и уставились на него. А Гуров, дождавшись, пока все сядут, спросил у расположившегося прямо напротив него Вилкова:

— Саша, почему ты мне не сказал, что Маша забрала свои вещи и ушла из моего дома не по собственной воле, а потому, что ее Петр Николаевич заставил?

— Да, не сказал! — Вилков ответил ему прямым и твердым взглядом. — И мне за это не стыдно! Потому что я, как и Петр Николаевич со Станиславом Васильевичем, хотим, чтобы рядом с вами была другая женщина. Верная, заботливая, преданная, любящая! А не такая, как Мария!

— И это ты говоришь после всего того, что она для тебя сделала? — поинтересовался Лев.

— А она это делала не для меня, а для себя! — отрезал Вилков. — Она все делает только для себя! Она же законченная эгоистка, причем очень недалекая! Она руководствуется только своими сиюминутными желаниями, не заботясь о последствиях, потому что знает, что вы ее из любой беды вытащите! У нее нет ни настоящих подруг, ни настоящих друзей! Это хоть о чем-то вам говорит? Нет ни детей, ни кошки, ни собаки, а тут ей в руки попала такая большая живая игрушка! Вот она и играла со мной, как девочки — в куклы! Думаете, мне в радость было таскаться за ней по всем тусовкам, где она меня всем демонстрировала, как какую-нибудь карманную собачку редкой породы?

Не выдержав, он вскочил с места и продолжал уже, расхаживая по кабинету.

— Ну какая из нее жена? А я знаю, какой должна быть настоящая — такой, как моя мама! Как жены Петра Николаевича и Станислава Васильевича, такой, как ваша мать! Я очень хорошо помню, как мама ночами не спала и плакала, когда папу в Чечню посылали! Как она беспокоилась за него, как за него боялась! А Мария? Она что, не видела, в каком состоянии вы в Москве остались? Она слепая? Вы же на живого человека не были похожи! Я там, в Эмиратах, только что на стену не лез, потому что невыносимо было знать, что вы в беде, а я ничем вам помочь не могу. А она? Веселилась! Жизнью наслаждалась! Всю страну объездила, по всем супермаркетам прошлась! А уж отдохнула на много лет вперед! А когда я о вас заговорил, она беспечно ответила, что Лева во всем разберется сам, и все! — почти выкрикнул Саша. — Больше я с ней о вас даже не пытался говорить, а она сама и не вспоминала! А эти подарки! Я ей говорил, что нельзя их принимать! Что не ей, артистке Строевой, их дарят, а жене полковника Гурова! Что нельзя вас снова подставлять! А она мне на это гневно заявила, что и сама что-то значит, а потом два дня со мной демонстративно не разговаривала! А ведь Лейла мне проболталась, что вы когда-то ее отца просто спасли! Значит, только из-за вас нас там так принимали!

Гуров все это молча слушал, а вот Орлов с Крячко, зная тяжелый характер своего друга, только недоуменно переглядывались и гадали, надолго ли хватит терпения Левы. А Вилков и не думал успокаиваться:

— А здесь? Да любая нормальная жена, узнав, что муж в больнице в тяжелом состоянии, сразу бросится к нему. Ну, пусть к супругу никого не пускают, но с врачами-то поговорить можно! А она? Она вас по больницам искала?

— Она не смогла бы меня найти, — спокойно заметил Лев.

— А она пыталась? — остановившись и уставившись на Гурова, спросил Саша. — Да нормальная жена на ее месте весь город перевернула бы! А потом, когда я сказал ей, что вы уже в санатории, она к вам туда приехала? Не так уж много в Подмосковье кардиологических санаториев, чтобы вас не найти! А уж в нашем ведомственном в первую очередь надо было искать! Она туда хоть позвонила? Нет!

— Она могла просто испугаться угроз Петра Николаевича, — заметил Лев.

— А вот мою маму танки бы не остановили! Как и любую нормальную жену! Такая наплевала бы на все угрозы, но мужа нашла! Потому что любит, потому что жизни без него не мыслит! А Мария вас не любит! Она вами просто пользуется! Вы ей нужны для жизненного комфорта! Это на сцене она Мария Строева, а в жизни без вас — никто и ничто! Обвилась вокруг вас, как плющ вокруг дуба, и живет за ваш счет! Да она!.. Она настоящая свинья под дубом! Сколько раз она вас подставляла! А вы, такой сильный, умный и мужественный человек, которым все мы искренне восхищаемся, ей все прощаете, прощаете и прощаете! И видеть это было для нас больше невыносимо! — Тут Вилков выдохся и уже спокойно сказал: — Ну, вот, можете теперь меня увольнять! Тем более что меня все равно на другую работу приглашают. Можете родственником не считать, хотя я, и раньше зная, что вы мой дядя, в родню и не набивался, вы сами мне это сказали. Только уважать Марию я не могу, а делать вид, что уважаю, не буду — противно!

190

Он замолчал, а вот Гуров поднялся и пошел к нему. Орлов и Крячко замерли — неужели ударит? Но от того, что сделал Лев, они просто впали в ступор, потому что он обнял племянника, похлопал его по спине и совершенно не свойственным ему мягким голосом сказал:

— Ну, успокойся, сынок! Ты все правильно сказал, но ничего нового мне не открыл — все это я знаю и без тебя, — он тяжко вздохнул. — Я вот смотрел на тебя, слушал и словно свое отражение в зеркале в молодости видел. Я тоже был максималистом, для меня тоже существовали только два цвета: черный и белый, а серого я не признавал. А с годами вот стал кротким! И ты сам со временем станешь к людям помягче. А что касается Марии, то она такая, какая есть, ее уже не переделать! Не хочешь ее уважать, так никто и не заставляет! Можешь с ней и не встречаться, нам с тобой и вдвоем найдется о чем поговорить. Ну, успокоился?

Никак не ожидавший подобной развязки, Саша только растерянно кивнул.

— Вот и хорошо! Пойдем, присядем, — предложил Гуров.

Орлов и Крячко были растеряны не меньше Вилкова, но неоднократно наотмашь битые жизнью пришли в себя быстрее.

— Так, я не понял, это Мария сама к тебе пришла или ты сам ее позвал? — откашлявшись, спросил Петр.

— Ни то, ни другое. Мне ее на дом доставили две верные, преданные, любящие, настоящие жены, — он усмехнулся. — Ваши жены!

— Что?! — в один голос заорали Орлов и Крячко.

— То самое! — кивнул Лев. — Они просто не оставили мне выбора.

— Ну, разговор с ними будет отдельный, — не предвещавшим ничего хорошего тоном заявил Стас.

— Будет! — твердо пообещал помрачневший Орлов.

— Ну, это вы уже сами разбирайтесь, — усмехнулся Лев и повернулся к племяннику: — Так куда тебя приглашают на работу?

— Извините, но я не могу сказать, — виновато, но твердо ответил тот. — Меня вызвали, поговорили, предложили к ним перейти, а я взял время на обдумывание. Собирался с вами посоветоваться, а тут вы простудились, и я решил повременить.

— Ну, значит, спецслужбы, — понял Орлов.

— Ладно, посоветуемся, — пообещал Гуров. — Я к тебе вечером зайду и поговорим.

— Ну а нас вечером другие разговоры ждут, — зловеще сказал Петр.

Гуров вернулся домой, пообедал — у Марии, как ни странно, получилось даже что-то съедобное — и сел читать книгу, а она осторожно спросила:

— Лева, можно мне сюда кое-какие вещи привезти?

— Конечно, привози, — спокойно согласился он.

Мария уехала, но в своей квартире призадумалась, что именно брать, потому что ее насторожило непонятное поведение мужа — видимо, он на нее все еще злился. Но она успокоила себя тем, что так уже было не раз и со временем он отойдет, а пока не стоит рисковать и нужно взять только самое необходимое. Провозилась она довольно долго, так что, когда приехала, мужа дома не было, а на столе в кухне лежала записка: «Я у Саши Вилкова, ужинай без меня». Вот тут Мария взбесилась настолько, что хоть посуду бей! Ну как после всего того, что сделал ей этот негодяй, муж мог к нему пойти? А раз написал, чтобы ужинала без него, значит, там и поест, то есть не ругаться он пошел. Она была настолько зла, что, когда Гуров вернулся, невольно встретила его гневным взглядом, на что он только удивленно вскинул брови:

— Тебя что-то не устраивает в моем доме?

Она мигом опомнилась и вывернулась:

— При чем здесь это? Просто узнала, что роль в новом фильме, на которую я надеялась, отдали другой актрисе. Продюсер, видите ли, так захотел!

— Ну, на твой век главных ролей хватит, — успокоил супругу Лев.

Они легли спать, и Мария, свято веря в древнюю мудрость, что уж ночь-то помирит, прижалась к мужу и нежно прошептала:

— Левушка! Как же я тебя люблю!

Но вот реакция последовала совсем не та, на которую она рассчитывала, — Гуров мигом от нее отстранился и холодным, ровным тоном сказал:

— Маша! Если ты когда-нибудь еще раз скажешь, что любишь меня, ты уйдешь из этого дома в тот же день, и уже навсегда. Произносить красивые слова о любви ты умеешь — актриса же, да вот только в жизни эти слова нужно подтверждать соответствующими делами, а этого за тобой не водится.

Он встал с кровати, взял подушку, достал из шкафа плед, явно собираясь спать на диване. Растерянная Мария невольно воскликнула:

— Лева! Но ведь я...

— Маша! — перебил супругу Лев. — Врать на ночь — вредно для здоровья. Могут кошмары присниться, — и вышел, аккуратно прикрыв за собой дверь.

Он быстро уснул, и не потому, что вдруг стал таким бесчувственным — просто среди лекарств, которые ему предстояло принимать до следующего обследования, было сильное успокоительное. А вот Марии кошмар не приснился, он случился с ней наяву. Она долго лежала и обдумывала все произошедшее, честно говоря, больше всего ее напугал сам Лев — она никогда не видела его таким, он был даже не равнодушный, он был чужой. И она поняла, что у нее есть только один выход — если она хочет остаться с ним, то ей придется каждый день, каждую минуту доказывать ему, что она его действительно любит. Она пока представления не имела, как будет это делать, но решила, что посоветуется со своими новыми, причем настоящими подругами: женами Орлова и Крячко. Ох, не знала она в тот момент, что те уже огребли от своих мужей по полной программе за то, что полезли не в свое дело, так что плакать, виниться и просить прощенья теперь пришлось уже им. А уж о том, чтобы впредь общаться с Марией, даже речь не шла — это подразумевалось само собой.

Гуров выздоровел, вышел на работу, и тут Попов пригласил его к себе в Администрацию, куда Лев, конечно же, немедленно поехал.

— Ну, Лев Иванович, о том, какой резонанс имело ваше расследование, я думаю, рассказывать не надо — сами все видели и слышали.

— Да встретил я недавно Любимова, и он мне сказал, что страшный я человек, но вот до Ульянова-Ленина мне далеко. Тот, чтобы отомстить за смерть брата, целую империю уничтожил, а я всего лишь половину собственного министерства разогнал, да и еще по кое-каким железной метлой прошелся, — усмехнулся Гуров, а потом уже серьезно добавил: — Главное, чтобы этой гребенкой не причесали просто неугодных.

— Ну, за это не беспокойтесь, не дураки и не подлецы этим делом занимаются, — успокоил Льва Попов. — О Шеловских послушать не желаете?

— Хотелось бы, — не стал лукавить Гуров. — Удалось что-то выяснить?

— Не до конца, но кое-что узнали. После того, как Российское Дворянское собрание было юридически зарегистрировано, туда обратились Александр Константинович Иванов, его сестра Ольга Константиновна Прохорова, а также Елена Александровна Иванова и ее брат, уже известный нам Георгий, и предъявили документы. Оказывается, и Александр, и Ольга до Саратова проживали в Узбекистане, в селе Ташсака Хазараспского района. Откуда они там взялись, теперь уже никто не помнит, да там и русских в то время было раз, два и обчелся — некоторые из тех, кто на строительстве канала работал, остались. Александр сразу же пошел работать на канал, Ольга со временем — в сельскую школу, так что образование у обоих — неполное среднее. На фронт Александра не взяли — бронь была. Так и жили они потихоньку, не привлекая к себе внимания. Но тут вот что интересно: и он, и она, вступая в брак, взяли себе фамилию супругов, но вскоре развелись, а вот фамилии оставили, но справку о том, какая у них была добрачная фамилия, взяли официальную, с печатью.

— Значит, уже тогда думали о том, чтобы со временем ее себе вернуть, — заметил Гуров.

— Вот именно. На основании этих справок, свидетельств о рождении и других документов права на княжеский титул за ними признали. Потом все, кроме Георгия, подали заявления об изменении фамилии на истинную. Получили новые паспорта, затем оформили загранпаспорта и в 1993 году выехали к родственникам, которых нашли с помощью того же Дворянского собрания, в Канаду.

— Я предполагал нечто подобное, — кивнул Гуров. — А Георгий?

— А он продолжал служить под фамилией Иванов. С ним вот какая история. Он Афганистан еще рядовым захватил, а потом вернулся туда уже офицером. И воевал, видимо, неплохо, потому что орден Боевого Красного Знамени просто так не дают. Был ранен, судя по документам, не так уж тяжело и продолжал служить.

— Так ему для того, чтобы искать Рожкова и Егорова, элементарно нужны были деньги, он потому так долго и провозился, что заниматься поисками мог только в свободное от службы время.

— Я полагаю, что он искал не только этих двоих, но и спрятанное дедом столовое серебро. Я навел справки и выяснил, что его было очень много, дети его с собой увезти не смогли бы. Одно дело — драгоценности, которые легко спрятать, бумаги, которые можно в одежду под подкладку зашить, и совсем другое — такая тяжесть.

— Думаете, нашел? — спросил Лев и сам же ответил: — Ну конечно, нашел! С его-то умом и энергией. Только вот как вывозил? А с другой стороны, у него среди уголовников такие связи налажены, что он и здесь нашел выход и вывез.

— В 2004 году Георгий подал рапорт об увольнении из армии по состоянию здоровья и даже инвалидность сумел себе оформить.

— Все правильно, — подтвердил Лев. — Когда он нашел Егорова, ему служить уже не нужно было. Более того, он понял, что у него появилась не только возможность вернуть колье, но и обеспечить достойную жизнь своих родных в Канаде, вот и не упустил ее. Потому что одно дело — прозябать за границей в обнимку с фамильными ценностями, которые продать, конечно, можно, но жалко, потому что с таким трудом вернули, и совсем другое — жить, ни в чем не нуждаясь.

— Как воин-интернационалист и к тому же инвалид, Георгий получил комнату в коммуналке в Подмосковье — женат-то он никогда не был, прописался там и вскоре потерял паспорт на фамилию Иванов, — продолжил Попов.

— Да не терял он его, ему просто был нужен подлинный документ про запас, — отмахнулся Лев.

— Ну, это и так ясно, потому что, получив новый паспорт, он тут же подал документы на смену фамилии и стал Шеловским. Ни Александр, ни Ольга, ни Елена больше никогда в России не появлялись, а вот Георгий летал к ним часто, а потом оформил себе вид на жительство в Канаде. Поскольку по законам этой страны он должен был жить там только шесть месяцев в году, все остальное время он проводил в России, благо комната у него имелась, и тратиться на гостиницу было не надо.

— А Егоров и Воробьев, пользуясь его отсутствием, творили что хотели, — закончил Гуров. — Вот и получается, что обо всех замаскированных под несчастные случаи убийствах он действительно узнавал постфактум, о чем свидетельствуют и записи. Но вот что послужило причиной того, что он через Кабанова заложил Егорова? Хотя... Видимо, он посчитал, что наворовал достаточно и лавочку пора закрывать. Он смог выманить у Егорова колье и уехал! Но вот как он его вывез?

— Георгий Александрович Шеловской вылетел в Канаду в субботу днем. А поскольку он уже давно полноправный гражданин этой страны, никаких сложностей у него с этим не возникло. Как выяснилось, на этой линии его хорошо знают, потому что он не только постоянно летал, но и в последние годы передвигался на костылях, объясняя это полученным в Афганистане ранением — у него же все документы были, в том числе и об инвалидности.

Услышав это, Гуров невольно рассмеялся:

— Так вот как он колье вывез! Костыли-то металлические и внутри полые! Тем более что он постоянно сигал туда-сюда и примелькался уже не только пограничникам, но и таможенникам. До этого его не раз проверяли, убедились, что ничего запрещенного не возит, вот в этот раз и досматривать-то, может, не стали.

— Ну, этого мы теперь уже никогда не узнаем. Судя по тому, что свою коммуналку он продал, возвращаться Георгий не планирует. И вы знаете, о чем я сейчас подумал? — усмехнулся Попов. — Что не было бы этого грандиозного разоблачения и многочисленных уголовных дел, если бы когда-то отец Егорова не украл у Шеловских их фамильную реликвию. Они бы тогда все вместе дружно уехали за границу к родственникам. Может быть, и не благоденствовали бы так, как сейчас — подчеркнем, на уворованные из российского бюджета деньги, но очень многие продажные чиновники всех мастей сохранили бы свои места. Из чего следует вывод: воровать — нехорошо, а злить таких людей, как вы, Лев Иванович, — еще хуже, точнее, опаснее.

— Да, Шеловские там сейчас стали очень богатыми людьми, особенно если учесть намек Георгия на то, что егоровские деньги мы не найдем. Но вот только непонятно, что он имел в виду под несоизмеримо более благородными целями?

— Может быть, со временем узнаем, — пожал плечами Попов.

А в это время на другом полушарии, на берегу озера Онтарио, стоял Георгий, и никаких костылей у него, конечно же, не было. Он задумчиво смотрел на воду, а потом грустно вздохнул и сказал:

— Не Волга!

— Дядя Джордж! — вдруг раздался мальчишеский голос, и Георгий повернулся — к нему бежал подросток, младший сын его сестры Елены. — Дядя Джордж! Бабушка Оля зовет! Она сказала, что гости уже начинают съезжаться, а тебя все нет! — Георгий обнял племянника за плечи, и они направились к большому, ярко освещенному дому, стоявшему недалеко от озера. — А еще я слышал, как бабушка сказала маме, что тебя сегодня охмурять будут.

— И кто же? — рассмеялся Георгий.

— Лиза Салтыкова и Даша Щербатова — это основные, а остальных я хорошо не знаю, но сегодня много гостей будет. Бабушка говорит, что тебе жениться надо, что она еще хочет увидеть нового князя Шеловского.

— Жениться, конечно, надо, — согласился Георгий. — А кто тебе больше нравится? Лиза или Даша?

— Не знаю, у Лизы брат вредный, — насупился подросток. — Чего он врет, что наше столовое серебро ты просто где-то купил? На нем же наш герб! Бабушка говорит, что ты его нашел и привез.

— Строго говоря, это не твой герб, а твоей мамы, потому что ты Сумароков, у которых есть свой герб. А серебро я действительно нашел и привез.

— А как ты его привез? — заинтересованно спросил мальчик.

— Из России в Канаду ходят корабли, вот на них все эти вещи для меня и привозили, — объяснил Георгий. — А поскольку самолеты летают быстрее, чем идут корабли, я мог там все отдать, прилететь в Канаду и здесь забрать.

— А где ты нашел серебро?

— Понимаешь, — Георгий остановился и повернулся к мальчику: — Твой прадедушка, князь Константин Николаевич Шеловской, в минуту опасности его спрятал и рассказал обо всем твоему деду — он тогда постарше тебя был. Дело в том, что в России тогда правил очень жестокий человек, который никому не верил, всех считал своими врагами, и тогда погибли очень многие хорошие люди, а их детей отдавали в детские дома, меняли им фамилию или заставляли отрекаться от родителей. А прадедушка решил спасти своих детей и отправил их далеко-далеко от Москвы к своему другу, которому

198

когда-то спас жизнь. Но если мой папа был уже довольно большим, то бабушка Оля — совсем маленькой. Одни они ехать не могли, и твой прадед отправил с ними Степаниду.

— А это кто? — спросил завороженно слушавший Георгия подросток.

— Она уже тогда была довольно пожилой женщиной, потому что служила в его доме еще до революции. Она и твоего дедушку Александра вынянчила, но потом твой прадед стал со всей семьей ездить по России — служба у него такая была, а брать ее с собой он не мог, и она стала работать в другом месте. Но вот когда он понял, что над ним нависла смертельная опасность, доверить своих детей он мог только ей. Они долго ехали на поезде, пока не оказались в очень неудобном для жизни месте, но там их было бы очень трудно найти. И Александр, и Ольга привыкли к жизни в городской квартире, а там никаких удобств не было, и им приходилось очень тяжело, особенно Ольге. Степанида была мужественная женщина и изо всех сил старалась, чтобы детям было хорошо. Но там, где они жили, было очень-очень жарко, она начала болеть и умерла, когда твоей бабушке было восемнадцать лет. И теперь, когда у меня родится дочь, я обязательно назову ее Степанидой в память об этой замечательной женщине, которая спасла и моего отца, и бабушку Олю.

— Наверное, Стефани? — подумав, переспросил мальчик.

— Ну, так ее, наверное, будут звать другие, но я только Стешей, — твердо сказал Георгий. — Давай поторопимся, а то бабушка ждет. — Они пошли дальше, и он спросил: — А что ты думаешь о Даше?

— Она вообще-то хорошая, только они очень бедные, — смущенно сказал подросток. — Бабушка даже деньги им отправляет, чтобы они могли к нам приезжать.

— Мы тоже когда-то были бедные, а потом разбогатели. Никогда нельзя плохо относиться к бедным, потому что никто от этого не застрахован, — наставительно сказал Георгий.

— Дядя Джордж, а в этот раз ты что-нибудь привез? — поинтересовался мальчик.

— Увидишь! — многозначительно пообещал тот.

За этим разговором они дошли до дома, и Георгий поднялся к себе. Через некоторое время большая зала на первом этаже уже была полна гостей, которых занимали хозяева: Елена и ее муж Матвей. Гости были разными: те, кому повезло устроиться на новой родине, выглядели очень достойно, но были и те, кто не сумел добиться в жизни многого, и они были одеты победнее. Но их всех объединяло то, что они принадлежали к старинной русской аристократии, проходимцев среди них не было, да и быть не могло. Для детей праздник был устроен в отдельной комнате, и оттуда доносился их веселый смех. Гости уже начали переглядываться, недоумевая, почему задерживаются Ольга Константиновна и Георгий, когда двери открылись, и они вошли. Теперь никто бы даже не заподозрил, что эта величественная дама могла когда-то работать посудомойкой, да и Георгий в смокинге выглядел впечатляюще. Но, рассмотрев то, что висело на шее у Ольги Константиновны, все невольно ахнули и замолчали — там сверкало изумрудами и бриллиантами знаменитое колье княгини Шеловской. Когда шок прошел, все бросились к ней и стали рассматривать колье.

— Неужели то самое?

— Настоящее?

— Да! Вот племянник презентовал в честь окончательного переезда, — небрежно пояснила Ольга Константиновна.

Все повернулись к Георгию, сохранявшему полнейшую невозмутимость.

— Князь! Как вы смогли его отыскать?

— Это же настоящий подвиг!

— Нет, — спокойно покачал головой Георгий. — Я просто выполнил свой долг по отношению к своему роду.

При этих словах колье вдруг вспыхнуло особенно ярко, словно обрадовавшись тому, что наконец-то вернулось к своей единственно законной хозяйке.

— Чем же вы здесь собираетесь заниматься, князь? — спросил его позже один из гостей, и все, заинтересовавшись, стали прислушиваться.

— Я собираюсь создать фонд поддержки русского дворянства в Канаде. Я хочу, чтобы наши дети и внуки в подробностях знали не только историю своего рода, но и настоящую историю России, ее литературу, музыку, живопись, искусство, культуру. Чтобы стали истинно православными христианами, чтобы они говорили на хорошем русском языке, потому что мне больно слышать, как мой собственный племянник, обращаясь ко мне, называет меня «дядя Джордж».

— Но это потребует очень солидных вложений, — заметил кто-то.

— Меня это не остановит, — твердо ответил Георгий, и все, особенно родители незамужних девиц, многозначительно переглянулись.

«Твою мать! Кажется, охмуреж вот-вот начнется и будет беспощадным! Как бы эти непорочные девицы в глаза и волосы друг другу не вцепились в борьбе за мои деньги! А уж если еще и родня их подключится, то пойдет стенка на стенку в исконно русских традициях! А я достанусь самым буйным в качестве законно выигранного приза!» — подумал Георгий. Хотя нет, князь Шеловской не мог бы выражаться столь вульгарно, а вот Жорка Грозный сказал бы именно так.

Участники этой истории уже стали забывать о ней, и неудивительно — столько лет прошло. Уже давно все со всеми помирились, хотя Мария порой и чувствовала прохладное отношение к себе со стороны супруга, но старательно делала вид, что ничего не замечает. Гуров, Крячко и Орлов по-прежнему служат в полиции, а вот Саша ушел, и название его нового места работы никому ничего не говорило, но, когда он как-то сказал, что некоторые люди зря «затеяли кадриль вприсядку», Лев тут же понял, что служит его племянник теперь вместе со Степаном — это было одно из его любимых выражений. Как только позволяют время и работа, Гуров и Саша встречаются, но без Марии, с чем она давно смирилась, и Лев с удовольствием называет своего племянника «сынок» — оказывается, это так здорово, когда так можно обратиться к по-настоящему близкому человеку.

Тем вечером Лев и Мария сидели на кухне и ужинали. Жили они мирно, не ссорились, но и особой теплоты в их отношениях не было — что-то у Гурова тогда в душе сломалось и, хотя Мария изо всех сил доказывала ему свою любовь, уже не восстановилось, но она продолжала надеяться — недаром говорят, что надежда умирает последней. По телевизору шел репортаж из Георгиевского зала Кремля, где Президент вручал высокие правительственные награды, и вдруг Гуров услышал:

— В ознаменование выдающихся заслуг в деле пропаганды русской культуры в Канаде и поддержки Русской Православной Церкви за рубежом «Орденом Дружбы» награждается Георгий Александрович Шеловской.

Гуров резко повернулся к телевизору и увидел, что к Президенту шел высокий седовласый человек в строгом костюме, а потом, когда включилась другая камера, рассмотрел его лицо и тут же узнал Иванова — Попов тогда показывал Льву его фотографии. Ну что сказать? Это был настоящий князь! Жесткое, породистое лицо, властный взгляд, гордо вскинутая голова. Когда Президент прикрепил на его пиджак «Орден Дружбы» рядом с уже находившимся там орденом Боевого Красного Знамени и пожал руку, то спросил:

— Кажется, на одной из мраморных досок в этом зале есть имя вашего предка?

— И не одного, господин Президент, — спокойно ответил Георгий, а потом, повернувшись к залу, просто сказал:

— Служу России!

Он спустился вниз и сел на свое место, было объявлено следующее имя, и Гуров только сейчас перевел дух. «Да, — подумал он. — Оказывается, у Георгия действительно были благородные цели!»

Лига правосудия

РОМАН

Ломать, как известно, — не строить! Это легко. А вот аккуратно разбирать что-нибудь на составляющие — намного труднее. Именно этим сейчас и занимались три таджика в садовом товариществе «Дружба», что находился неподалеку от райцентра Фомичевск в Московской области. Все они приехали в Россию относительно недавно, профессий не имели, русского языка не знали, вот хозяин и использовал их на таких грязных и тяжелых работах, но они и этому были рады — дома же семьи остались, как бы они выжили без тех денег, что они туда посылали? А хозяин у них был замечательный! Хоть и молодой, и очень строгий, но справедливый! Крышу над головой дал, спецовки дал, кормил, платил честно, а, главное, работали они на него совершенно законно, с регистрацией и разрешением. А еще хозяин таджикский язык знал! Пусть не очень правильно говорил, с ошибками, но кто они такие, чтобы смеяться над хозяином? Его слушаться надо!

В этот раз он приказал аккуратно разобрать три дачных домика, три туалета, а еще спилить и выкорчевать деревья и кустарники на участках, потому что там потом стройка должна была начаться. Привезли бытовку с буржуйкой — хоть и апрель на дворе, но холодно, особенно по сравнению с родными местами, запас продуктов, инструменты, и таджики начали работать. Два деревянных домика и два таких же туалета они уже разобрали, все аккуратно сложили, чтобы машина потом могла забрать, — у хозяина ничего зря не пропадало, все в дело шло, а вот теперь стояли и не знали, как и подступиться — третий домик с туалетом были кирпичные. И тогда решили для начала, чтобы наловчиться, разобрать туалет. Сняли дверь, разобрали все внутри, двое, те, кто посильнее, встав на лестницы, стали снимать крышу, а самый младший, Навруз, собрался посмотреть, а что внизу — раз сам туалет такой основательный, может, и там разбирать придется? Он посветил фонариком вниз и увидел там такое, что заорал от ужаса во весь голос так, что остальные двое чуть с лестниц не упали. Они вытащили его наружу, хорошенько потрясли, чтобы привести в чувство, стали расспрашивать, но он вырвался и побежал в бытовку, где лежал мобильник — хозяин говорил, если вдруг что-то случится, нужно немедленно звонить ему.

— Хозяин! Это Навруз! Беда! Там в яме люди! Мертвые! Совсем-совсем мертвые! — трясущимися губами кричал парень.

— Ничего не трогайте, я сейчас приеду, — пообещал хозяин.

В ожидании его таджики, хоть и потрясенные страшной находкой, принялись спиливать деревья — работа не ждет, а деньги за нее они получат, только когда все закончат. Сторож этого садового товарищества, круглый год живший при нем, безропотно поднял шлагбаум и пропустил джип хозяина — ну, захотел тот узнать, как работа продвигается, что в этом особенного? Доехав до рабочих, хозяин выслушал Навруза, сам с фонариком сходил посмотреть на находку и призадумался. Воспользовавшись моментом, его охрана тоже полюбопытствовала, и один из них предложил:

— Шеф, нет проблем! Забросать землей, и все! Или пусть эти трое спустятся вниз, ломами выбьют изо льда трупы, а мы их куда-нибудь подальше отвезем.

— Нет проблем, говоришь? — мельком глянул на него хозяин. — А вот я опасаюсь, что могут быть. А они мне совсем ни к чему! Вызываем полицию!

Полицию пришлось ждать довольно долго, но вот она наконец приехала: эксперт, прокурор и майор-«следак», а следом за ними и заинтересовавшийся происходящим сторож притопал со своими собаками. Выслушав все, что им рассказал хозяин, полицейские только что не взвыли. Рассмотрев в свете мощного фонаря то, что лежало на дне, эксперт уверенно заявил:

— Ну, эти субчики там не один год провалялись, это точно. Если только при них вдруг окажутся документы или еще что-то, способное идентифицировать их личности, у нас еще есть хоть какой-то шанс, если же ничего нет, то, пардон, голяк!

— Ну за что ж ты нас так? — чуть не со слезой в глазах сказал «следак» хозяину. — Что плохого мы тебе сделали? Это же стопроцентный висяк! Ну что тебе стоило сказать своим таджикам, чтобы они засыпали останки землей, и дело с концом?

— А я никогда раньше закон не нарушал и впредь не собираюсь, — спокойно объяснил тот.

«Следак» на это только плюнул в сердцах и спросил:

— Кто нашел тела? Хотя... Какие уж тут тела?

— Мой рабочий Навруз, — начал объяснять хозяин. — Он не говорит по-русски, поэтому и позвонил мне. Я приехал сюда, чтобы проверить, не показалось ли это ему, а потом связался с вами. Если вы хотите у него что-то спросить, то я переведу.

— Давай! — обреченно бросил майор.

Хозяин подозвал Навруза и, когда тот подбежал, приказал:

— Расскажи, как было дело с самого начала.

Навруз говорил, хозяин переводил, а остальные слушали. Когда Навруз замолчал, эксперт почесал себе маковку и удивленно произнес:

— Послушайте, если здесь к железобетонной плите был прикреплен унитаз, а сзади него висел смывной бачок, у меня возникает естественный вопрос: как они туда попали? Не водой же их смыло!

— Да тут у Трофимыча... — начал было сторож, но «следак» цыкнул на него:

— Не лезь!

Сторож покорно замолчал, а эксперт со знанием дела предположил:

— Судя по тому, как капитально сделан этот туалет, его явно не собирались таскать с места на место. А это значит, что где-то здесь должно быть отверстие, через которое выкачивалось содержимое выгребной ямы.

Дело шло уже к вечеру, торчать здесь допоздна никто не хотел, так что на поиски указанного отверстия бросились все. Земля вокруг туалета была усыпана опавшей листвой, которую много лет не убирали, и она превратилась в корку, да еще и не успевшим растаять ледком прихваченную. С одной стороны, «следаку» повезло, потому что он первым нашел то, что искали все. А с другой стороны, крупно не повезло — он зацепился за что-то носком ботинка и рухнул на землю во весь рост, но при этом ногой подцепил пласт слежавшейся листвы, и все увидели самую обыкновенную крышку канализационного люка, запертую на замок, обернутый целлофаном, чтобы внутрь вода не попадала.

— Вот она самая и есть, — не выдержал сторож. — А в заборе тут специальная дверка имеется. Когда машина приезжала, он дверку эту отпирал, крышку поднимал, и яму очищали. Он и той своей последней осенью сюда ассенизаторов вызвал, и они все выкачали. Он это называл «законсервировать дачу на зиму».

— Ты что, раньше сказать не мог? — заорал на него «следак», одновременно очищая себя от грязи и потирая ушибленные места.

— Так вы же сами сказали: «Не лезь!» — напомнил сторож. — А то бы я вам сразу все показал.

— Про пальчики можете даже не заикаться, — сразу же заявил эксперт. — Но теперь хотя бы понятно, как их внутрь просунули.

— Интересно, живыми или уже нет? — спросил прокурор.

— Сделаю что смогу, — пожал плечами эксперт. — Но, судя по степени разложения тел, на многое не надейтесь. А вот замочек нам пригодится! Нам бы еще ключик от него!

— Ну, это уже по нашей части, — успокоил его майор. — Выясним, кому раньше дача принадлежала, а дальше — по схеме.

— Трофимычу принадлежала, — встрял сторож. — Обстоятельный был мужик и серьезный. Только как он десять лет на-

208

зад зимой помер, так вдова его по весне дачу и продала — куда ей одной с таким хозяйством управиться.

— А кому продала?

Сторож благоразумно промолчал, а вот хозяин спокойно пояснил:

— Моему отцу. — Все разом замолчали и переглянулись между собой. — Но сюда за эти десять лет никто не ездил, для вложения средств купили, потому что земля в Подмосковье со временем только дороже становится. Попутно сообщаю, что два соседних участка, где уже все разобрано и спилено, тоже купил мой отец, а вот теперь нашелся покупатель сразу на все три и хочет выстроить себе здесь большой дом. По договору мы должны освободить землю от всех строений и насаждений, то есть подготовить нормальную строительную площадку, что мои рабочие и делают.

— Ладно, потом разберемся, — пообещал прокурор, но особого энтузиазма в его голосе не слышалось.

Тем временем, надев резиновые перчатки, эксперт достал инструменты и сначала очень аккуратно развернул целлофан, а потом взялся за замок, и тут оказалось, что тот просто сломан, а дужка вставлена в паз только для вида.

— Ой, как интересно! — воскликнул он. — А схемку-то подправить придется! Как бы не оказалось, что хозяева здесь ни при чем. — Мельком взглянул на равнодушно наблюдавшего за всем хозяина и предложил: — Ну-с! Открывайте крышку, и давайте познакомимся с потерпевшими поближе.

Теперь в свете фонарей стало возможно получше разглядеть то, что осталось от двух людей.

— Эк, они скукожились, да еще друг к другу прижались, точно их живыми сбросили! Ну и как их доставать? Они же смерзлись так, что в ледяную скульптуру превратились и вместе в люк не пройдут, — вздохнул «следак». — Стенки у выгребной ямы — два поставленных друг на друга бетонных кольца, дно небось тоже забетонировано, сверху железобетонная плита лежит, которую вместе с каменным сортиром с места сдвинуть невозможно. Здесь лестница нужна, чтобы спуститься вниз, их разделить и по одному вытаскивать.

— А на дне лед, и их оттуда вырубать придется, — поддержал его прокурор.

— Это уже ваша забота, — отмахнулся эксперт. — Скажу одно: если в процессе транспортировки вы им ручки-ножки поломаете, то им от этого хуже не станет, а мне — не помешает.

Все переглянулись — перспектива лезть туда, махать ломами, благо они имелись в наличии у таджиков, паковать в мешки останки, и все это, стоя на пусть и замерзших, но экскрементах, никого не грела. Первым не выдержал прокурор и обратился к хозяину:

— Слушай! Ну будь ты человеком! Пусть твои работяги туда спустятся и все сделают, а мы им сверху посветим!

— А почему они должны это делать? — удивился тот.

— Да потому, что им такая работа привычнее, — подключился «следак». — Я так понял, что два сортира они здесь уже разобрали, так это будет третий.

— Доски разобрали, а ямы просто засыпали землей, — поправил его хозяин. — И к органам правопорядка они никакого отношения не имеют, так что в их обязанности это не входит.

— Хорошо, мы им заплатим, — скрепя сердце предложил майор. — По сотне на нос хватит?

— А вы за такие деньги согласились бы на эту работу? — вопросом на вопрос спросил хозяин.

«Следак» открыл было рот, чтобы выразиться по полной программе, но вовремя осекся и смолчал, а вот прокурор, который уже начал чувствительно подмерзать, просто спросил:

— Сколько?

— А это я сейчас у них выясню, — сказал хозяин.

Подозвав рабочих, он объяснил им, чего от них хотят и сколько они сами хотят за такую работу. Таджики недоуменно переглянулись, и один из них осторожно попросил:

— Хозяин, если вы нам разрешаете это сделать, то, может, и цену сами назначите, потому что мы не знаем, сколько это стоит.

Тот спокойно кивнул ему и, повернувшись к остальным, проговорил:

— По тысяче рублей на человека, и они согласны.

— А морда у них не треснет? — взорвался прокурор.

— Они что, совсем у тебя охренели? — поддержал его «следак».

— Тогда делайте все сами, — пожал плечами хозяин.

Переглянувшись, все дружно вздохнули и полезли за бумажниками. Хозяин забрал деньги и кивнул рабочим. Те мигом принесли лестницу, спустились вниз, начали ломами обкалывать останки, потом лопатами подбивать их снизу и, наконец, разделили две фигуры.

— С головами поосторожнее, чтобы можно было внешность по черепам реконструировать! — крикнул рабочим эксперт, и те от неожиданности замерли, не понимая, чего от них хотят.

— Что вы людей пугаете? — недовольно произнес хозяин и перевел все рабочим.

Эксперт же, подумав, стал осматриваться вокруг более внимательно и воскликнул:

— Интересно девки пляшут по четыре в ряд! А на калитке-то замочек целый!

— Рабочие начали разбирать с ближней к лесу дачи, вот им и не пришлось ничего открывать — они просто забор сняли, — объяснил спросил хозяин.

— Ясненько, тогда полюбопытствуем, что у нас с другим замочком, — продолжал криминалист. — Ведь чтобы при закрытой калитке до люка добраться, нужно было дверку в заборе открыть. Ну и что у нас здесь интересного?

Он присел перед висевшим с внутренней стороны забора тоже завернутым в целлофан замком, и, оказалось, что тот был сломан, а потом для маскировки снова завернут.

— Неглупо придумано. И на участок никому заходить не пришлось. Подъехали, замочки сломали, свое черное дело сделали и были таковы, — подытожил эксперт.

Но вот все было закончено, останки в более-менее целом виде погрузили в мешки и подняли наверх. Полицейские уехали, а хозяин раздал рабочим деньги, пообещал, что завтра придет машина, заберет то, что осталось от уже разобранных строений, и привезет запас продуктов и новые перчатки.

То, что понедельник — день тяжелый, знают все, но чтобы пятница! Да еще и не тринадцатое число! Нет, такого в практике полковников-важняков Льва Ивановича Гурова и Станислава Васильевича Крячко еще не было! А началось все очень буднично. Едва они вошли утром в свой кабинет и скинули куртки, как тут же звоночек и прозвенел. И вид он имел самый невинный — ну, что может быть странного в вызове к начальнику их управления генерал-майору Петру Николаевичу Орлову? Хотя на самом деле он был им больше друг, чем начальник, да и то сказать: сколько лет вместе проработали, сколько дел вместе раскрыли, сколько раз спину друг другу прикрывали и в прямом, и в переносном смысле.

Орлов встретил их так радушно, словно они десять лет не виделись, а это значило, что ему очень неудобно — ну, правильно! Нагружать своих давних друзей новым серьезным делом (а пустяками они не занимались) накануне законных выходных по меньшей мере некрасиво.

— Ну, ладно, — сказал Гуров, занимая свое привычное место на подоконнике. — Считай, что мы в должной мере оценили твои смущение и раскаянье, и излагай, что стряслось.

— А что у нас могло произойти? Только новое дело.

— Понятно, что не на чай с пряниками ты нас позвал, — влез Стас. — Новое так новое, чего глаза прятать?

— Да понимаете, уж больно оно грязное, — поморщился Орлов.

— Петр, если это опять кто-то из власть предержащих жидко обделался, а нам надо за ними дерьмо подчистить, то ты не по адресу — мы такими делами больше заниматься не будем! — жестко заявил Лев. — Сыты уже по горло!

— Да нет! Дерьмо вам подчищать не придется, а вот повозиться в нем... — вздохнул Петр.

— А можно яснее? — насторожился Крячко.

— Понимаете, в выгребной яме в одном из садовых товариществ Подмосковья нашли останки двух человек.

— Свят-свят-свят! — пробормотал Стас. — И что? Никого, кроме нас, не нашлось?

212

— Да районники там ковыряются по мере сил и способностей, но вы же не хуже меня знаете, какие у них эти самые силы и способности. Вот и попросили прислать в помощь опытных сотрудников, а вы оба сейчас как раз ничем не заняты, — виновато произнес Орлов.

— Говорил я тебе, Лева, что дело надо было сдавать не вчера, а сегодня! Причем поближе к концу дня! — вздохнул Крячко. — Только когда же ты меня слушал? А ведь я в житейском смысле тебе сто очков вперед дам и обгоню!

— Стас! Обещаю, что впредь буду слушаться тебя, как родную маму, — клятвенно пообещал в ответ Гуров. — Куда ехать, Петр?

— В Фомичевск, там вас уже ждут, — пояснил тот.

— До понедельника никак?

Скорчив самую покаянную физиономию, на какую только был способен, Орлов вздохнул и развел руками. Артист он, кстати, был никакой, а вот Крячко на его месте сейчас бы целое представление выдал. Стас же, поднявшись, только сказал:

— Как говорят наши клиенты: «Раньше сядешь — раньше выйдешь!» Поехали, Лева!

Фомичевский район находился на самом востоке Московской области, причем сам райцентр стоял довольно далеко от федеральных трасс, так что добираться им пришлось довольно долго. Не зная, как развернутся события, друзья решили отправиться на двух машинах — вдруг по разным местам разъезжаться придется? В Фомичевском райуправлении их уже действительно ждали. Стас тут же ввинтился в совершенно незнакомый ему коллектив, как шуруп в мягкую древесину.

— Креста на вас нет, мужики! — сказал он, входя в кабинет начальника. — Сорвать людей прямо под выходные! Нет вам прощения! Чем вину искупать будете?

Начальник, мужчина лет сорока пяти в звании майора, такую форму общения тут же принял и покаянно проговорил:

— Так повинную голову и меч не сечет! А скатерть-само-бранку мы уже накрыли! В соседнем кабинете вас дожидается. Там со всеми остальными и познакомитесь!

Гуров такие неформальные отношения с незнакомыми людьми очень не любил, но с годами смягчился, поняв, что своей замораживающей собеседника вежливостью чувство любви и готовности к сотрудничеству явно не вызывает. Вот и на этот раз предпочел временно отойти на задний план, предоставив Крячко возможность исполнить партию первой скрипки. Но его благим намерениям не суждено было осуществиться, потому что стоило ему представиться, как майор тут же подтянулся и официально представился сам:

— Начальник Фомичевского районного управления полиции майор Косарев Андрей Федорович. Добро пожаловать, товарищ полковник! Это очень большая честь для нас, что вы согласились помочь нам в расследовании.

— Эх, Лев Иванович! — притворно вздохнул Крячко. — Какую песню испортил! Посидели бы сейчас, поговорили по душам, а теперь тебе все будут честь отдавать и рапортовать, каждое слово десять раз наперед взвешивая. — Представившись, он поинтересовался: — Вас что же, не предупредили, кто приедет?

— Нет, сказали только, что два полковника с Петровки, — ответил майор.

— Вот она, оборотная сторона славы! — опять вздохнул Стас. — Но кормить-то будут? А то проголодались мы в дороге.

— Да-да, конечно! — засуетился Косарев. — Прошу вас!

В соседней комнате стол был действительно уже накрыт и, судя по интенсивному движению воздуха за спиной Гурова, стоявший позади него майор отчаянно жестикулировал, показывая, что нужно убрать со стола коньяк и водку.

— Бросьте, Андрей Федорович! Сами мы не кусаемся, а ябедничать не умели даже в детском саду, — успокоил его Лев.

Ответом ему был вздох величайшего облегчения. Представив гостей и хозяев друг другу, Косарев сказал:

— Предлагаю сначала поесть, а то подробности этого дела до того неприятные, что как бы аппетит не отбили.

Поскольку это был действительно просто обед, а не застолье со спиртным, то управились они довольно быстро и, вернувшись в кабинет Косарева, перешли к делу.

— Давайте мы для начала с документами ознакомимся, а уже потом будем детали уточнять, — предложил Лев.

Он и Стас, передавая друг другу бумаги, прочли их все, да и было-то их не великое множество, и Гуров предложил:

— Давайте начнем с экспертизы.

— Ничем особым я вас не порадую, — ответил эксперт. — Пальчиков, как я и предполагал, никаких. Замки сломаны во времена незапамятные. Трупов было два: мужской и женский. Приблизительный возраст мужчины — от сорока до пятидесяти лет, женщины — от двадцати до тридцати. Женщина — крашеная блондинка, мужчина когда-то был шатеном, а потом не только поседел, но и основательно облысел. Об особых приметах ничего сказать не могу — не было возможности что-либо определить. По прижизненным травмам: оба были жесточайшим образом избиты — переломы ребер, фаланг пальцев, выбитые зубы и так далее. Короче, покуражились над ними от души, а более подробный перечень вы найдете в заключении. У мужчины — старые переломы обеих рук. Список предметов, найденных на трупах, находится в деле, а они сами — в вещдоках. Но ничего особенного: часы мужские и женские, золотые, правда, но без выпендрежа. Золотые серьги вот довольно необычные, старые, колечки — ширпотреб, браслетик с брюликами, причем один камешек выпал... Давно выпал, — подчеркнул он. — То есть на ограбление это никак не тянет. Ну, и последнее — оба были сброшены в яму живыми.

— Время смерти установить удалось? — поинтересовался Крячко.

— В наших условиях не представляется возможным, как и реконструировать внешность по черепам.

— Ну, этим в Москве займутся, — заметил Гуров. — Что по месту обнаружения останков?

Выслушав эпопею с выгребной ямой, он поинтересовался:

— Значит, с таджиками толком никто не говорил? Все со слов этого... — Лев заглянул в бумаги, — Сидоркина Михаила Ильича?

— А зачем ему нам врать? — удивился «следак», которого звали Алексей Алексеевич Фомин. — Мог бы сказать своим работягам, они мигом закопали бы яму, и дело с концом. Да и где нам переводчика здесь взять?

— Ну, это дело поправимое — из Москвы пригласим, — пообещал Гуров.

— А Сидоркин откуда таджикский знает? — удивился Стас.

— Специально выучил — у него же почти одни таджики работают, надо же ему с ними как-то объясняться, — ответил Косарев. — Причем все по закону: с регистрацией, разрешением и так далее.

— А как местные относятся к тому, что у них работу из-под носа уводят? Неужели стычек не бывает? — спросил Лев.

— Да наши на такую работу даже от великой нужды не пойдут! На пособие будут жить! Вещи продавать! Бутылки собирать! Но на нее не согласятся! Великорусская гордость! — хмыкнул прокурор.

— Не понял! Да чем он, в конце концов, занимается? — воскликнул Стас.

— Сам Михаил — директор ООО «Чистота», кстати, на дочери нашего мэра женат. А вот папаша его, Илья Егорович, который все и создал, владелец этой фирмы по вывозу и утилизации всяческих бытовых отходов, — объяснил Косарев.

— Тут наша местная специфика свою роль сыграла, — добавил прокурор. — Фомичевск — город старый, практически весь — частный сектор, сиречь сортиры во дворах. Мусор раньше прямо на улицу выбрасывали, да и помои выплескивали. Представляете себе, что было? Зимой еще туда-сюда, а летом — вонь такая, что не продохнуть, мухи навозные, зараза всякая. Вот на этом Егорыч и поднялся. Не сразу, конечно, постепенно, но зато сейчас у него, считай, весь район в руках. Представьте себе, что будет, если он прикажет неделю мусор из города не вывозить? Да мы в нем утонем! И не только наш район — он уже давно и в соседних свои филиалы открыл. А теперь вот еще и землей занялся — скупает участки и у дачников, и по деревням, а потом перепродает не без выгоды.

— Ничего особо криминального я в этом не вижу, — пожал плечами Гуров. — Обычная в наше время предпринимательская деятельность. Но поговорить с ним, конечно, надо будет.

— Предупреждаю сразу: он мужик непростой. Ему уже почти восемьдесят, но как был крут характером, так и остался, — заметил прокурор.

— Ну тогда я с ним побеседую, — предложил Стас. — Думаю, мы найдем общий язык.

— Да ты с самим чертом договоришься, — усмехнулся Лев. — А тем временем я с сыном пообщаюсь. Со сторожем товарищества говорили?

— Да, он все, что мог, уже сказал, — отмахнулся «следак».

— Значит, и с ним я встречусь, — подытожил Гуров. — Дальше. По личностям потерпевших. Не думаю, что их в ту яму издалека привезли. Отправная точка у нас есть — осенью 2003-го в яме ничего не было, ее заперли на замок, и все! А это значит, что нужно будет поднять все заявления о пропаже людей за десять лет, причем не только по вашему району, но и по близлежащим.

— Но не до сегодняшнего же дня! — воскликнул «следак». — Судя по тому, как они разложились, они там не вчера появились!

— Начните с того времени, что я указал, а там видно будет. И участковых настропалите, чтобы с людьми поговорили — вдруг кто-то пропал, а заявление подать было некому? Ну, нет родственников у человека, а с соседями не дружил?

— Но мы можем это сделать только по своему району, а в соседних нас просто пошлют — им своих дел хватает, — мрачно сказал Косарев.

— Не беспокойтесь! Я сейчас позвоню генерал-майору Орлову, он и по области команду даст, и с лабораторией договорится, чтобы там быстренько нам внешность погибших воссоздали, да и по времени смерти более точно определились, — пообещал Гуров. — А вы пока адрес старшего Сидор-

217

кина Станиславу Васильевичу дайте, чтобы он, не откладывая в долгий ящик, мог с ним поговорить, а ко мне на беседу младшего пригласите. Ну, приступим, благословясь!

Пока Гуров докладывал Орлову последние новости и договаривался о внеурочной работе лаборатории и командировании в Фомичевск переводчика с таджикского, Крячко уже уехал к Сидоркину-старшему.

— Н-да! Хоромы! — пробормотал себе под нос Стас, стоя перед основательными железными воротами огромного двухэтажного особняка за оградой такой высоты, что только крыша над ней и виднелась. — Интересно, из чего дом выстроен? Неужели из пустых стеклянных или пластиковых бутылок? А что? Очень подходящий способ утилизации отходов. На Западе, говорят, в моде.

— Мы на Запад не равняемся, русские мы, — вдруг раздался из динамика неприветливый мужской голос. — Чего надо?

Мысленно чертыхнувшись и помянув недобрым словом свою извечную привычку язвить дело — не в дело, Крячко объяснил, кто он и по какому вопросу, и получил в ответ:

— Ждите! Сейчас доложу!

Стас стоял перед дверью в стене и ждал. Прошло пять минут, десять, а он все стоял, как попрошайка в ожидании милостыньки, и уже начал не на шутку заводиться, как вдруг дверь открылась. У приготовившего очередную колкость Крячко язык мигом присох к нёбу — его встретил такой амбал, выше него на две головы и вдвое шире, что желание качать права мгновенно пропало, этот громила мог его смять, как бумажный стаканчик. Даже не потрудившись извиниться или как-то объяснить свое поведение, тот бесцеремонно и очень профессионально обыскал Крячко и решительно заявил:

— С оружием не пущу!

— Что ж, я его должен тебе отдать? — не смог сдержаться Стас.

— Зачем? В машине оставь. Пока она возле этого дома стоит, к ней никто даже близко не подойдет, — невозмутимо объяснил громила.

218

Крячко ничего не оставалось, как положить пистолет в бардачок и поставить машину на сигнализацию. Конечно, можно было плюнуть, развернуться, а потом вызвать старика в райуправление, но эта малодушная мысль даже не пришла ему в голову. Ведь это значило бы двумя руками расписаться в том, что он утратил былые навыки и вышел в тираж, раз не смог договориться не то что с чертом, как всегда утверждал Гуров, и даже не со стариком с крутым характером, а просто с его охранником. Как показало дальнейшее, на этом его мучения не закончились. Под бдительным присмотром охранника Стас прошел на застекленную веранду, где в кресле сидел и курил хоть и старый, но еще полный сил настоящий русский мужик: высокий, крепкий, как дуб, жилистый, с простым открытым лицом, но вот только взгляд у него был совсем непростой. Ох и непростой!

— Ну, здравствуй, полковник, — с усмешкой сказал он. — За бутылками ко мне? Так, извини, ничем не помогу. У меня таджики мусор разбирают и сортируют, а потом все в утиль идет: стекло отдельно, пластик отдельно, алюминий отдельно, бумага отдельно и так далее.

Крячко не был бы самим собой, если бы не сумел в этой неприятной ситуации приземлиться, как кошка на четыре лапы, — он в ответ просто рассмеялся:

— Язва ты, Егорыч! Ну, сморозил я глупость, а ты уже и рад меня мордой по столу повозить! Или у тебя других развлечений нет?

— Вон они, мои развлечения, — кивнул в сторону сада старик. — С ними ни цирка, ни кино, ни телевизора не надо — каждый день что-нибудь новенькое!

Стас оглянулся и увидел в саду детей самого разного возраста, но понять, сколько их всего, не смог, потому что они гонялись друг за другом так, что в глазах рябило, а уж визжали просто от души. На скамейке сидела молодая женщина и качала коляску с малышом, но вот она поднялась, вынула его из коляски, взяла на руки пошла в дом, только вот походка у нее была странная, да и обувь необычная. На то, чтобы увидеть и проанализировать все это, у Стаса ушло всего несколько секунд, и он, повернувшись к старику, сказал:

— Егорыч! Да сколько же их там? Я сосчитать не смог!

— Шестеро, — усмехнулся тот и уточнил: — Пока шестеро.

— Ну, ты дед-герой! — восхитился Крячко.

— Не подлизывайся! Садись и говори, зачем пришел, — велел старик.

Крячко присел к столу напротив него и объяснил:

— Да все по поводу тех трупов, что в выгребной яме нашли. Ваши тут завязли в этом деле, как мухи в варенье, вот нас с коллегой сюда из Москвы и прислали, чтобы помочь.

— Знаю, сын рассказывал, — кивнул Сидоркин. — Только если тебе какие-то документы нужны, то они в конторе. Съезди туда, я его сейчас предупрежу, и он тебе все покажет.

— Да с ним сейчас уже, наверное, мой коллега разговаривает, — отмахнулся Стас.

— Зачем же ты сюда пришел? — не столько насторожился, сколько удивился старик.

— Не обижайся, Егорыч, но мне просто интересно стало. Одно дело там банки, пирамиды, торговля, строительство и все прочее — это понятно. Но вот чтобы на мусоре и, прости, дерьме так подняться, этого я понять не могу, — честно сказал Стас.

— Полковник! Люди могут ходить в рубище, спать на земле и жрать всякую гадость. Но если будут жрать, то они будут и гадить! И чтобы они во всем этом не утонули, должен быть человек, который все это убирает, — просто объяснил Сидоркин.

Крячко задумчиво посмотрел на него, а потом с грустью в голосе произнес:

— Егорыч! Твой громила может мне хоть все кости переломать, но я все равно не поверю, что такой человек, как ты, сознательно выбрал себе именно такое призвание в жизни. Эту философию ты уже потом себе в утешение придумал, — и он тяжко вздохнул.

— А ты не дурак, — усмехнулся Сидоркин, помолчал немного и добавил: — Не было у меня другого выхода.

— Сидел, — понятливо кивнул головой Крячко.

— Да! Отец на фронте погиб, мать из последних сил выбивалась, чтобы мы не голодали, а я на улице рос. Шпана переулочная. Вот в драке двух парней и подрезал серьезно. Мне шестнадцать было, когда сел, а вышел — уже за двадцать пять перевалило. Мать в старуху дряхлую превратилась, а меня никуда на работу не брали. Как жить? Вот и пошел туда, куда взяли. Мужики тогда в цене были — война же столько их выкосила, только порядочная за меня все равно не пошла бы. Вот и сошлись мы с Наташкой. Она хоть и не гулящая была, но с прошлым, так что в таком маленьком городе, как наш, ей тоже особо не на что было рассчитывать. Да и хозяйка в дом нужна была, потому что мать уже совсем ни с чем не справлялась. Но я Наташке сразу условие поставил: если родит, тогда и поженимся. Так она мне трех парней подряд зарядила, — невесело усмехнулся он.

— Погоди, Егорыч! Так эти внуки у тебя от всех вместе? А я-то думал, что от Михаила только, — удивился Крячко.

— От него, — глядя в сторону, подтвердил Сидоркин.

— Слушай, я смотрю, тебе неприятно все это вспоминать, так, может, и не надо, — предложил Стас — ох какой же лисой, каким дипломатом он мог быть, если хотел!

— А чего ж не поговорить-то с хорошим человеком? — очнулся от своих мыслей старик и позвал: — Настя!

На его зов появилась женщина средних лет, по виду явно прислуга, и он приказал:

— Собери нам чего-нибудь!

Женщина кивнула и ушла, а Сидоркин продолжил:

— Ну, уж после такого-то я на ней, конечно, женился! И женой она оказалась хорошей, и хозяйкой замечательной, и за матерью моей, как за родной, ходила — ее-то померла, когда она еще девчонкой была. Может, оттого, что только с отцом жила, и пошла у нее в молодости жизнь набекрень. Я ломил, как каторжный, жена в столовой работала, так что сыты мы были, но ведь три парня — это не один. Ничего, все сдюжили. Выбрались мы из нищеты. Достаток в доме появился. Одно только меня волновало — что детей моих из-за моей работы дразнят.

— И они тебя стали стыдиться, — добавил Стас.

Старик вздрогнул, как от пощечины, и гневно уставился на Крячко, а тот в ответ на это только криво усмехнулся:

— Не дергайся, Егорыч! Когда при Горбачеве, а потом при Ельцине милицию дерьмом из шланга поливали, я все это прошел от и до! Так что понимаю тебя как никто! Все на своей шкуре испытал!

— Значит, действительно поймешь, — тихо проговорил старик. — И вот тогда я поклялся, что костьми лягу, но дети мои никогда такой работой заниматься не будут. Все образование получат, чего бы мне это ни стоило. Мы с женой копеечку к копеечке складывали, чтобы им жить, ни в чем не нуждаясь. И ведь всех в Москву в институты отправили, и деньги им туда постоянно посылали. И тут!.. — Сидоркин неожиданно расхохотался.

— Ты чего? — удивился Крячко.

Вернувшаяся с подносом женщина быстро накрыла на стол и снова ушла.

— А вот за это надо выпить! — продолжал улыбаться старик.

— Да за что? — недоумевал Стас.

— Вот выпьем, и скажу! — загадочно пообещал Сидоркин. Они выпили, закусили, и Крячко, не выдержав, попросил:

— Ну, не томи!

— Мне уже почти пятьдесят было, Наташка немного моложе, и тут вдруг она приходит ко мне, растерянная, глаза с пятак, и говорит: «Илюшка! А ведь я беременная! Что делать будем?» Я так и сел! Что уж у нее до меня было, я никогда не спрашивал, но при мне на аборты она никогда не бегала, потому что дети — это святое, их Бог дает. Родившиеся, неродившиеся, а все равно они уже живые, и убивать их грех! Да их даже обижать нельзя. Остановились мы на трех парнях, и все, а уж что она там делала — это ее женские штучки. А тут, видать, решила, что уже можно ничего не бояться, вот и попалась! Ох, как она дочку хотела! В церковь ходила, Богородице молилась, чтобы девочку ей послала, а родился Мишка! Поскребыш наш! Как же она его баловала! С рук не спускала! Я уж с ней матерно лаялся — забалует ведь парня!

222

— Ну, младшие дети всегда самые любимые, — со знанием дела заметил Стас.

— А он у нас оказался единственным, — медленно произнес Сидоркин.

— Егорыч! Да понял я уже, что со старшими у вас беда приключилась, — сочувственно произнес Крячко. — Ты не рассказывай, если больно вспоминать!

— Да нет, полковник! Все уже отболело! — Старик налил себе рюмку и махом выпил. — Нет, они живы и здоровы, — и, подумав, добавил: — Наверное. Просто для нас они умерли. Все! Предали они нас! Сами-то мы в Москву не ездили, а вот они к нам постоянно наведывались за деньгами, за продуктами. А нам ведь для них, родных, разве чего жалко было? Берите! Для вас же живем!

Сидоркин уставился в окно и надолго замолчал, молчал и Крячко, боясь потревожить явно расстроившегося старика, но тот вдруг очнулся, выпил водки и неожиданно сказал:

— А ведь думал, что уже отболело. В общем, в тот день — до конца жизни его не забуду — я от совершенно посторонних людей узнал, что старший-то наш, оказывается, давно женился. А нас не то что на свадьбу не пригласил, а даже не сообщил об этом, да и с девушкой своей не знакомил. А дело было так: Наташка прихворнула, и врач сказал, что лекарство это можно только в Москве купить. Позвонил я старшему на ту квартиру, что он на мои деньги снимал, хотел попросить, чтобы он матери лекарство привез. А мне там голос чужой отвечает, что такой здесь уже давно не живет, потому что женился и перебрался к жене. Я сначала подумал, что номером ошибся, переспросил — нет, все верно. А ведь деньги-то у меня на квартиру он по-прежнему брал. Ну, тут я и попросил, чтобы мне его новый номер дали. А меня там допрашивать начали, кто, мол, я такой. Ну, я и ответил, что отец. Баба какая-то тут на меня как напустится: что вы мне голову морочите? Его родители давно умерли! У него, кроме братьев, никого нет! И трубку бросила.

— Погоди, Егорыч! Так ты что же, ему до этого никогда раньше не звонил? — удивился Стас.

223

— Нет, они сами всегда нас на переговоры вызывали — телефона у нас тогда не было, — тихо ответил старик. — Да и когда мне звонить, если я без выходных и проходных от зари до зари, как лошадь, пахал! Да и Наташка тоже не разгибалась!

— И что ж ты тогда сделал? — осторожно спросил Крячко.

— А ничего! Сам съездил в Москву за лекарством. Потом эти предатели нас пытались на переговоры вызывать, но и я не ходил, и Наташке запретил. Так они сами заявились. Все трое. И рожи такие невинные — волновались они за нас, видишь ли! Видно, та баба не передала старшему, что я звонил. Ну, я их и встретил в дверях! И сказал, что отныне за деньгами и продуктами пусть идут на то кладбище, где они нас при жизни похоронили, а вот они сами для нас умерли! Навсегда! Так эти сволочи еще и оправдываться начали, объясняли, что сноха моя, видите ли, дочь доктора каких-то там наук, из интеллигентной семьи, и как бы я смотрелся на свадьбе с моими-то замашками. Короче, выгнал я их!

— И они больше не приезжали?

— Как бы не так! — нервно рассмеялся Сидоркин. — Когда страна к черту в зубы валиться начала и все эти науки никому на хрен стали не нужны, они обо мне очень быстро вспомнили. Только получили они от ворот поворот, и я им ясно сказал, что кормушка закрылась! Тем более что Мишка уже подрастать стал, вот уж кто был мне тогда настоящей опорой.

— А он как с братьями? — поинтересовался Стас.

— Ко мне-то они в 1998-м примчались, а вот к нему через десять лет, когда кризис грянул, пожаловали. Встречаться со мной они, само собой, не стали — знали же, что я своего решения не изменю, а вот на него понадеялись, да зря! Они к нему: мы, мол, братья родные, так помоги, а он в ответ: какие же мы родные? Вы своих родителей давным-давно умершими объявили, а мои живы-здоровы. Так и отправил восвояси! И больше они здесь не показывались!

— Да-а-а! Я смотрю, он характером в тебя пошел! Кремень! — помотал головой Крячко.

— Просто он очень хорошо помнит, с чего я начинал и через что нам с ним вместе пройти пришлось, пока у нас и дом этот появился, и все остальное, — веско сказал старик.

— Так как же ты поднялся-то? — напомнил Крячко.

— А как при Горбачеве кооперативы и все прочее появились, купил я списанную ассенизаторскую машину и стал на себя работать. Объявления от руки писал и на столбах да остановках расклеивал. Только днем я на ней ездил, а ночью — она на мне.

— Рухлядь! — понятливо покивал Стас.

— А кто бы мне новую машину продал? — усмехнулся Сидоркин. — Да и денег на нее у меня тогда не было. Приедешь вечером, поешь, покемаришь с часок и лезешь ее чинить. А Мишка рядом. Помогает. Он в инструментах научился разбираться раньше, чем читать. Поднакопил я деньжат и вторую машину купил, ничем не лучше первой, а что делать? Человека на нее нанял — одного из тех, с кем раньше работал. Страна-то враздрызг пошла, контора наша уже и концы с концами не сводила.

— Не думаю, чтобы он сильно тебя любил, — заметил Крячко. — Раньше-то вы на равных были, а тут ты вдруг хозяином заделался.

— Так ведь люди — чего с них возьмешь? Мишка после школы меня по дороге перехватит, в кабине рядом устроится и сидит счастливый, что с папкой едет. Ну, русские бабы сердобольные: кто ему яблоко, кто помидор, кто пирожок, кто огурец даст, вот он и хрумкает по дороге.

— Рэкетиры не беспокоили?

— Куда же без них? Приходили: делись, мол. Ну, я шланг-то в руки взял и сказал, что сейчас выброс включу и поделюсь с ними от души. Сбежали — кому же хочется душ из дерьма принять? Со следующими разговор был уже посерьезнее. Нож-то у меня всегда в сапоге был, а то мало ли что на дороге случиться может? Достал я его тогда, предъявил и спросил: знают ли они, что я сидел и за что. А они в ответ ржать начали — когда, мол, это было! И объяснил я им тогда внятно, что

225

навыков старых не растерял, а девять лет тех лагерей сейчас на двадцать пять потянут. И школу я за то время там прошел такую, что им и не снилось! Так что попишу я их от души, они и моргнуть не успеют!

— Отстали? — поинтересовался Стас.

— Угу! Со временем, — ответил Сидоркин и, вытащив рубашку из брюк, показал свой живот.

— Ого! Два пулевых, одно ножевое! — присвистнул Крячко, увидев старые шрамы.

— И на спине еще имеются, — добавил старик. — Но это уже потом было. А тогда у меня вскорости тесть помер, я дом его продал и выкупил все, что в нашей конторе еще оставалось, а помещение в аренду взял. Стали мы машины там во дворе держать, а не по своим домам, ну, и дежурили по очереди, чтобы не сожгли их. И Мишка с нами.

— А что, пытались?

— И не раз! — кивнул Сидоркин. — А дракам я вообще счет потерял. Вот в одной из них Мишка и пострадал. Кинулся меня защищать, а его, как кутенка, мои же в сторону отшвырнули, чтобы под раздачу не попал. Да вот только упал он неудачно — руку сломал, а срослось что-то не так, вот она у него с тех пор в локте до конца и не разгибается.

— Ну, знаешь, Егорыч, для мужика это не самая большая беда, — успокоил его Стас. — Зато внуков-то он тебе сколько наплодил! Рано женился, наверное?

— Как только восемнадцать исполнилось — они с Надюшей в одном классе учились. Я, как услышал, на ком он жениться собрался, так и обомлел. Деньги у нас тогда уже водились, так что мог бы себе и получше девушку выбрать.

— Чем же тебе дочка мэра не понравилась? — удивился Крячко.

— Да мэром своего тестя уже Мишка сделал, а до этого он был обычный рядовой попихач! — отмахнулся Сидоркин. — Бумажки перекладывал с одного угла стола на другой.

— Тогда это, наверное, из-за ее ноги? — предположил Стас. — Ты извини, но я заметил, что у нее с ней что-то не так.

— Да, хроменькая она — в детстве с качелей упала, — объяснил старик. — А Мишка мне на все это так сказал: «Мне с женой по жизни не вальс танцевать! Мне верная жена нужна, которая не предаст, не продаст и налево не пойдет! Такая, как наша мама! Мне крепкий тыл нужен, чтобы не думать, где твоя жена хвостом крутит, а делом спокойно заниматься!» И возразить мне на это было нечего! Мы с Натальей тоже не по большой любви женились, а жизнь душа в душу прожили. Надюшка-то его без памяти любит, а он ее очень уважает. А уж как балует! За каждого ребенка что-нибудь с бриллиантом обязательно подарит. Каждый год, да не по разу, на море отправляет, и к нам, и за границу.

— Как же она там одна с такой оравой управляется?

— Так не одна же ездит, а с помощниками. Одно плохо — видит Мишка детей по большей части, когда они уже спят или еще спят. На нем же одном сейчас все хозяйство держится, а оно все больше и больше становится. Но зато когда уж они до него дорвутся, то облепят, как обезьяны пальму, и никакими силами не оторвешь — скучают! Он над ними — как наседка над цыплятами, но держит в строгости, у него не забалуешь!

— Слушай, Егорыч, времена сейчас вроде бы спокойные, а у тебя в доме такая охрана. Зачем?

— Ну, ты спросил, полковник! — хмыкнул старик. — Если бизнес, как часы, налажен и хороший стабильный доход приносит, то всегда найдутся люди, которые захотят прибрать его к рукам.

— Значит, вас до сих пор в покое не оставили, — покрутил головой Крячко. — Ну а с таджиками ты придумал или сын?

— Мишка! Старая моя гвардия, с которой мы дело начинали, теперь вроде меня по домам отсиживается да возле печек кости греет — это те, кто живы, а многих уже и нет. А кто ей на смену придет? Все же хотят, ничего не делая, деньги получать и в белых рубашечках за столами сидеть. А таджики — народ непьющий, потому что вера не позволяет, приезжают сюда без семей, то есть никто им нервы мотать не будет, а, главное, они зарабатывать приехали, чтобы своих родных там содержать! И пашут не хуже, чем я когда-то! За любую работу берутся, нос не воротят!

Тут на веранде появилась пожилая и очень полная женщина в халате. Постанывая и держась за обмотанную пуховым платком поясницу, она осторожно присела к столу и, кивнув на бутылку водки, укоризненно покачала головой:

— А ты не слишком увлекся, Илюша?

— Так мы же на двоих, — быстро сказал Крячко, хотя лично он выпил всего две рюмки.

— Тогда ладно. Ну, уложили мы всех! Насилу угомонили!

— Ты чего это, мать, за хребтину держишься? — укоризненно спросил Сидоркин. — Опять детей на руках тягала? Тебе же ясно сказали, чтобы тяжести не поднимала!

— Да натерла меня уже Надюша! К утру здоровая буду! — отмахнулась она.

— И опять пойдешь в огород вверх задницей торчать, — проворчал старик. — Что, в доме твоими кабачками больше заняться некому? Сидела бы и руководила!

— Брось, Илюша! Сам знаешь, я никогда в жизни без дела не сидела, так чего же теперь начинать? — Женщина осторожно поднялась и со словами: — Ну, не буду вам мешать, — ушла с веранды.

— Золотая у тебя жена, Егорыч! — искренне сказал, глядя ей вслед, Стас. — Теперь таких больше не делают!

— Сам знаю, — довольным голосом ответил Сидоркин.

— Ну, засиделся я у тебя, пора и честь знать! — начал прощаться Крячко. — Но уж больно беседа у нас с тобой душевная получилась!

— Тогда на посошок, — предложил хозяин.

Они выпили, закусили, Крячко уже поднимался, как вдруг помотал головой и вздохнул:

— Старею я, Егорыч! Совсем забыл тебя спросить...

— Садись обратно, спрашивай, — предложил Сидоркин.

— Ты тот дом... Точнее, сортир, где трупы нашли, помнишь?

228

— Тьфу на тебя! — обозлился Сидоркин. — Не напоминал бы ты мне о нем!

— А что с ним не так? — удивился Крячко.

— Понимаешь, после двухтысячного, когда в стране все устаканилось и определенность появилась, Мишка предложил землей заняться. Средства же всякие для сортиров появились, люди машины все реже вызывать стали, хотя некоторые все же химии боятся и рисковать не хотят. Я подумал и согласился. А что? Деньги свободные были, вот и решили попробовать. Тут ведь какое дело: людям теперь шесть соток уже мало, им простор подавай, чтобы и бассейн, и газон, и все остальное. А деньги на это нужны серьезные. Ну, я не про совсем крутых говорю, которые деньги не считают, а про тех, кто хочет все это иметь, но обойтись...

— Малой кровью, — подсказал Стас.

— Вот именно! — согласился Сидоркин. — Тут главное — с местом не прогадать. Если это садовое товарищество, то участки должны быть обязательно с краю, а если деревня, нужно предварительно выяснить, что соседи думают, собираются ли продавать или уезжать, а то можно вложиться и застрять, как мы с этим домом.

— Ну, первый блин всегда комом, — утешил его Крячко.

— Какой первый? — возмутился старик. — Да мы до этого уже несколько таких больших участков продали! Я же всех председателей, что в садовых товариществах, что по деревням, лично знаю, а они редко меняются. Они же ведь как заявки соберут, так машину и вызывают, чтобы она пришла и за один раз несколько ям очистила. Так что не с бухты-барахты мы участки покупали, а только когда были в успехе уверены, потому что самую точную информацию имели — деньги нам, знаешь ли, не с неба падают!

— Так как же вы с этим домом вляпались?

— Сейчас объясню. Вот смотри, — старик начал водить пальцем по столу, — это слева — тот самый дом, справа от него — Тамарка, а ближе к лесу — Алла! И все! Дальше уже пустошь, а потом лес.

— То есть получаются восемнадцать соток с самого края? А если, предположим, договориться с районной администрацией и прихватить часть пустоши, то и намного больше? — уточнил Стас.

— Вот именно! А вот отсюда до трассы всего пять километров, — продолжал чертить пальцем по столу старик.

— И проложить свою персональную дорогу, как нечего делать, — догадался Крячко.

— О чем и говорю! Трофимыча я лично знал — крепкий был хозяин, настоящий мужик, все на себе пер, вот и надорвался, а жена — так, цветочки разводила. Как только Трофимыч помер, мне председатель тут же позвонил, я со вдовой связался, стал интересоваться, не планирует ли она дачу продавать. Всю зиму она мне голову морочила, а сама, как я потом узнал, других покупателей туда возила хозяйство показывать. Только, видно, никто ей настоящую цену не предложил, вот она весной мне и продала!

— А ее соседки? — напомнил Стас.

— Из-за них-то все и встало! — зло произнес Сидоркин. — Обеим тогда уже под семьдесят было, одинокие, бездетные. Дружили они. По осени, как урожай соберут, начинают скулить, что сил у них больше нет, и все такое. Я им говорю: так продавайте! Они в один голос: мы подумаем! А по весне опять обе на участках торчат. Подъезжал я к ним и так, и эдак! Все без толку! Председатель их уговаривал!

— Не бескорыстно, я думаю, — заметил Стас.

— Так бесплатно только воробьи чирикают. Грех, правда, такое говорить, но как Тамарка инфаркт схватила, тут же поняла, что накрылась ее дачная жизнь медным тазом — а ну как ее там с сердцем прихватит? Кто чухнется? Даже если сама «Скорую» вызовет, когда она еще приедет? Раньше помрешь двадцать раз! Тут уж она мне сама позвонила и без звука участок свой продала, а Алке там одной тоже делать нечего стало. Вот так они наконец ко мне и попали! Ну а покупателя на эти три участка уже Мишка нашел, так что по всем остальным вопросам — это к нему.

— В деньгах-то хоть не прогадал?

— Так земля за это время только подорожала, — отмахнулся Сидоркин. — Но когда Алла с Тамаркой начали мне нервы мотать и время тянуть, я Мишке твердо сказал, что больше и сам на такую авантюру не пойду, и пусть он этот урок на будущее накрепко усвоит: нет у тебя стопроцентной уверенности в успехе — не суйся!

— Ну, слава богу, что все, в конце концов, обошлось. А ключи-то от дома и всего остального тебе вдова отдала?

— Естественно! Все на одной связке: от калитки, дома, сарая, сортира, дверцы и люка. Они так вместе с договором в сейфе и лежали все эти годы. Это уж когда рабочие там все разбирать начали, им их и отдали.

— Комплект ключей был один?

— А зачем мне больше? — удивился Егорыч. — Мне и этот-то был нужен только для того, чтобы потом двери не ломать, а нормально открыть. А что?

— Да понимаешь, замки на дверце в заборе и люке был сломаны, — объяснил Стас.

— Ну, тут я тебе ничем не помогу, — развел руками Сидоркин. — Лично я там последний раз был еще при жизни Трофимыча, причем в прошлом веке, когда у него деревянная будка стояла. Основательный-то он позже поставил, как мне мужики рассказали — я же потом только наряды подписывал. Мишка туда вообще только с покупателем ездил — я ему еще объяснял, как добраться. А что, если у вдовы тоже были комплекты ключей, и она, зная, что дом пустует, кому-то их на время давала, чтобы люди там пожили?.. — задумался старик и тут же решительно заявил: — Да нет! Председатель мне бы тут же позвонил! А зимой там сторож с собаками посторонних заметил бы! Да и дача летняя, печки нет, так что там только околеть можно от холода. В общем, так, полковник, что знал, я тебе все рассказал, а дальше уже твои полицейские дела, в которых я ни черта не понимаю!

Тепло попрощавшись со стариком и выпив последнюю рюмку на дорожку, Крячко поехал обратно в райуправление. Сидоркин произвел на него впечатление мощнейшее — просто мамонт какой-то, а не человек. За то, что хитрил с этим человеком, Стасу стыдно не было — работа такая, зато он теперь точно знал, как обстоят дела. Конечно, нужно будет еще поговорить с председателем садового товарищества, со сторожем, со вдовой Трофимыча, с Аллой и Тамарой, но интуиция подсказывала Крячко, что разногласия, может, и будут в отдельных деталях, но в целом рассказы совпадут.

А вот у Гурова дела обстояли не так хорошо. Михаила Ильича Сидоркина он принял в выделенном им со Стасом для работы кабинете, и ему сразу же не понравились два момента: во-первых, Михаил пришел в сапогах, спецовке, утепленной куртке и шапке, на которых (кроме сапог, конечно) была надпись «ООО «Чистота», а во-вторых, явился не один, а в сопровождении адвоката. Ну, за свой внешний вид он сразу же извинился, объяснив, что его вызвали прямо с работы, переодеться не успел, потому что заезжал в контору за документами, так что к этому придраться было нельзя. Но вот то, что он пришел с адвокатом, Гуров оставить без последствий не мог и заметил:

— Странно, Михаил Ильич, что вы пришли с такой мощной поддержкой. Или чувствуете себя в чем-то виноватым?

Но Сидоркин на этот демарш отреагировал совершенно спокойно:

— Господин полковник! Как я понял, вы меня сюда пригласили для того, чтобы я мог дать пояснения по поводу того, что было найдено на одном из садовых участков моими рабочими. Я привез договоры купли-продажи трех садовых участков с находящимися на них строениями моему отцу, а также договор на продажу объединенного участка третьему лицу. Юридическим сопровождением всех сделок занимается наш семейный адвокат, который сможет более квалифицированно, чем я, ответить на возникшие у вас вопросы. Или я ошибся, и вы пригласили меня сюда по другому поводу?

Гуров вынужден был проглотить эту произнесенную безукоризненно вежливым тоном отповедь, что любви ему к Сидоркину-младшему не прибавило.

— Нет, вы не ошиблись, меня действительно интересуют найденные тела, но никак не подробности юридического оформления документов. Так что господин адвокат может быть свободен.

— С вашего позволения, он останется, — тем же тоном произнес Михаил. — Мало ли какие вопросы могут возникнуть в процессе нашей беседы? Так что же вы хотели от меня узнать?

Лев не мог не отметить, что его противник, а рассматривал он сейчас Михаила именно в этом качестве, перехватил инициативу, но осаживать его не стал, а решил посмотреть, как он поведет себя дальше.

— Я прошу вас рассказать мне все о том случае, а также о доме, который был приобретен вашим отцом. Бывали ли вы там раньше, и если да, то с какой целью.

Сидоркин согласно кивнул и стал рассказывать. Ничего нового Гуров от него не услышал, а вот по поводу того, что Михаил там никогда раньше не был, он усомнился.

— Михаил Ильич, я вам не верю. Ну не может быть такого, чтобы за десять лет, что этот участок с дачей принадлежит вашему отцу, вы ни разу там не побывали.

— И тем не менее это так. Просто не возникало необходимости, а тратить время на бесцельные разъезды по району при моей занятости я не могу себе позволить. Кроме того, в собственности моего отца находится довольно много земельных участков и объектов недвижимости. Если бы стал их все объезжать, то времени на основную работу осталось бы очень мало, что негативно сказалось бы на бизнесе.

Сидоркин говорил все это спокойным, ровным голосом, а его очень светлые серо-голубые глаза на бесстрастном лице напоминали две льдинки. А вот Гуров едва сдерживался — этот бесстрастный человек-робот бесил его своей невозмутимостью и непробиваемой вежливостью.

— Почему же бесцельные? — вскинул брови Лев. — Может быть, у вас как раз была определенная цель для поездки на ту дачу?

— Господин полковник, — тут подключился адвокат. — Вы хотите предъявить Михаилу Ильичу какое-то конкретное обвинение или эти рассуждения вслух имеют целью оказание психологического давления на господина Сидоркина?

Гуров внимательно посмотрел на него — ничего особенного! Средних лет, одет прилично, но не дорого, особой ухоженностью не отличается. Так, обычная канцелярская крыса, а вот поставил же его на место одной фразой. Настроение у Гурова испортилось окончательно.

— Мы будем прорабатывать все версии, — не предвещавшим ничего хорошего тоном заявил он. — И со всеми побеседуем, в том числе и с рабочими, которые нашли останки. А переводчик для этого приедет завтра из Москвы, так что в услугах господина Сидоркина необходимости не будет.

— Я могу спросить, где вы собираетесь беседовать с рабочими? — поинтересовался Михаил.

— А почему это вас волнует? — насторожился Гуров.

— Если вы повезете их сюда, то у них пропадет рабочий день, что скажется на их заработке. Кроме того, я бы в этом случае направил туда для продолжения работы другую бригаду, а то вы ведь их и задержать можете — российская полиция такая непредсказуемая, — все тем же непробиваемо-спокойным тоном объяснил Михаил.

— Их привезут сюда, и я с ними побеседую. Если они ни в чем не виноваты, то никто их задерживать не собирается, — отрезал Гуров, чувствуя, что он, кажется, заигрался. Как показало будущее, он даже приблизительно не представлял себе насколько.

— Тогда не могли бы сказать, на чем их привезут? — продолжал любопытствовать Сидоркин.

— Полагаю, что в местной полиции для этого найдется машина. — Лев поднялся, давая понять, что разговор закончен.

Но вот Михаил и адвокат остались сидеть, показывая, что тема еще не исчерпана, и Гуров вынужден был снова сесть. Конечно, он мог бы жестко сказать: «Можете быть свободны!», но решил послушать, что эта парочка приготовила для него еще.

— Господин полковник! В местном управлении полиции всего три машины, — спокойно заговорил Михаил. — Это

«Волга» господина Косарева и два «уазика» для перевозки задержанных с зарешеченными стеклами. Даже если бы господин Косарев был так любезен и предоставил для поездки свою машину, то она по той дороге сейчас просто не прошла бы. И он об этом знает. Значит, это будет один из «уазиков». Скажите, пожалуйста, вы считаете возможным перевозить трех ни в чем не виновных людей, к тому же не знающих русского языка, таким способом? За ними приезжает полиция, их запихивают в машину и везут в неизвестном направлении, потому что они просто не поймут ни слова из того, что будет им сказано. Это же станет для них страшным потрясением. Причем совершенно незаслуженным!

— Пусть русский учат, — буркнул Лев, хотя и понял, что Сидоркин абсолютно прав, а вот он этот момент недодумал, но злился он за это, естественно, не на себя, а на Михаила.

— Они выучат, — заверил его Сидоркин. — Они все его выучивают. Но речь идет о том, как поступить сейчас.

— Я смотрю, вы очень трепетно относитесь к своим рабочим, — съехидничал Лев, и ему самому стало от этого стыдно.

— Я пригласил их сюда на работу, и они честно работают, а я взамен защищаю их и их интересы, и ничего противозаконного в своих действиях не вижу, — ровным голосом сказал Михаил.

— Хорошо, что вы предлагаете? — вынужден был спросить Гуров.

— Мы дожидаемся приезда из Москвы переводчика, после чего вместе с ним едем на моей машине на участок за рабочими. Я разговариваю с ними только по-русски, а он переводит — это на тот случай, если вы подозреваете меня в каких-то нехороших намерениях. Если возникнет необходимость, мы все вместе возвращаемся в Фомичевск, где вы с ними беседуете, но в присутствии моего адвоката. А это уже я страхуюсь на тот случай, если вы запугаете их настолько, что заставите возвести на меня поклеп. Как я понял, это входит в ваши планы.

— Что вы себе позволяете? — металлическим голосом произнес Гуров.

— Я просто вас очень внимательно слушал, — парировал Сидоркин. — У меня нет ни времени, ни возможности выяснять, как продвигается расследование, но сам факт того, что вы, едва приехав, уже начинаете выдвигать против меня обвинения, говорит сам за себя. — Он встал, а вслед за ним и адвокат. — Я не знаю, во сколько приедет переводчик из Москвы, но не думаю, что он доберется сюда раньше девяти часов утра. Так вот, в это время я уже буду здесь. Если же вы опасаетесь того, что я ночью отправлюсь к рабочим, чтобы дать им какие-то инструкции, можете поставить возле моего дома полицейский пост. Всего доброго.

Они вышли, а Гуров остался сидеть — его просто трясло от бешенства. Налив себе полный стакан воды из графина, он залпом его выпил и пошел к Косареву, где сидели также прокурор со «следаком».

— Нет, ну каков наглец! — сказал он, входя в кабинет. — Ведется себя так, словно он принц крови! Невозмутим, как айсберг! Аж холодом от него тянет! И адвокат ему под стать!

— Я так понял, Лев Иванович, что вы с ним поцапались? — осторожно спросил Андрей Федорович.

— Да скорее с бетонной плитой можно поцапаться, чем с ним! — буркнул Лев. — Интересно, он всегда такой спокойный или какие-то человеческие эмоции ему все же присущи?

— Если бы при той жизни, что он прожил, Михаил Ильич еще свои эмоции направо и налево расплескивал, то уже давно был бы в психушке. А он, как вы видите, солидным бизнесом руководит! — заметил прокурор и поднялся: — Пошли, Леша!

Он и «следак» вышли, а Лев повернулся к Косареву и удивленно проговорил:

— Андрей Федорович! А ведь они испугались!

— Просто они здесь живут всю жизнь и знают истинный расклад сил в районе, а вы здесь первый день и сразу же пошли в атаку с пластмассовой саблей на танки, — объяснил майор.

— Неаполитанская каморра курирует мусорный бизнес у себя, а у вас здесь на роль местного крестного отца Сидоркин-старший определен? — язвительно спросил Лев.

— Не стоит иронизировать, Лев Иванович. Илья Егорович очень уважаемый в нашем и не только нашем районе человек. Был у нас здесь директор детского дома из бывших военных, орденоносец и все прочее, так вот он позволил себе очень неуважительно высказаться в адрес Ильи Егоровича, и только! А чем это для него закончилось? Нет, его никто не избивал, не угрожал его семье, но, в конце концов, он был вынужден отсюда уехать, — сказал Косарев и тут же сменил тему: — Мы для вас и Крячко номер в гостинице заказали. Предупреждаю сразу, что она так себе! Что вы хотите? Старый купеческий особняк: удобства в коридоре, душ на первом этаже, но буфет имеется. Вы уж там переночуйте, а я пока подумаю, к кому вас на постой определить.

— Знаете, если вы хотели меня запугать, то у вас это не получилось — я за свою жизнь всякого насмотрелся, — неприязненно заявил Гуров. — Судя по всему, мы с Крячко у вас тут надолго завязнем, так нам вещи кое-какие нужно из дома забрать. Когда ваш сотрудник черепа в Москву повезет?

— Завтра рано утром, а что?

— Пусть заедет на Петровку — сумки будут на проходной у дежурного стоять, — попросил Лев.

— Хорошо, я ему скажу, — кивнул Косарев. — Вас проводить до гостиницы или вы сами найдете?

— Сам найду, только объясните, где она, — неприязненно ответил Лев — в его глазах авторитет этого майора, испугавшегося какого-то помоечного короля, упал значительно ниже уровня канализации.

Гостиница оказалась рядом, двухместный номер выглядел таким обшарпанным, что Гуров, подумав, что им со Стасом предоставили самый лучший, ужаснулся — каковы же тогда остальные? Прошедший день приятных воспоминаний о себе не оставил, а необходимость ходить завтра в несвежей рубашке тоже не радовала. Узнав, что буфет работает до одиннадцати, Лев решил подождать Стаса, чтобы вместе поужинать, а заодно и новостями обменяться — уж Крячко-то его поймет! Он — не здешние пугливые мыши, которые даже имени кота боятся! А пока Лев позвонил жене и, объяснив, что застрял в области на неопределенное время, попросил собрать сумку и утром отвезти ее на Петровку к дежурному. Появившийся Стас с порога всплеснул руками и воскликнул:

— Лева! Тебя, как ребенка, даже на пять минут нельзя одного оставлять! Что ты здесь уже успел натворить? На Андрее аж лица нет!

— Просто пообщался с Сидоркиным-младшим, — буркнул Гуров.

— В свойственной тебе манере, — удрученно воздохнул Крячко. — Лева! Для тебя нажить врага проще, чем другому человеку плюнуть! Что вы с ним не поделили?

— Явился с адвокатом, весь из себя до того вежливый и корректный, что от него, как из морозильника, холодом тянет. А уж гонору! — раздраженно рассказывал Гуров. — Над таджиками своими трясется, словно они ему родные — не дай бог, кто-нибудь обидит! И при всем при этом вел себя так, словно он хозяин положения, а я — погулять просто вышел! Интересно, папаша у него такой же?

Лев повернулся к Крячко и увидел, что тот смотрит на него грустными глазами и, самое странное, ничего при этом не изображая. Наконец Стас ответил, используя любимые выражения самого Гурова:

— Что выросло, то выросло! Будем терпеть! А Егорыч — классный мужик! Глыба! С самого низа наверх поднялся, и пережить ему при этом пришлось столько, что другому на три жизни хватило бы. И сын у него из того же теста замешан — тоже хлебнул горячего до слез. Я тебе свое мнение не навязываю — сам мальчик большенький, но ты не прав.

Не ожидавший такого, Гуров даже несколько растерялся, хотя виду и не подал, а предложил:

— Пошли поужинаем, пока буфет не закрылся. И жене позвони, чтобы сумку собрала и завтра утром на проходную отвезла — здешний сотрудник на обратном пути заберет.

— Уже — меня Андрей предупредил, — раздеваясь, сказал Стас. — А ужинать я не буду — у Сидоркиных поел.

Это был уже откровенный афронт. Выходя из номера, Лев повернулся к лежавшему лицом к стене Крячко и язвительно произнес:

— Между прочим, эта твоя глыба выжила из города директора детского дома, бывшего военного и орденоносца! Тот, видите ли, что-то нелестное в ее адрес сказал!

— Сходим, поговорим, разберемся, — пообещал, не поворачиваясь, Стас. — Когда вернешься, не шуми, пожалуйста.

Окончательно разозленный Лев вышел, а Крячко лежал и думал, что Лева становится совершенно невыносимым и чем дальше, тем больше неуправляемым. Но откуда в нем вдруг появилась эта злость? На них с Петром он пока не срывается, но, судя по всему, это дело времени. Нет, ангелом он и раньше не был, но хоть мог держать себя в руках, а сейчас начал на людей бросаться. Он, конечно, сыщик от бога, но кто сказал, что даже таким все позволено? И, горестно вздохнув, Крячко уснул.

Вернувшийся из буфета Гуров сразу понял, что Стас действительно спит, а не притворяется. Он тихонько разделся и лег — кровать тут же предательски взвизгнула всеми своими старыми пружинами, и он замер, но Крячко продолжал спокойно сопеть, и Лев расслабился. Еда в буфете оказалась такой дрянной, что автоматически обеспечивала ему изжогу, так что нужно было срочно что-то придумать с готовкой, хоть те же обеды быстрого приготовления купить, потому что, судя по сегодняшнему разговору с Косаревым, на постой его в этом городе никто не возьмет.

Пробуждение было безрадостным. Погода испортилась, и накрапывал противный мелкий дождичек, туалет на этаже был до того обшарпанным, что заходить противно, а из лейки душа вода текла еле теплая и такой тонкой струйкой, что приходилось постоянно подлаживаться под нее то одним боком, то другим. К тому же завтрак в буфете ничем не отличался от ужина. Все это, естественно, ни бодрости духа придать, ни рабочего настроения создать Гурову не могло. А вот Крячко отнесся ко всему этому как к само собой разумеющемуся, и хотя, как обычно, не балагурил, но и недовольства не выказывал.

Направляясь к райуправлению полиции, они еще издалека увидели, что рядом с ним стояли машины: кунг, «Ниссан» с московскими номерами, на котором, скорее всего, приехал переводчик, потрепанный четырехдверный джип с кузовом — явно рабочая лошадка Сидоркина-младшего, четырехдверная «Нива», а вот пятая... Пятая была с дипномерами.

— Кажется, именно это в народе называется трындец, — тихо произнес Крячко и, остановившись, повернулся к Гурову: — Лева, ты большой мастер рубить дрова. Причем так, что во все стороны летят не только щепки, но и поленья. И тебе уже давно глубоко плевать на то, что одно из них может кого-то очень чувствительно по маковке приложить. Я не знаю, что ты вчера натворил, но вот за это, — он глазами показал на машину с дипномерами, — отымеют в самой извращенной форме всех по нисходящей, а крайним будет Орлов. Ты бы его лучше просто пристрелил, чтобы не мучился. Гуманнее было бы!

Крячко пошел к машинам, а Гуров задержался, пытаясь сообразить, как поступить. То, что Косарев прогнется под Сидоркина, у него сомнений не вызывало, но присутствие представителя консульства или посольства на допросе иностранца согласовывается через МИД, а это значит, что у Михаила и там все схвачено. Да, кажется, он подставил не только себя, но и Петра по полной программе. Но отступать было поздно, и он решительно направился к машинам. А там Крячко, включив на полную мощь свое обаяние, уже пытался хоть как-то спасти ситуацию.

— Михаил Ильич, а ведь я вчера у вас дома был. С батюшкой вашим познакомился. Впечатление неизгладимое — мощнейший старик! Да его и стариком-то не назовешь! Любому молодому сто очков форы даст и обгонит! Матушка ваша, хоть я с ней и не разговаривал, но сразу ясно, что душевнейший человек! Ну а дети — просто восторг!

— Спасибо на добром слове, — спокойно отреагировал на этот всплеск эмоций Сидоркин. — Вы папе тоже понравились.

240

— А вот теперь я вам спасибо скажу, — очень серьезно заявил Стас. — Похвала такого человека, как он, дорогого стоит!

Гуров же, решив, что семь бед — один ответ, так благожелательно настроен не был и, подойдя, предложил:

— Ну, что? Выдвигаемся?

— Да! — сказал Михаил. — Надеюсь, вы не будете против, если при проведении вами следственных действий будет присутствовать представитель посольства Республики Таджикистан? — и сделал легкий поклон в сторону стоявшего рядом с ним хорошо одетого смуглого темноглазого мужчины. — С МИДом все согласовано.

— Я знаю законы и правила их применения, — сухо ответил Лев. — Но я не понимаю, почему такой, казалось бы, рядовой случай вызвал столь пристальный интерес посольства.

И услышал произнесенный на чистейшем русском языке ответ:

— К сожалению, не все люди в нашей стране могут найти достойную работу, чтобы содержать свои семьи. Они вынуждены уезжать на заработки за границу, в том числе и в Россию. Но большинство из них делает это нелегально, из-за чего их жизнь здесь складывается непросто. Тем больше мы ценим людей, которые официально приглашают на работу моих соотечественников, обеспечивая их не только жильем и работой, но и защитой. Мы давно сотрудничаем с господином Сидоркиным, убедились в его безукоризненной честности, и до вчерашнего дня ни у кого никогда не было ни малейшего повода усомниться в законопослушности как господина Сидоркина, так и работающих на его предприятии моих соотечественников. Вы стали первым. Мы очень дорожим сотрудничеством с господином Сидоркиным, которое планируем развивать и в дальнейшем, и нам стало очень интересно узнать, что же могло послужить причиной столь пристального интереса, — с нажимом произнес он, — правоохранительных органов к ООО «Чистота» и его сотрудникам как российского, так и иностранного гражданства. Мой ответ вас удовлетворил?

— Вполне, — кивнул Гуров, поняв, что урожай шишек будет богатейшим, как бы с головой не завалило.

— Тогда я предлагаю следующее, — начал Михаил. — В моем джипе поеду я, представитель посольства, переводчик и мой адвокат. Вы, господин Гуров, — на «Ниве», а поскольку дороги вы не знаете, то машину поведет мой охранник. Ну а кунг предназначен для рабочих. Возражений нет?

— А я тоже с вами поеду, — предложил Крячко. — Со сторожем-то никто толком не говорил! Пока вы будете своими делами заниматься, я с ним и побеседую, чего время терять?

Все согласились, расселись по машинам и поехали. Неизвестно, о чем шла речь в джипе, а вот в «Ниве» царило гробовое молчание. Крячко судорожно искал выход из положения, чтобы как-то выгородить Орлова. Гуров же, понимая, что не просто заигрался, а по-крупному зарвался, занимался самобичеванием, и спасти его могло только одно — очень быстро найти преступников, а в том, что их будет несколько, он не сомневался — одному человеку совершить такое было бы не под силу.

Увидев такую кавалькаду, сторож даже несколько растерялся, но шлагбаум поднял. Воспользовавшись остановкой, Стас вышел из машины, а остальные поехали дальше. Подойдя к сторожу, Крячко предъявил удостоверение и предложил:

— Поговорить бы нам, отец!

— Ну, пойдем в мой вагончик, сынок! Не лето еще! — рассмеялся сторож. — Только я ведь, пожалуй, ненамного тебя старше.

— Брось! — удивился Стас. — Борода-то совсем седая!

— Так она зимой очень хорошо греет, вот и отпускаю, а по весне сбрею, — объяснил тот.

Они вошли в вагончик, и, пока сторож, как он выразился, взбадривал чай, Крячко огляделся. В этом, казалось бы, небольшом помещении было все необходимое: диван, над которым на старомодном плюшевом ковре висела двустволка, холодильник, с телевизором на нем, печка-буржуйка, столик, а над ним полка с посудой, шкаф, служивший, вероятно, для всего сразу, а в углу валялся старый матрац.

— Для собак, — мельком глянув на Крячко, объяснил сторож. — Так-то у них будка снаружи стоит, а уж если совсем мороз, я их внутрь запускаю.

— Чего ж ты себе другую работу не нашел? — удивился Стас.

— Была работа, — вздохнул тот. — Только жену мою она раньше срока на тот свет забрала, а меня инвалидом сделала.

— Вредное производство, — догадался Крячко.

— Оно самое. Мы с ней оба с деревни, думали, там и денег побольше платят, и на пенсию пораньше выйдем. Вернемся с ней в деревню, домик купим и заживем на славу. А получилось так, что до пенсии она не дожила, а я вот до инвалидной докатился. Квартиру двухкомнатную, что мы от завода получили, я дочке оставил — она мужа привела, двое детишек у них, а тут я со своими болячками. В деревню ехать? Ну какой из меня сейчас работник? Вот и дал я объявление, что ищу работу сторожа при дачном кооперативе. Так здесь и оказался!

— Знаешь, а на инвалида ты не похож, — возразил Стас.

— Да как врачи на меня рукой махнули, понял я, что самому спасаться надо. Накупил книжек умных про травы, стал их собирать — лес-то тут недалеко, заваривал, пил, вот и дотелепал до своих лет.

— И давно ты здесь? — поинтересовался Стас.

— Да уж скоро пятнадцать лет будет.

— Летом тут, конечно, раздолье, а зимой? — Крячко прихлебнул душистый чай и спросил: — На травах небось?

— Без них не живу, — подтвердил сторож. — А что зимой? Снег-то сейчас поздно ложится, так я на своей развалюшке до станции доехать могу — магазинчик там есть, сберкасса, чтобы пенсию снять, аптека опять же. Запасусь всем, чем надо, и живу припеваючи, сам себе хозяин — тут же с конца октября до апреля ни живой души. Телевизор есть, радио — тоже. Телефон, чтобы с дочкой поговорить, под рукой.

— А если вдруг потребуется чего?

— А лыжи на что? — удивился сторож. — Встал да пошел.

— Да-а-а, завидую я тебе, — вздохнул Стас. — Сам бы с удовольствием перебрался в деревню — домик у меня там, и жил бы на свежем воздухе, да служба не позволяет. А теперь давай по делу, меня на обратном пути забрать должны, не хотелось

243

бы их задерживать. О том, что здесь в выгребной яме у Трофи-мыча нашли, знаешь?

— А то! — воскликнул сторож. — Тут и Ильич приезжал, и полиции потом полно было. Так я им рассказал, что как осе-нью Трофимыч яму почистил, так больше туалетом никто и не пользовался. Вдова его всю зиму, правда, сюда с покупателями шастала, но не думаю, чтобы кто-то из них захотел себе задни-цу морозить. А по весне председатель мне сказал, что продала она таки дачу Егорычу, как он и хотел!

— А он сюда приезжал?

— А то! Он же столько лет сюда на своей машине ездил!

— Нет, после того, как купил, — пояснил Стас.

— А чего он тут не видал? — удивился сторож. — Он тут и так все и всех наперечет знает. Да и не мальчик он уже был, чтобы в такую даль трястись! В городе все оформили.

— Так, может, сын его приезжал?

— А Ильичу-то что тут делать? Он ведь жить здесь не соби-рался. Председатель мне сказал, что они это... — сторож по-щелкал пальцами. — Во! Вложение денег! Он тут с покупате-лем появился, чтобы не соврать, с месяц назад — я же им шлагбаум поднимал.

— А другой дороги сюда нет?

— Теперь нет. Уже лет пять как. Вру! — поправился сто-рож. — Побольше даже. Как новые русские себе коттеджный поселок вон там, — показал он рукой куда-то налево, — стро-ить начали, так ту дорогу и перекрыли! Да, откровенно говоря, ей и не пользовался почти никто, так что шуму не было. Сам посуди, чтобы по той дороге сюда попасть, надо крюк киломе-тров в десять делать. Да и сама она слова доброго не стоила: колдобина на колдобине, на легковушке — хрен проедешь! А уж петляла, как пьяная!

— Погоди! — остановил его Крячко. — Получается, она упиралась как раз в те три дачи, что Егорыч купил? — Сторож согласно кивнул. — А он мне говорил, что новый хозяин со-бирается новую дорогу прямо до трассы проложить.

— Ну, если средства позволяют, чего ж не проложить. Толь-ко старая-то напрямки была, а эта новая, если от Тамаркиного

244

участка вести, аккурат налево пойдет. Да там недалеко, километров пять или шесть. Повырубать деревья, конечно, придется, но в том месте редколесье, сам-то лес дальше начинается.

— А когда Трофимыч кирпичный туалет поставил?

— Дай подумать. — Сторож помолчал, а потом сказал: — По весне 2001-го! Я помню, скандал еще большой был, когда сюда все эти железобетонные штуки привезли. Яму-то он сам копал и дно сам бетонировал — прижимистый был мужик, из себя жилы рвал, нет, чтобы кого-нибудь нанять. А вот как кольца с плитой привезли, да еще и кран пригнали, чтобы все это опустить, тут-то крик и поднялся — дорогу-то поуродовали, да и кран, как разворачивался, ветки с деревьев посшибал. А Трофимычу все как с гуся вода.

— Так, более-менее я все понял, а теперь давай обобщим. Я буду говорить, а ты перебивай меня только в том случае, если я ошибусь, — предложил Стас, и сторож кивнул. — Значит, с конца октября по апрель здесь никто не бывает. Вагончик твой стоит с этой стороны, а с той, где бывшая дорога в поселок вела, никого и ничего нет, потому что той дорогой практически не пользовались. Перекрыли эту дорогу шесть лет назад. А теперь скажи мне, если бы в безлюдный период, когда здесь только ты один, по той старой дороге, когда она еще существовала, в поселок машина въехала, ты бы услышал?

Сторож тяжко задумался, а потом помотал головой:

— Мог не услышать, особенно если телевизор работал. Тут ведь вот какое дело. Не ездит же в это время никто. Трофимыча вдова, когда покупателей сюда возила, меня всегда по сотовому предупреждала, что приедет, чтобы я на месте был, а то ведь мог и на охоту уйти — тут зайцев много, и лисы попадаются. Да и в конце или начале сезона, когда сюда мало кто ездит, меня всегда по телефону предупреждают.

— А ты поселок часто обходишь?

— Это ты к тому, что я мог следы машины заметить? Честно тебе скажу: практически не обхожу. Вот посуди сам. К нам кроме как по этой дороге не добраться. От станции электрички сюда в сезон, то есть с начала мая и где-то до середины октября, ходят и автобус два раза в день, утром и вечером, а в остальное время — только пехом, а это четыре километра. Через лес? Поверь мне на слово, потому что я его уже весь вдоль и поперек исходил, на машине там не проехать, да и не занимался им уже давно никто толком, так что бурелома навалом, пройти сложно. Деревень поблизости нет, то есть местные по домам не шарят. По первости случались бомжи, так я зарядил двустволку солью и так их шуганул, что больше про них и не слышал никто. Спрашивается, чего ноги бить?

— Значит, у нас остается только та старая дорога, по которой все-таки хоть и с трудом, но можно было проехать, — подытожил Стас. — Ты сказал, ее шесть лет назад перекрыли?

— Ну, раз у нас пошел такой разговор, то я тебе сейчас точно скажу. — Сторож уставился в стену, стал что-то прикидывать в уме, загибая пальцы, а потом уверенно заявил: — Это было весной 2006-го! Только-только снег сошел. Они туда стройматериалы завезли, все это огородили, чтобы не растащили, вот тогда-то дорогу и перекрыли.

Крячко, который уже начал волноваться, потому что, по его прикидкам, машины должны были уже давно вернуться, поднялся.

— Ну, спасибо, брат! Выручил ты меня! Теперь подскажи, где эти чертовы участки находятся — пойду посмотрю, как там дела обстоят.

Сторож вышел вместе с ним из вагончика и показал, куда надо идти, но Стас и шагу сделать не успел, как на дороге показались машины: первым шел джип, за ним — «Нива», а замыкал колонну кунг. Сев в притормозившую «Ниву», Крячко, едва взглянув в лицо Гурова, сразу же понял, что в целях собственной безопасности ему лучше молчать, пока Лева не придет в себя — лицо Гурова было белой каменной маской, даже желваки не играли, он даже не моргал, уставившись куда-то вперед. Стас сидел тихонько, как мышка, и смотрел в окно, а в голове у Льва тем временем вставали картины только что пережитого им позора.

Когда машины только-только подъехали к этим чертовым участкам, трое таджиков тут же подбежали и преданно уставились на Сидоркина в ожидании указаний. Когда тот заговорил по-русски, они в первый момент растерялись, но тут подключился переводчик, и дело пошло как по маслу.

— Доброе утро, — начал Михаил. — Я буду говорить по-русски, чтобы меня понимали не только вы, но и остальные. Вы все знаете, что здесь нашли. Вот этот господин из полиции, — показал он на Гурова, — будет задавать вам об этом вопросы, а вы должны будете на них правдиво отвечать. Ваши ответы будет переводить на русский язык вот этот человек, — повернулся он к переводчику. — Чтобы вас никто не обидел, на допросе будет присутствовать представитель вашего посольства в России. — Тут Сидоркин чуть поклонился в сторону дипломата, а вот таджики сначала обалдели от его слов, но, быстро оправившись, начали кланяться тому, как заведенные. — А вот этот господин — мой адвокат. Он также будет присутствовать на допросе и проследит за тем, чтобы господин из полиции не заставил вас наговорить обо мне много плохого. Вы меня поняли?

Работяги кивнули ему, а потом, как один, повернулись к Гурову, и их глаза горели такой лютой, испепеляющей, неистовой ненавистью, что даже много чего повидавшему на свете Льву стало не по себе.

— Сейчас вы трое сядете в машину, — показал на кунг Сидоркин, — и мы поедем в Фомичевск. Там в районном управлении полиции вас допросят. Потом вы должны будете подписать протокол, составленный на таджикском языке. Ясно?

Работяги согласно закивали головами, но вид при этом у них был настолько испуганный, что Гурову стало стыдно, у него даже уши заполыхали. Он вспомнил, как мужики из Новоленска бросились спасать своих китайцев, как губернатор крыл их последними словами за то, что они не смогли обеспечить безопасность людей, вручивших им свои судьбы, вспомнил и самих китайцев, несчастных, измученных и насмерть перепуганных, когда он и остальные освободили их из рабства. «Господи! — мысленно взвыл он. — Да в какую же сволочь я превратился! Когда? Как? Чем я лучше тех бандитов, которые держали китайцев в рабстве?» И, прекрасно отдавая себе отчет о всех возможных последствиях, заявил:

247

— Не надо никуда ехать! Я вполне могу побеседовать с вашими рабочими на месте. А протокол будет составлен только в том случае, если в этом возникнет необходимость, то есть будут выявлены ранее неизвестные факты.

Никто из присутствующих ему на это ничего не сказал, а ведь могли бы! Кто-то мог фыркнуть: зачем же мы вообще в такую даль перлись? Дипломат мог сказать, что считает подобное поведение Льва настоящим издевательством над ним. Да и переводчик не смолчал бы, а уж адвокат не преминул бы высказаться по полной программе. Но все молчали, только вот легче Гурову от этого не стало. Он взял себя в руки и стал задавать ясные, четкие вопросы по существу. Ответы же ничем не отличались от того, что он уже знал.

Да, этих троих привезли сюда, чтобы они разобрали все строения на трех участках, спилили и выкорчевали деревья. Они пошли от леса, где стояла их бытовка, то есть начали с самой легкой работы и уже закончили ее, остались только этот кирпичный дом и туалет. Да, у них была связка ключей, вот она, но в дом они даже еще не заходили, да и остальными ключами не пользовались, а отперли только туалет. Да, увидев останки, один из них позвонил хозяину, и тот приказал ничего не трогать до его приезда, а когда приехал и увидел, что все правда, вызвал полицию. А потом полицейские предложили им за деньги спуститься в яму, чтобы достать оттуда останки. И они все сделали. Полицейские уехали, а они стали работать дальше, вот, туалет уже разобрали, а плиту не трогали, потому что тяжелая очень, но хозяин обещал прислать специальную машину, которая все это уберет, а пока они начали дом разбирать и уже крышу сняли.

— У меня все, — сказал Лев. — Никакого протокола составлять не будем.

— Значит, мы можем возвращаться в Фомичевск? — уточнил Сидоркин.

Сил на то, чтобы разговаривать с ним, у Гурова уже не осталось, и он просто кивнул.

— Тогда прошу всех занять места в машинах, — предложил Михаил.

Тут к нему бросился самый молодой из таджиков и начал что-то быстро говорить. Лев пулей метнулся к переводчику и жестко потребовал:

— Что он сказал?

— Вы уверены, что хотите это услышать? — поинтересовался тот.

— Мне это необходимо! Ну! — прикрикнул на него Лев.

Переводчик пожал плечами и сказал:

— Перевожу дословно: «Хозяин! Это очень плохой человек, потому что несчастный. Но он сам в этом виноват и знает об этом. Поэтому он весь мир ненавидит и всех людей. Остерегайтесь его, хозяин». Вы довольны?

— Всегда интересно знать мнение стороннего человека о себе, даже если оно неверное, — сквозь зубы процедил Лев.

Он направился к машине, но по дороге его остановил дипломат:

— Господин полковник! Как я теперь понимаю, ваш вчерашний демарш был вызван единственно желанием как-то потешить свое ущемленное самолюбие. А вы предварительно просчитали последствия столь опрометчивого шага как для себя, так и для остальных?

— Послушайте! Вам нужны мои официальные извинения? Я готов их принести и в устной, и в письменной форме, — из последних сил выдавил из себя Гуров.

— Вы не являетесь лицом, уполномоченным на такие действия, — отрезал тот.

— Хорошо! Делайте что хотите, — устало проговорил Лев. — Прошу только об одном: никого больше не трогайте! Это была моя личная инициатива! Я один во всем виноват, а значит, один и должен отвечать! Мое руководство ни о чем не знало, я ему ни о чем не докладывал, так что хоть его-то не мордуйте! А я могу и в отставку уйти, потому что выслуги — выше крыши! А уволят по статье, так я все равно не пропаду — частным сыском займусь!

Тут он поднял глаза на дипломата и увидел на лице того не торжествующую ухмылку, а сочувствие.

— А ты, Гуров, здорово постарел! Вон уже и голова вся седая! Нервишки пошаливают, память подводит. А вот характер как был дерьмовый, так и остался.

От неожиданности Лев уставился на него и тут, словно стерев влажной губкой с его лица морщины, увидел другого человека.

— Сейчас-сейчас! — напрягся он, судорожно роясь в памяти. — Дело о нападении на инкассаторов... 1986 год... Джафар... Джафар... Сейчас! Фамилия у тебя еще такая длинная... Мусангалиев! Ты тогда старшим лейтенантом был!

— Все правильно, Гуров! — кивнул тот.

— Так что ж ты сразу не сказал? — возмутился Лев.

— Хотел посмотреть, каким ты стал, — просто объяснил Джафар.

— Ну и каким? — спросил Гуров, но дипломат в ответ просто пожал плечами — впрочем, развернутого ответа и не требовалось, Лев и сам знал, во что превратился. — Слушай, Джафар! — просительно сказал он. — Я не знаю, какое положение ты занимаешь в посольстве, но очень тебя прошу! Хрен с ним, со мной, что заслужил, то получу! Главное, чтобы Орлова не трогали! Он-то ни с какой стороны ни в чем не виноват!

— Сделаю что смогу, но на многое не надейся — если машина уже закрутилась, ее не остановишь. Но какого черта ты вообще эту волну погнал?! — яростно прошептал Джафар.

— Так ты же сам сказал, что у меня характер дерьмовый, — криво усмехнулся Гуров и пошел к «Ниве».

Теперь Лев ехал в Фомичевск и по дороге переживал все перипетии этого, еще далеко не закончившегося дня. Нужно было позвонить Орлову, но он никак не мог себя заставить, поэтому нагло врал самому себе, что, раз нет результата, нечего и начальство беспокоить, хотя на самом деле просто боялся. Сейчас-то, когда все осталось позади, он мог признаться себе, что взъелся на Михаила именно из-за его непробиваемого спокойствия и хладнокровия, хотя, по сути, тот ничем не отличался от новоленских мужиков. Но те были ближе по возрасту, попроще и поэтому понятнее, а Сидоркин, видимо, чтобы соответствовать занимаемому им очень значительному для района положению, решил для солидности избрать себе именно такую манеру поведения. Умом Лев понимал, что нужно было бы перед ним извиниться, но разве он мог себя пересилить?

Когда машины остановились перед райуправлением, Джафар, словно и не было у него со Львом никакого разговора, сухо со всеми попрощался и уехал, следом за ним тронулся и автомобиль переводчика. Только сейчас сообразив, что его услуги придется оплачивать из скудного бюджета районной полиции, Гуров решил, что он сам заплатит. Раз заварил всю эту кашу. Сидоркин и адвокат, корректно откланявшись, уехали на джипе. Лев повернулся к Стасу, но не успел и слова сказать, как тот заявил:

— А схожу-ка я в детдом, узнаю, что это за история такая была. Кстати, временные рамки резко сузились: потерпевших туда подбросили самое позднее — зимой 2006-го, потому что весной, как только снег сошел, вторая, но очень плохая дорога, которая вела к дачам, была закрыта в связи со строительством коттеджного поселка. А мимо сторожа никто незнакомый проехать не может. Я пошел.

Гуров, поняв, что Крячко, видевший его состояние, просто не хочет маячить у него перед глазами, только махнул рукой, а того уже и след простыл. Лев пошел к Косареву и, предвосхищая все вопросы, сказал:

— Показания свидетелей ничего нового не дали. Теперь вот что, вам переводчик счет за работу выставил?

— Михаил Ильич его уже оплатил, — успокоил его майор. — О вашем переезде...

— Не надо, — поморщился Лев. — Я уже понял, что прошла команда и никто в этом городе нам комнату не сдаст. Нет, Стас, если хочет, может съезжать, а я в гостинице поживу. Меня интересуют заявления о пропавших за период с осени 2003-го до весны 2006 года. Что-то уже нашли?

До неприличия обрадовавшись, что Гуров сам закрыл вопрос с переездом, Андрей Федорович показал ему на стопку дел:

— Вот, пока только это, но и участковые, и в райотделах вовсю работают, так что к вечеру еще привезут. А вещи ваши вот, — показал он на сумки.

— Попозже заберу, — пообещал Лев и, взглянув на стопку, не выдержал и воскликнул: — Да черт побери! Я вам что, проверяющий, что ли? Вы думаете, я не знаю, как такие заявления у вас хранятся? Да в одной кипе лежат! А тут вдруг на каждое заявление разыскное дело завели! Только заявления давние, а папки новые! Хоть бы их пожалели! В общем, скажите своим, чтобы не выпендривались, а тащили все как есть!

Он вышел, а Косарев, чертыхнувшись от души на то, что его балбесов жизнь ничему не научила, да и сам он лопухнулся, позвонил подчиненным и сказал, чтобы действительно не выделывались, а несли все что накопилось, и поскорее.

Пока Лев разбирался с делами, Крячко уже нашел не только детдом, но и очень говорливую собеседницу-старушку, которая всю жизнь проработала там кастеляншей. Такой источник информации, который собирает все сплетни со времен незапамятных, был воистину бесценным.

— Бывший директор-то? С орденами? — переспросила старушка. — Так это Зотов Олег Павлович. У нас его здесь все Палычем звали, за глаза, конечно. Он как с армии ушел, так немного спустя сюда устроился — им с женой детишек Бог не дал, вот они и решили хоть так к ним поближе быть. Жена его, Лизонька, врачом здесь была, а он, стало быть, директором. Он не то чтобы злой был, но уж очень жесткий. Требовал, чтобы все было, как в армии, чтобы дисциплина такая же. А дети — они ведь дети и есть. А наши, кто без родителей растет, особенно. Может, в душе он и добрый, а вот виду никогда не показывал, но детишек любил, это сразу видно было. Лизоньке здесь ох и тяжело приходилось — городская же! А у нас что?

— А что? Двухэтажный дом, капитальный, крепкий... — начал было Стас, но старушка тут же замахала на него руками.

— Да что ей толку с того капитального? Жили-то они в городе. А удобства где? На дворе! Вода из крана есть, а слив? Помои-то на улицу таскать надо! А стирать? Это сколько же надо воды нагреть! А она ко всему этому непривычная! Ну, белье-то постельное я у нее потихоньку брала, да к общему подкладывала — мы же в прачечную сдаем, все ей облегчение. А остальное?

— Ну, здесь-то у вас наверняка и душевая, и туалет внутри — не на улицу же детей гонять, — возразил Крячко.

— Вот тут-то она и мылась потихоньку от мужа — ему же дисциплина важнее всего! Как же так? Его жена будет привилегиями пользоваться!

— Да, суровый был человек, — покачал головой Стас.

— И не говори! И на язык невоздержанный! Скажет, бывало, а потом небось сам сто раз пожалеет, а виду не показывает! Резкий он был, вот! — подобрала она нужное слово.

— Ох, как мне все это знакомо, — рассмеялся Крячко, подумавший в этот миг о Гурове. — А отомстить ему никто не пытался?

— Нет, а ведь следовало бы. Однажды так человека опозорил, да еще перед сыном, что даже мне вспоминать неудобно, — начала она и осеклась, но тут же быстро добавила: — Да и других тоже!

— Знаете, если бы кто-нибудь меня перед сыном опозорил, я бы ему морду набил! — заявил Стас.

— Да стал бы Егорыч с ним, калекой, связываться! Только себя позорить! У Палыча же левой ноги до колена не было — в первую чеченскую потерял! Потому и из армии ушел. У него и пенсия военная была, и инвалидность!

— Так это он Илью Егоровича перед Михаилом опозорил? — воскликнул Стас.

Поняв, что проболталась, старушка отвернулась и засопела.

— Ну, мне-то можно сказать, — начал уговаривать ее Крячко. — Я вчера у Ильи Егоровича дома в гостях был, очень душевно мы с ним посидели, за жизнь поговорили. И с сыном его я знаком. Ну, чего страшного случится, если вы мне расскажете? Все уже быльем поросло!

Кастелянша колебалась: с одной стороны, и поделиться хочется, а с другой стороны, Егорыч не тот человек, с которым можно шутки шутить.

— Честное слово, я никому ни звука, ни ползвука, — торжественно сказал Стас.

— Ну, ладно, — согласилась наконец старушка и начала еле слышным шепотом рассказывать: — Удобства-то у нас тут и правда все в доме, и канализация есть, только уходит-то все в выгребную яму. А это ведь и из туалета, и из душевых, и с кухни! Представляешь, сколько получается? Так что чистить ее надо постоянно. А случилось это в году, чтобы не соврать, 1999-м, то ли в мае, то ли уже в июне. Окна, сам понимаешь, настежь. Егорыч-то хоть и дело тогда уже свое создал, но по-прежнему работал. Далеко, правда, уже не ездил, по городу больше. Вот и приехал он в тот день да с сыном, а тот ему всегда во всем помогал, вот и вырос таким, что ни в чем отцу не уступает! А Палыч-то как раз двоечников у себя в кабинете собрал и ну их песочить! Что, мол, учиться, надо! Тут-то он Егорыча и увидел. Подтащил мальчишек к окну, на него показывает и говорит, что это, мол, их будущее! Что этот человек, Егорыч то есть, никогда ничему не учился, вот и приходится ему в дерьме возиться, а если бы учился, мог бы стать инженером или врачом. И сын его, видимо, тоже ничему учиться не хочет, вот и станет тоже выгребные ямы чистить.

— Ну, за такое я бы точно морду набил! — сквозь зубы процедил Стас.

— Вот тебе истинный святой крест, — перекрестилась старушка, — все от первого до последнего слова сама слышала. Егорыч только посмотрел на него и отвернулся, а Мишка чернее тучи стал и крикнул: «Еще посмотрим, что из кого выйдет!»

— Так это, наверное, Егорыч и поспособствовал тому, чтобы он отсюда уехал? — предположил Крячко.

— Да никто Палыча не выживал! — отмахнулась она. — Сам понял, что не его это — с детьми работать. У нас же... Господи, в каком же году это было? А в 2004-м, в конце сентября, восемь мальчишек отсюда сбежали — видать, муштры не выдержали. Побольше месяца где-то болтались, а потом вернулись — куда им в зиму деваться-то? Больные все были, страшно вспомнить. Лизонька-то над ними ночей не спала, выхаживала, да и все мы ей помогали. Вот после того случая Палыч заявление и написал! Как детишки выздоровели, так они и уехали, а уж где они сейчас, не знаю. Лизоньку вот часто вспоминаю — светлая она была девочка!

Распрощавшись с кастелянтшей и клятвенно заверив ее, что он никому ни о чем не проболтается, Стас вернулся в райуправление и с порога заявил Гурову:

— Справочно сообщаю, что бывшего директора детдома никто из города не выживал, он сам уволился после того, как в сентябре 2004-го у него, военной муштры не выдержав, восемь мальчишек сбежали. Где-то через месяц они, правда, вернулись, больные и несчастные, вот после этого он заявление и написал. Так что нечего старика демонизировать. — С этими словами он забрал со стола Льва несколько дел и, усевшись за свой, стал их смотреть, уточнив при этом: — Ну, что? Берем период с осени 2003-го по весну 2006-го?

— Для начала — да, а там видно будет, — ответил Лев. — Слушай, сходи, пожалуйста, в магазин и купи хоть обедов быстрого приготовления — кипяток-то тут найдется.

— Сумки привезли? — поинтересовался Стас.

— Да, у Косарева стоят.

— Ну, чтобы моя жена да ничего не положила? Такого быть не может! — уверенно заявил Крячко.

Он ненадолго вышел и вскоре вернулся с увесистым пакетом.

— Ну, что я говорил! А чай я сейчас раздобуду.

Пока он, по его собственному выражению, колотился по хозяйству, Гуров проводил грубую сортировку заявлений — откладывал в сторону те, которые ни с какой стороны их интересовать не могли, то есть касавшиеся детей, стариков и подростков. В результате осталось всего несколько папок, но и большую часть этих «потеряшек» невозможно было притянуть к их делу — рост был не тот, что у потерпевших, а из оставшихся пяти никто не подходил. Так что к тому моменту, когда Стас накрыл на стол, Лев уже все закончил.

— Пустышка, — сказал он, наливая себе чай.

— Из всей этой кипы? — удивился Крячко.

— Работница фермы поехала в город за покупками и пропала. Скажи, откуда у нее старинные серьги и браслет с бриллиантами, даже если предположить, что золотые часы и колечки она купила на свои кровные? — спросил Гуров.

— Да, как-то не вяжется, — согласился Стас.

— И остальные в том же духе: рабочий с мебельной фабрики, продавщица из магазина...

— Эта могла, — возразил Крячко.

— Книжного магазина, — уточнил Лев, и Стас тут же поднял руки вверх, показывая, что сдается. — Домохозяйка, мать троих детей, у которой муж шоферит, и алкаш, заявление на которого подала мать. Если отталкиваться от возраста, то это все! Будем ждать, что к вечеру принесут.

Они поели, Крячко хозяйственно прибрал остатки, а вот делать им было пока нечего, и Гуров решил прояснить ситуацию.

— Стас, завязли мы здесь, судя по всему, надолго. Как ты, наверное, уже понял, лично мне в этом городе никто комнату не сдаст, а вот ты вполне можешь устроиться в человеческих условиях. Если себе что-то найдешь и съедешь, я все пойму и не обижусь — чего тебе из-за меня мучиться?

Крячко поиграл желваками, помолчал, с трудом сдерживая рвущиеся наружу очень непечатные слова, откашлялся и наконец ответил:

— То, что у тебя дерьмовый характер, кроме меня знает уже, наверное, вся Россия, но оказалось, что ты еще и дурак, каких свет не видывал. Но ты не волнуйся, я об этом никому не скажу. Пусть это останется нашей маленькой тайной.

— Прости меня, Стас, — тихо сказал Гуров. — Я знаю, что тебе со мной очень трудно приходится, а Петру — еще больше. Но я такой, какой есть, меня уже не переделать.

— Да вот терпим пока, — буркнул Крячко. — Только ты где-то там, — постучал он себя по лбу, — отметь, что всякое терпение предел имеет. — И поднявшись, добавил: — Пойду к Андрею, узнаю, может, еще чего подвезли.

Вернулся он довольно быстро, и в руках у него была только одна папка, но зато довольно пухлая. Поделив ее содержимое пополам, Лев и Стас стали просматривать заявления, опять-таки откладывая в сторону те, которые были им неинтересны. Но и из того, что осталось, никто под найденные останки не подходил. Не выдержав, Стас решительно заявил:

— Лева! Это мартышкин труд! Без фотографий мы ничего не добьемся!

— Позвони Орлову, — не отрываясь от дела, посоветовал Гуров.

— Суббота! — напомнил Крячко, прекрасно понимая, почему Лев сам не хочет звонить. — Лучше я экспертам позвоню — может, они уже внешность этих покойников воссоздали.

Поговорив с Москвой, он отключил телефон и зловеще произнес:

— Сейчас прольется чья-то кровь! Сейчас-сейчас!

Подумав, что в Москве уже стоит настоящий трам-тарарам из-за его самоуправства, Гуров решил, что это относится к нему, и настороженно посмотрел на Стаса, но тот объяснил:

— Так, они уже все сделали и по электронной почте Андрею отправили! Ой, что сейчас бу-у-удет!

Крячко быстрым шагом вышел из кабинета, и Лев бросился за ним. Ничего не подозревавший Косарев с кем-то яростно ругался по телефону, поэтому просто махнул им рукой, показывая, чтобы они сели, но они остались стоять, причем Стас еще и руки в бока упер, и к столу поближе подошел. Поняв, что что-то случилось, майор бросил в трубку:

— Я тебе попозже перезвоню.

Но вот больше он сказать ничего не успел, потому что Стас с нехорошей вкрадчивостью в голосе поинтересовался:

— Андрюшенька! Ты когда последний раз электронную почту проверял?

— Так суббота же, — растерянно ответил тот.

— Ты пальчиком-то по кнопочкам постучи, — тем же тоном попросил Крячко.

Косарев покорно подчинился и удивленно произнес:

— А здесь что-то есть, причем для вас.

Гуров и Стас мигом оказались у него за спиной и увидели, что к короткой записке «Для Гурова и Крячко» были прикреплены два файла. Майор загрузил их, открыл, и все трое увидели мужчину с несколько крысиной внешностью и довольно молодую смазливую блондинку. Стас с облегчением шумно вздохнул:

— Слава богу! Наконец-то дело с мертвой точки сдвинется! — И приказал: — Распечатывай!

— Принтер сломан, — виновато ответил майор.

— Сейчас я начну разносить это управление вдребезги и пополам, — угрожающе произнес Стас.

А вот Гуров, доставая флешку, спокойно поинтересовался:

— Где есть работающий принтер?

— В канцелярии, — с готовностью заверил его Андрей Федорович.

Лев сбросил файлы на флешку, и они пошли туда. Огромный струйный принтер в канцелярии действительно работал, но явно помнил еще динозавров, потому что изображение получилось таким, что Крячко чуть не заплакал от жалости:

— Господи! Как же вы здесь работаете?

— Как можем, так и работаем, — не выдержав, огрызнулся Косарев, с интересом рассматривая распечатки. — Это же надо, как быстро все сделали, — удивился он. — А я думал...

— Что, как во времена основоположника Герасимова, вручную? — язвительно поинтересовался Стас, за что тут же получил от Гурова подзатыльник и, со страдальческим видом потирая голову, со знанием дела, хотя и не разбирался в этом совершенно, пояснил: — Программа такая специальная есть.

— Нам пока для работы и этого хватит, — заявил Лев. — Но вот чтобы ваш принтер, майор, к утру починили! Как хотите, так это и делайте! — рявкнул он и, забрав распечатки, вышел в коридор.

С фотографиями дело пошло, как выразился Крячко, шибче — тут уж они могли смело откладывать в сторону всех, кто не подходил под изображение, и в результате не осталось ни одной.

— Опаньки! — хлопнул ладонью по столу Стас. — Получается, что они не местные. Ну и откуда они могли здесь взяться?

— Подожди! — отмахнулся Гуров. — Во-первых, еще не все заявления привезли, во-вторых, не исключен тот вариант, что они жили обособленно и заявление просто никто не подавал.

— Кстати, они могли быть приезжими и просто здесь дом снимать, так что портреты их надо по всей России отправлять, а уж по Москве — особенно. Она сейчас в настоящий проходной двор превратилась.

— Знаешь что, — подумав, сказал Лев. — А не будем мы ждать, когда остальные заявления привезут. Пусть Косарев на завтра участковых собирает! Объясним мы им что к чему, раздадим фотографии — глядишь, кто-нибудь что-то и вспомнит.

— Времени-то сколько прошло, — возразил Крячко. — Даже если их зимой 2006-го убили, то это восемь лет, а если раньше?

— Ну, если сами не вспомнят, так пусть у населения расспросят — в деревнях и небольших городах каждый новый человек интерес вызывает, незамеченным не останется.

Услышав, что на завтра надо собрать участковых со всего района, Косарев только что не взвыл:

— Завтра же воскресенье!

— И что? — невозмутимо поинтересовался Гуров. — У вас с нарушителями закона всех мастей существует договоренность, что по выходным они ведут себя смирно и не мешают отдыхать работникам правоохранительных органов? Поэтому участковые могут расслабиться в субботу и воскресенье, а вот в понедельник и те и другие со свежими силами принимаются каждый за свою работу? — Косарев крутился, как уж под вилами, и почти стонал, а Лев еще и поднажал: — Если завтра здесь не будет участковых, то в понедельник я вас обездвижу! Мы с Крячко возьмем себе по «уазику» с водителями и поедем по району сами, а вот вы тогда крутитесь как знаете! Я здесь со всеми властями, и официальными, и неофициальными, отношения уже испортил, мне терять нечего! А в Москве и так знают, что характер у меня тяжелый и в политкорректности я никогда замечен не был! Вот и выбирайте!

— Так пока доберутся, — вздохнул Андрей Федорович. — На двенадцать часов устроит?

— Вполне, — кивнул Лев. — Приступайте! Не забудьте размножить фотографии, заключение эксперта по трупах в части роста и особенностей телосложения, а также фотографии тех драгоценностей, что на телах нашли — может, по ним кто-то их узнает.

Крячко отправился по магазинам — надо же было им чемто питаться, а Гуров вернулся в кабинет и задумался. Господи! Ведь чуть больше суток прошло, а здесь его все уже готовы живьем слопать! Утешало только одно — подавятся же! Или получат несварение желудка — он ведь еще тот фрукт. Стас вернулся с набитыми чем-то пакетами, и они, взяв сумки, отправились в гостиницу. Пока Лев разбирал вещи, тот колдовал над какими-то пластиковыми банками и, закончив, объявил:

— Последнее достижение кулинарного искусства: заливаешь кипятком и ешь! Если специи не добавлять, то вполне съедобно, хотя и пресно. Пользы от этого, конечно, никакой, но и вреда особого не будет, что утешает. Есть на ночь категорически не рекомендуется, но ложиться спать голодным, говорят, еще вреднее.

Картофельное пюре вкусом мало напоминало натуральное, но добавлять в него нечто непонятное из маленького пакетика Лев все-таки не рискнул. Мыть посуду, к счастью, было не надо, так что банки просто полетели в мусорную корзину, а когда они пили чай с остатками домашней снеди, Гуров растроганно сказал:

— Знаешь, Стас, я сейчас подумал, а вот как бы я без тебя был?

— Ой, Лева! — испуганно воскликнул Крячко. — Ты затронул столь интимные вопросы, что мне теперь страшно ночевать с тобой в одном номере!

— Да ну тебя к черту! — рассмеялся Гуров.

Неизвестно, как Стасу, но Льву в ту ночь ничего не приснилось, к счастью. А ведь могло бы!

В воскресенье к двенадцати часам невеликое помещение якобы актового зала было забито под завязку. Оглядывая собравшихся участковых, Лев отметил, что возраста они самого разного, то есть молодые вполне могли не знать, что происходило на их участках раньше, что значительно усложняло задачу. Стол, за которым сидели Косарев и он со Стасом, стоял на сцене, но сделано это было не для помпезности, просто в зале иначе все не поместились бы. Своего начальника, естественно, знали все, а вот на Гурова с Крячко таращились с большим любопытством. Косарев представил, так сказать, гостей, и Гуров начал:

— Господа полицейские! Вам всем были розданы фотографии мужчины и женщины, заключение эксперта о том, что касается их телосложения, и фотографии находившихся при них драгоценностей. Внешность мужчины и женщины — результат реконструкции черепов тех людей, чьи останки были недавно найдены. Прошу вас очень внимательно на них посмотреть и сказать, не встречали ли вы их раньше, до весны 2006 года. Я практически уверен в том, что они некоторое время до своей смерти проживали на территории Фомичевского района. Так же внимательно прошу рассмотреть фотографии драгоценностей — вдруг вы их уже видели.

Зал тут же стал похож на волнующееся море — люди поворачивались друг к другу, что-то негромко говорили, совещались, но вот они успокоились, повернулись к сцене, и Гуров, все поняв, только вздохнул.

— Значит, никто никого и ничего не узнал.

— Товарищ полковник! Так времени-то сколько прошло! — раздался из зала недружный хор голосов.

— Тогда вам придется поработать с населением на своих участках. Как я понял, за эти годы некоторые из участковых ушли на пенсию, им на смену пришли молодые, но население-то в основном осталось прежним, вот и расспросите людей. Тому, кто выяснит, кем были пострадавшие, где жили, чем занимались, я обещаю в качестве бонуса раскрыть самый безнадежный «висяк» на его участке.

Зал заметно оживился — у кого же «висяков» нет? Участковые быстро разъехались, на что Косарев заметил:

— Ну, они теперь будут землю носом рыть! Только как бы они под эти фотографии не стали совсем левых людей подводить. Ох и поездить вам придется!

261

Они и «примкнувший к ним» Фомин собрались в кабинете Косарева.

— Итак, что мы имеем на сегодняшний день, — первым заговорил Лев. — Пострадавшие, будучи еще живыми, были привезены на территорию садового товарищества по старой дороге, что дает нам период с осени 2003-го по раннюю весну 2006-го. Те, кто это сделал, точно знали, куда именно они их денут. Вывод: хоть один из них знал как о существовании люка, так и о том, что дача продана, но ей никто не пользуется. Была выгребная яма полная или пустая, безразлично. В полной тела опустились бы на дно, а в пустой их потом новые хозяева сверху завалили бы, сами понимаете чем, так что концов бы никто никогда не нашел. Тем более что многие сейчас пользуются спецсредствами для выгребных ям, так что и ассенизатора вызывать бы не пришлось. То, что останки были найдены — чистой воды случайность, преступники ничем не рисковали.

— Но это автоматически снимает все подозрения с Сидоркиных, — тут же заявил Косарев. — Если бы Ильич приказал, то его таджики засыпали бы останки землей, и все! А он вместо этого полицию вызвал. Егорыч же, если бы знал, что там лежит, не стал бы дачу продавать, потому что при их оборотах такая сумма — не деньги.

— Тем более что Егорыч был на этом участке еще тогда, когда туалет был деревянным, потому что кирпичный Трофимыч построил весной 2001-го. Егорыч о нем узнал только от своих рабочих, а его сын, по словам работающего там почти пятнадцать лет сторожа, впервые приехал туда с покупателем месяц назад, — подбросил свои три гроша Крячко.

— Согласен, — вынужден был признать Гуров и продолжил: — Так кто же мог знать о существовании люка и дверцы в заборе?

— Садоводы, — начал перечислять Фомин, — их гости, которым они могли рассказать об этом шедевре архитектуры, покупатели, которых вдова Трофимыча возила, чтобы дачу показать, ну, и ассенизаторы, приезжавшие чистить яму. Судя по тому, что замки были сломаны, ключей у преступников не было, а это еще раз подтверждает невиновность Сидоркиных. Но предупреждаю сразу, что вдова Трофимыча тогда продала не только дачу, но и дом, и уехала жить к дочери. Найти ее, конечно, можно, если жива, но вряд ли она помнит имена тех покупателей, которых десять лет назад возила показывать дачу. С Тамарой и Аллой поговорить нетрудно — обе в нашем городе живут. Адрес председателя кооператива у меня есть. Можно обойти всех членов садового товарищества и расспросить у них, кто приезжал к ним в гости начиная с 2001 года и кому они рассказывали об этом монументальном туалете. Можно попросить Егорыча, чтобы он приказал поднять документацию за период с 2001-го по 2003 годы и узнать, кто именно выезжал по заявкам в этот дачный кооператив. Все можно! Но что все это нам даст? Длиннющий список имен, среди которых по происшествии стольких лет уже невозможно будет выявить преступников.

— Я предлагаю подождать. Вы, Лев Иванович, участковых обнадежили так, что они из кожи вон вылезут, но выяснят, откуда взялись потерпевшие. Я понимаю, что при вашем деятельном характере это трудно, но гонять людей, как бобиков, по всему городу, когда мы даже приблизительно не знаем о времени, когда было совершено преступление, я считаю бессмысленным, — подключился к Фомину Косарев. — Кто бы и какое подозрение у нас ни вызвал, мы даже не сможем проверить его алиби на момент совершения преступления, потому что о самом этом моменте ни малейшего представления не имеем.

— А теперь послушайте меня, — сказал Гуров, когда они выдохлись. — Потерпевшие — не местные. Откуда и когда они сюда приехали, неизвестно, но они, я настаиваю, жили где-то не очень далеко от этого дачного кооператива. Ну кто рискнет везти двух избитых до полусмерти людей? А если ГАИ тормознет? Причем без всякой причины, а просто чтобы денег заработать?

— Тогда они могли быть еще неизбитые, — возразил Крячко. — Я вообще не понимаю, зачем потребовалось их в эту яму сбрасывать? Их за что-то или почему-то избили до полусмерти, а потом? Ну зачем было рисковать, тащиться в этот дачный поселок, где их все-таки мог бы заметить сторож или собаки почуять, взламывать замки?

— Действительно, не проще ли было застрелить, зарезать, удушить, а трупы выбросить в лесу, благо он здесь вдоль дороги по обе стороны идет. За зиму лисы обглодали бы так, что только косточки белели бы. «Подснежников» в Подмосковье по весне больше, чем настоящих цветов. Ну, было бы еще два, — поддержал его Фомин.

— Меня сразу насторожило то, что с ними именно так обошлись, — сказал Лев.

— Почему? — в один голос спросили Фомин и Косарев.

— Так это же на поверхности лежит, — без всякого превосходства или торжества, а довольно устало ответил Гуров. — Это было не убийство, это была казнь. Или месть.

— То есть с ними поступили так же, как они с кем-то? — предположил Стас.

— Да! Но, пока мы не установим их личности и не выясним, что они сами натворили, нам преступников не найти. Вы думаете, я от нечего делать предложил участковым раскрыть их самый давний «висяк»? — усмехнулся Лев — Нет! Там, где были эти двое, обязательно что-то произошло! То, что их никто по фотографиям не узнал, меня не смущает: во-первых, слишком много лет прошло, во-вторых, на них тогда просто могли не подумать и в розыск не подавать, в-третьих, участковый мог прийти новый, который их не знал. Да и реконструкция лица по черепу не всегда будет соответствовать настоящей внешности. Все очень просто.

— Да-а-а, Лев Иванович! — переглянувшись с Фоминым, покачал головой Косарев. — Теперь понятно, почему вас вся Россия знает. Нам-то такое и в голову не пришло. Ну, тогда потерпевшие действительно жили где-то неподалеку. Но если они были в чем-то виноваты и их захватили, а они знали, что их ждет, тут хоть под пятью пистолетами их держи, но на трассе они обязательно постарались бы привлечь к себе внимание. Например, ручник бы рванули, когда мимо поста ГАИ проезжали, или еще что-нибудь сделали.

264

— Но федеральные трассы от нас в стороне проходят, все дороги только местного значения, хотя посты ГАИ там действительно есть, пусть и немного. Но их могли везти и проселочными дорогами, — начал рассуждать «следак».

— Которые прежде всего надо знать. Так что это уже по вашей части, — решительно заявил Гуров. — Берите карту района и смотрите, как можно выехать на ту вторую, теперь перекрытую дорогу, которая вела к дачам.

— Причем машина должна была быть или грузовая, или с высокой посадкой, потому что, по словам сторожа, на легковушке там не проехать, — добавил Стас.

— Я не исключаю того, что эти двое могли здесь от кого-то скрываться, и тогда они, естественно, старались не привлекать к себе внимания, но не в безвоздушном же пространстве они жили? Есть-пить надо, значит, в магазин ходили, ну, и все такое, так что я очень надеюсь на участковых, — сказал Лев. — Завтра, в понедельник, я позвоню генерал-майору Орлову и попрошу подать потерпевших в розыск — откуда-то ведь они приехали? Может, их родные разыскивали, вот концы с концами и сойдутся. Вы пока с дорогами определяйтесь, а мы пойдем — устал я чего-то, да и поесть надо.

— Лев Иванович, да мы сейчас... — вскинулся Косарев, но Лев в ответ только усмехнулся:

— Что? С меня уже снята опала? — Тот отвел взгляд, и он добавил: — Не обостряйте из-за меня отношения с властями, пусть и неофициально, но предержащими. Мы уж сами как-нибудь.

В гостинице Крячко приготовил все тот же незамысловатый обед — попало что-то в желудок, тот не взбунтовался, ну и слава богу! — и Гуров прилег, потому что действительно устал.

— Лева! А давай-ка я Петру прямо сейчас позвоню, — предложил Стас.

— Защитник ты мой! Думаешь, там уже громыхнуло? — не открывая глаза, спросил Гуров. — Вроде рано еще — выходные же были. Или ты в качестве превентивной меры?

— Я в плане разведки. Отрапортую о наших достижениях, озадачу, чтобы Петр завтра прямо с утра действовать начал, ну и предупрежу о возможных последствиях твоих боевых действий на местном фронте, — буркнул Крячко и вышел из номера.

Когда он вернулся, Лев уже спал. Стас с сожалением вздохнул, лишенный возможности живописать своему другу в красках все, что говорил Петр о несанкционированной самодеятельности Гурова, о нем самом, о том, что он с ним сделает, когда тот вернется в Москву, а также о том, где и в каком виде он видел их клятую службу. Но, выдохшись, Орлов пообещал, что, как только придет на работу, тут же подаст потерпевших в розыск, а взамен потребовал, чтобы Крячко лично и ежедневно докладывал ему обо всех их действиях, иначе отзовет он их из Фомичевска к чертовой матери и впредь будет держать в Москве на коротком поводке. Пообещав себе, что уж утром-то он отыграется на Леве за свое сегодняшнее разочарование, Стас тоже лег спать — действительно, не мальчики уже, чтобы так вкалывать.

Утро понедельника радужным не было. Мало того что погода оставалась все такой же скверной, завтрак безвкусным, так еще и кислые физиономии Косарева и Фомина энтузиазма не добавили.

— Ну что? Голяк? — безрадостно поинтересовался у них Крячко.

— Да мы тут вчера до позднего вечера головы ломали, и вышло, что если хорошо знать наши проселочные дороги, то до дачного поселка можно было добраться с любого конца района, — мрачно сообщил Фомин.

— Значит, ждем-с! — подытожил Стас.

Перспектива просто сидеть в кабинете Гурова тоже не прельщала, но все, что можно было сделать, было уже сделано.

— Лев Иванович! Может быть, вы пока свежим взглядом посмотрите у нас некоторые уголовные дела. Они как-то так зависли, а вы сможете что-нибудь подсказать, — вкрадчивым голосом попросил Косарев.

— Действительно, Лев Иванович, — поддержал его просьбу Фомин. — Пока новую информацию ждем, глянули бы вы хотя бы мельком.

— Тетенька! Дай попить, а то так есть хочется, аж переночевать негде! Народ! Вы край-то видите? — возмутился Стас. — Дай вам волю, так вы нас еще и пахать запряжете!

— Но посмотреть можно, — совсем уже просительно заканючил «следак».

— Ладно, давайте, пока время есть, — нехотя согласился Лев. На самом деле не так уж он был и против, потому что просто сидеть и пялиться в стену было просто невыносимо.

Обрадованные Фомин и Косарев мигом притащили уголовные дела, а сами уселись с блокнотами в руках, чтобы записывать указания. Крячко весело засмеялся и заявил:

— Бог тебе в помощь, Лев Иванович! Ну, мужики! Уж коль вы его работать уговорили, так хоть кормить не забывайте, а я пойду пройдусь, свежим воздухом подышу.

— А как же! — активно закивали те. — Обязательно покормим. Прямо сейчас обед сюда и закажем.

— Иди! Захребетник! — бросил вслед Стасу Лев, понимая, что тот не просто погулять пошел, а потолчется сейчас среди народа, поболтает вроде бы ни о чем с людьми и обязательно принесет обратно в клювике что-то новое и интересное.

Он начал смотреть уголовные дела и тут же покачал головой — бардак! И началось!

— Где акт экспертизы? Что значит, все и так ясно? Да вы это дело прокурору не пропихнете, даже если маслом обольете. Его же адвокат потом в процессе по стенке размажет. Почему не передопросили потерпевшего в свете вновь открывшихся обстоятельств? Ведь получается, что он уже и не потерпевший, а прямой соучастник! Почему повторный обыск не провели? Где протоколы допроса соседей? Ах, вы просто побеседовали? А что вы в дело подшивать будете? А если они у вас в суде показания изменить вздумают?

Этот «разбор полетов» продолжался до самого обеда, к которому Крячко, конечно же, успел — он запах еды чувствовал на таком расстоянии, что даже хорошей охотничьей собаке не снилось. Глядя на озадаченных Косарева и Фомичева, Стас ехидно приговаривал:

— Так вам и надо! Будете знать, как с Гуровым связываться! Он, как бабка-угадка, на три метра под землю видит! От него и на том свете не спрячешься!

А вот сам Лев, глядя на веселящегося Стаса, понимал, что тот узнал нечто интересное, но при всех говорить, естественно, не будет. Думая, как бы им уединиться, он не заметил, как в кабинет вошел дежурный и остановился возле двери, не решаясь побеспокоить начальство. Косарев сам повернулся к нему и спросил:

— Что-то случилось?

— Товарищ майор! Из Сабуровки позвонили, там браслет узнали, — сообщил тот.

— Скажи, чтобы «УАЗ» подогнали, — приказал Андрей Федорович и истово перекрестился: — Господи! Не выдай! Дай бог, чтобы в цвет!

— Быстро доедаем, и по коням! — предложил Крячко. — Нет, мне, конечно, понравился ваш город, но очень хочется назад, в цивилизацию.

Кое-как доглотав обед, они вчетвером сели в машину и поехали, а по дороге Косарев рассказывал:

— Это поселок городского типа, прямо на границе с Владимирской областью, от нас километров тридцать. Населения там немного, промышленных предприятий нет, есть фермерское хозяйство, и все. Живут в основном старики, а те, кто помоложе, если совсем не сбежали, то ездят на работу к нам в Фомичевск или к соседям. Сама Сабуровка немного в стороне от основной дороги, до нее еще проехать надо.

— Все на месте увидим, — перебил его Гуров. — Там что-то произошло? Я имею в виду преступление, «бытовуха» не в счет.

— Да спокойный поселок, никогда проблем с ним не было. Единственное крупное происшествие — дом там сгорел. Его приезжие снимали, после пожара они исчезли, а на пепелище труп нашли, — начал Косарев, но тут Крячко застонал в голос:

— Андрей! Сколько было приезжих? Как их звали? Чей дом? Когда приехали? Чем занимались? В розыск подавали? Раскрыли дело или «висяк»?

— Стас! Это было почти десять лет назад! Я тогда еще и начальником-то управления не был! — начал оправдываться Косарев. — «Висяк», конечно!

— Ну так позвони туда прямо сейчас, и пусть дело из архива поднимут! Тех, кто им занимался, если на пенсию вышли, в отдел соберут! Если пожарных вызывали, их подтяни! Пусть свои документы поднимут! — неистовствовал Крячко. — Господи-и-и! Да за что же мне все это? Чем я тебя прогневил? Да что же вам все нужно на составляющие раскладывать!

Гуров сидел и молчал. А чего вмешиваться, если Стас уже взял бразды правления в свои руки и заставит в этой неведомой пока Сабуровке всех носиться как угорелых котов? Косарев начал названивать, и тут Стас нашел себе новую жертву:

— Леша! А ты что сидишь как неродной?

— Извини, Стас, но это до меня было — я тогда в другом районе служил, так что вообще не в курсе.

Крячко разочарованно вздохнул — ну не дали ему развернуться вовсю! Но зато как же он был доволен, когда оказалось, что к их приезду и документы все в наличии, и людей собрали, и сами сотрудники взбодрились так, что навытяжку стояли.

— Так, документы мне, — сказал, войдя и поздоровавшись, Гуров — отвлекаться на церемонии представления и так далее он не собирался. — А полковник Крячко...

— Я все понял, Лев Иванович, — заверил его Стас.

Все правильно, все, как обычно: Лев анализирует документы, а Стас проводит разведку боем, потом уже подключается владеющий некоторой информацией Гуров, и люди понимают, что напористость Крячко — это мелкие семечки по сравнению с тем, как Лев будет вынимать из них душу.

Итак, дом выстроен в 1995 году на законном основании неким Рыжовым, проживающим в Москве по адресу и так далее. В мае 2003-го при посредничестве риелторского агентства «Ваш дом» сдан в аренду супружеской чете Самойловых: Светлане Николаевне и Федору Васильевичу, паспортные

269

данные имеются. Налог на строение и землю владельцем выплачивался регулярно, долгов по коммунальным платежам не было, само строение было застраховано от всех возможных бедствий. 5 ноября 2004 года в 4.58 на пульт пожарной охраны поступил вызов о сильном пожаре. Расчеты приехали довольно быстро, но, несмотря на их усилия, строение выгорело практически полностью. Возле дверей сгоревшего дома со стороны двора был обнаружен труп мужчины, погибшего еще до пожара насильственной смертью от проникающего колотого ранения заточкой прямо в сердце. Дактилоскопировать труп не представилось возможным, как и восстановить внешность. И тут начинаются чудеса, потому что предъявивший документы в страховое агентство Рыжов получил кукиш даже без масла в связи с тем, что Светланы Николаевны и Федора Васильевича Самойловых с такими паспортными данными в природе не существовало, а по указанному в их паспортах адресу жили совершенно другие люди. Номера принадлежащей якобы Самойлову Ф.В. белой «Газели», исчезнувшей после пожара, на самом деле принадлежали совершенно другой машине, хозяин которой проживает в Москве, адрес имеется, но заявил он о пропаже номеров еще зимой 2003 года, после чего ему были выданы новые. Была версия, что Самойловы по какой-то причине убили человека, подожгли дом, а сами скрылись на «Газели». Несмотря на то, что документы липовые, а фоторобот составить оказалось невозможным — не было в районе ни таких специалистов, ни оборудования, в розыск их все-таки подали, но успеха это не принесло. По документам, представленным пожарными, дом был так полит изнутри и снаружи 76-м бензином, что просто чудо великое, как он вообще смог устоять. Экспертиза установила факт умышленного поджога. В общем, откуда ушли, туда и пришли.

Закончив с документами, Лев повернулся к Крячко:

— Станислав Васильевич, что у вас?

— Присоединяйтесь, Лев Иванович, — предложил тот и, когда Гуров подошел и сел рядом с ним, попросил своего со-

270

беседника: — Повторите, пожалуйста, то, что вы мне сейчас рассказали.

— Да что я вам, попка, что ли? — возмутился тот.

Но тут из другого угла комнаты раздался начальственный рык:

— Ты мне еще повыпендривайся!

Мужик тут же прижух, поняв, что качать права он может не здесь и не сейчас, и покорно стал рассказывать:

— Ну, дом этот, кажись, в 1995-м построили. Поначалу хозяин туда со всем семейством заехал, строил из себя невесть что! Пальцы веером, и все такое! Никого в упор не видел! А по осени 2002-го съехали они. Дом пустой стоял. Ну, наши решили... — он замялся.

— Мы уже поняли! Из чистого любопытства посмотреть, что там внутри, — быстро сказал Стас. — Дальше!

— А он... Ну... На сигнализации оказался. Больше не совались. А весной 2003-го, уже совсем тепло было, эти заехали. Муж с женой и охранник при них. Держались обособленно, ни с кем не дружили, жили тихо, только жена уезжала куда-то с охранником время от времени на белой «Газели», а мужа ее мы и видели-то всего пару раз. Гости к ним приезжали. Не сказать, чтобы каждый день, но раз или два в неделю точно, чаще днем. Бывало, что несколько машин приезжало, бывало, что одна. И машины все такие, навороченные. На улице их не оставляли, во двор въезжали. Но не шумели, пьянок там, песен — этого не было. Да и не особо долго засиживались. Может, кто и ночевать оставался — я не знаю. А потом ночью полыхнуло! Да так занялось, что светлее, чем днем, стало. Все, естественно, из домов повыскакивали — глядим, а это тот дом горит. Пожарных-то мы вызвали, а самим соваться — нема дурных. Дом от нас далеко стоит, на нас огонь не перекинется — чего же рисковать? Пожарные приехали, так насилу с огнем справились. Потом труп этот нам показали. Мы посмотрели — от лица ничего и не осталось, а ростом он на охранника похож, потому что сам хозяин коротышка был, одного роста с женой, а та невысокая. Может, правда, это кто из гостей был, черт его знает. А больше мне сказать нечего.

— И никто из поселка после пожара в том доме не бывал? — с бо-о-ольшим сомнением в голосе спросил Стас. — А вдруг там еще что-то осталось, что можно в хозяйстве употребить?

— Пожара вы того не видели! Что могло сгореть, то сгорело, а остальное водой испоганили так, что ни на что не годно, — махнул рукой мужик.

— Так были или не были?! — не сдержавшись, рявкнул на него Гуров.

Это было так неожиданно, что все невольно замерли.

— Не были! — сказал мужик и, увидев, что Лев продолжает пристально на него смотреть, тоже не выдержал: — Ну, блин! Детьми клянусь, что не были! Да к нему и подходить-то страшно! Того и гляди рухнет!

Добившись того, чего хотел, Гуров отвернулся, а Стас принялся расспрашивать дальше:

— И что, они совсем ни с кем отношения не поддерживали? Ну, в магазин-то ходили.

— Это само собой, — успокоившись, ответил мужик. — Хлеб и все прочее у нас брали, а еще на ферму каждый день за молоком ездили — трехлитровую банку покупали. Сначала хозяйка туда с охранником съездила и договорилась, а потом уже он один. Матвеич — это фермер наш — говорил, что хозяин желудком маялся, вот для него и брали.

— Спасибо большое, вы нам очень помогли, — поблагодарил его Гуров, да вот только тон у него был совсем нерадостный. — Вы посидите пока в коридоре — вдруг еще что-нибудь уточнить придется.

Мужик вышел, а Лев повернулся к остальным:

— Ну, теперь я вас слушаю.

Пожилой уставший капитан кивнул в сторону лейтенанта:

— Вот он, герой наш! — И приказал тому: — Докладывай!

— Товарищ полковник! — начал тот, вытянувшись в струнку.

— Вольно! — сказал ему на это Лев. — И не напрягайтесь вы так! Ничего докладывать не надо. Просто расскажите своими словами, что вы узнали.

— Так точно, товарищ полковник! — отчеканил парнишка, но встал все-таки посвободнее. — Я так рассудил, что баба Дуся у нас в поселке все сплетни спокон веков знает...

— Это продавщица в нашем магазине, — пояснил капитан. — В то время он у нас один был, а остальные уже потом появились.

— Вот я к ней и пошел, — продолжил лейтенант. — Мужчину на фотографии она совсем не узнала, женщину поначалу — тоже, а вот как браслет увидела, так тут точно вспомнила, что видела такой на той женщине, которая в сгоревшем потом доме жила. Баба Дуся сказала, что он так весь огнями и сверкал. Тут я ей снова фотографию женщины показал, и она сказала, что вроде бы похожа. Я и доложил.

— Молодец, товарищ лейтенант! — кивнул ему Лев.

— Служу Отечеству! — дрогнувшим голосом ответил парень.

— Ты сядь, сынок, — устало попросил его Гуров.

Суммировав и обобщив то, что узнал раньше, и то, что услышал сейчас, он до конца убедился, что изначально был прав, но эта правда была настолько ужасна, что просто не укладывалась у него в голове, и он первый раз в жизни был бы счастлив ошибиться.

— Андрей Федорович, — повернулся Лев к Косареву. — Можно связаться с той пожарной частью, откуда на этот вызов приезжали машины, и узнать, находится ли в пределах досягаемости кто-нибудь, кто лично выезжал на этот пожар, причем тушил не снаружи дома, а был внутри? Если такой человек найдется, его нужно привезти сюда.

— Да не проблема, сейчас организуем, — ответил Косарев.

Он начал звонить, а Лев тем временем обратился к капитану:

— Мне надо побывать в этом доме.

— Товарищ полковник! — в ужасе воскликнул тот. — Да он же еле стоит! Не дай бог, вас завалит! Москва меня за это просто убьет!

— Чего Москве об тебя руки пачкать? — хмыкнул Стас. — Я тебя лично расстреляю. Но раз Лев Иванович сказал, что ему нужно там побывать, значит, нужно. И безопасность его ты обеспечишь! Хоть каску монтажную достанешь! Такая голова даже не на вес золота, а на вес бриллиантов ценится!

Стас балагурил по привычке. Он пока не до конца понимал, что происходит, но чувствовал, что Лева, как говорится, вышел в цвет, да вот, судя по его виду, как бы этот цвет не оказался черным. Поговорив с пожарными, Андрей Федорович доложил:

— Там есть один такой человек, как раз на смене сейчас. Я договорился, и его сюда привезут.

— Товарищ полковник, да как же вы в этот дом пойдете? — снова завел свою песню капитан.

Но Гуров на него так глянул и таким тоном сказал:

— Исполнять! — что тот мгновенно заткнулся. — Ну, ведите, — попросил Лев. — И фонари помощнее захватите, пожалуйста.

— Тогда уж лучше на машине, чтобы потом еще и фарами можно было посветить, — смирившись с неизбежным, предложил капитан.

Когда они стояли на улице, Косарев тихо спросил:

— Лев Иванович, зачем вам пожарный? Его, конечно, сейчас привезут, но зачем?

— Андрей Федорович, он — моя последняя надежда на то, что я ошибаюсь, — ответил Гуров таким тоном, что расспрашивать его дальше у Косарева пропало всякое желание.

Они подъехали к тому, что осталось от некогда вполне приличного особняка, на двух машинах. В свете включенных фар было видно, что большие двустворчатые двери при тушении пожара просто выломали, и вместо них зиял темный проем. Вооружившись двумя мощными, скрепленными вместе скотчем, чтобы было удобнее, фонарями, и в неведомо как, но оперативно добытой капитаном монтажной маске, Лев направился внутрь, а Крячко следом за ним.

— Ты куда? — удивился Лев.

— А ты думал, я тебя одного отпущу? — язвительно поинтересовался тот. — Вместе столько лет проработали, вместе и погибнуть будет веселее, да и на том свете вдвоем сподручнее от чертей отбиваться.

— Думаешь, на рай не потянем? — усмехнулся Гуров.

— А на хрен он нам сдался? После нашей службы здесь мы там в первый же день от тоски второй раз помрем. А в аду наши ребята. Представляешь, сколько мы там своих старых знакомых встретим? — Стас, как всегда, балагурил.

— Все правильно, только кто, в случае чего, будет руководить спасательными работами? Или ты на них надеешься? — поинтересовался Лев, кивнув в сторону остальных. — Так что прикрывай мне спину здесь.

Крячко смачно выматерился, а потом рыдающим голосом проговорил:

— Ладно! Иди! Только ты уж поосторожней!

Причина, по которой Лев оставил Стаса снаружи, была совершенно другая, но посвящать в это друга он не собирался — еще зазнается, чего доброго. Гуров вошел в проем и, светя себе под ноги, стал искать то, зачем пришел. И действительно нашел, хотя пришлось долго провозиться, да и вывозиться, не хуже, чем черт в преисподней. Когда он показался в проеме, Стас бросился к нему, крепко обнял и заорал:

— Сволочь ты, Гуров! Я тут чуть с ума не сошел!

— Все потом, Стас, — тусклым голосом произнес Гуров. — Пожарного привезли?

— Да вон он стоит, — озадаченный и даже разочарованный реакцией Льва, ответил Крячко.

Уставший почти до беспамятства, истощенный нравственно и физически, Гуров подошел к этому мужчине почти на подгибающихся ногах, представился и попросил:

— Расскажите мне, пожалуйста, что вы видели в доме во время тушения пожара.

— А вы сами когда-нибудь пожар тушили? — несколько высокомерно спросил в ответ тот. — Тут, знаете ли, не до того, чтобы по сторонам смотреть.

— Слышь, ты, огнеборец! — звенящим от ярости голосом выкрикнул Крячко. — Я тебе сейчас в пять секунд организую

275

нападение на сотрудника полиции при исполнении, и ты, сволочь, сядешь на всю катушку. А я еще подсуечусь, чтобы сидел
ты не ближе солнечного Магадана. А уж в том, что тебя там
встретят тепло и ласково, можешь даже не сомневаться. Так
что отвечай, когда тебя спрашивают, и не выделывайся, как
вошь на гребешке.

Это было настолько неожиданно, что тишина обрушилась
гробовая. Всегда улыбчивый и балагурящий Стас выглядел
сейчас настолько страшно, что люди не верили своим глазам,
а вот в то, что он за Гурова убьет без раздумий любого, разом
поверили все.

— Меня интересует обстановка в комнатах, — как будто ничего и не произошло, пояснил Лев. — Столы, кресла, диваны,
кровати и все прочее... Что это напоминало?

— Ну, обычный жилой дом, — довольно растерянно ответил пожарный, понявший, что со своим профессиональным
самомнением он несколько переборщил.

— Хорошо, спрашиваю напрямую: в казино бывать приходилось? — бесконечно уставшим голосом продолжал спрашивать Лев.

— А-а-а! Вот вы о чем! — обрадовался пожарный. — Нет, не
приходилось, но по телевизору и в кино видел. Ничего похо-
жего. Столы были самые обычные, обеденный там, журналь-
ные...

— Вы обязательно после таких выездов обсуждаете произошедшее — это же в человеческой натуре, потому что вы только
что все вместе рисковали жизнью. Кто что говорил? Никому
ничего не показалось странным? Может быть, спальных комнат было много? Еще что-то? Шкафы с книгами, посудой,
одеждой... Картины всякие, игрушки, вазы.

— Спальни? — удивился пожарный. — Ну, так в таких домах их всегда несколько, а вот по поводу всего остального...
Сам я ничего такого не видел, да и другие не говорили. Скром-
ненький был вообще-то дом, только самое необходимое для
жизни. Вазы, картины, игрушки, посуда... — задумчиво повторил он. — Да нет, ничего такого... По наружности, так должно
было быть внутри побогаче.

— Спасибо, вы мне очень помогли, — кивнул ему Гуров и поплелся к их машине.

Но оказалось, что он ошибся, потому что Стас перехватил его по дороге и повел к другой, утешающе объясняя на ходу:

— Не обращай внимания, они все просто похожи.

Гуров залез на заднее сиденье, забился в угол и закрыл глаза. Следом за ним сели остальные, и Косарев осторожно поинтересовался:

— В Фомичевск, Лев Иванович?

Тот просто кивнул, и они поехали, но едва тронулись с места, как Лев спросил:

— Водки можно достать? Прямо сейчас!

— Да без вопросов, — обалдело ответил Фомин.

Но вытаращился он при этом не на Гурова, а на Крячко, словно молчаливо спрашивал, что делать. Стас на это сделал страшные глаза, «следак» вышел из машины и довольно быстро вернулся. Он протянул Крячко бутылку водки и на вопрошающий взгляд Стаса успокаивающе покивал головой, давая понять, что это не паленая. Крячко открыл бутылку и вложил ее в руку Гурова. Тот наконец открыл глаза и прямо из горлышка выпил половину, а остальное отдал Стасу.

— Меня пока не трогать, — сказал он и, сев боком, прислонился лбом к холодному стеклу окна.

По дороге все в машине молчали, но когда въехали в Фомичевск, Косарев спросил:

— Лев Иванович, вас в гостиницу?

— Нас всех в управление, — не меняя положения и ни на кого не глядя, ответил тот.

Когда они вошли внутрь, глаза у дежурного стали квадратные — ну, не было еще такого, чтобы начальство приехало в такое позднее время, а этот полковник Гуров, который успел вдрызг разругаться с самими Сидоркиными, выглядел так, словно собой печную трубу чистил, а уж водкой от него разило! Да и второй, Крячко, тоже в чем-то перепачкался и при этом вышагивал с полупустой бутылкой водки в руке! Но дежурный, как положено, вскочил и доложил, что за время его дежурства происшествий не было. Косарев махнул ему на это рукой, забрал ключ от кабинета, и они ушли.

В кабинете Косарева все подсели к столу для заседаний: Андрей Федорович и «следак» с одной стороны, а Гуров с Крячко — с другой. Местные полицейские выжидающе смотрели на Гурова, и тот, обведя их бесконечно усталым взглядом, тусклым голосом произнес:

— Господи! Как же я хотел ошибиться! Уже все понял, но сам себя обманывал и надеялся! До последнего надеялся, что это казино или бордель, а это...

— Лев Иванович! Ты нас не пугай! Мы уже и так на взводе! — попросил его Фомин, неожиданно для самого себя обратившись к Гурову на «ты». — Объясни толком, что это было?

Вместо ответа Лева полез в карман куртки, достал оттуда и положил на стол несколько маленьких металлических пуговиц с выпуклым изображением медвежонка.

— Вот, нашел в подвале.

— Что это? — настороженно спросил Фомин, уже понимая, что случилось что-то очень страшное.

— Лев Иванович! Ну не мотай же ты нам нервы! — взвился Косарев.

А вот Крячко уже все понял, но молчал, потому что сил говорить не было — челюсти свело от ярости, и в глазах потемнело.

— Это действительно был бордель, но только для педофилов, а детей держали в подвале, — наконец сказал Лев.

Косарев побледнел так, что казалось, его вот-вот удар хватит. Набрав в грудь воздух, он не смог нормально выдохнуть, а когда его отпустило, схватился руками за голову и прямо-таки завыл на одной ноте:

— А-а-а-а-а-а!

Фомин же матерился! Он просто тупо матерился во весь голос, изо всех сил стуча стиснутыми до белизны костяшек кулаками по столу. Перепуганный дежурный рванул к кабинету, но сразу ворваться туда не решился, а, приоткрыв дверь, посмотрел в щелку. Увидев такое, чего он себе даже в кошмарном сне представить не мог, он все-таки заглянул внутрь и дрожащим голосом спросил:

— Товарищ майор! Может, «Скорую»?

— Пошел вон! — очнувшись, заорал Фомин, а вот Косарев, придя в себя, остановил дежурного:

— Постой! — Он достал из бумажника тысячу рублей и приказал: — Две!.. Нет! Три бутылки водки, а на остальное закуску. И сигарет побольше купи! Мухой!

— А дверь? — тихо протянул дежурный.

— Иди, я за тобой закрою, а когда вернешься, позвонишь, — предложил Стас.

Косарев достал стаканы и разлил в них остатки водки, а Фомин принес из холодильника в своем кабинете нехитрую закусь: пару соленых огурцов, кусок домашнего соленого сала и краюху хлеба. Грубо покромсав все это на ломти, взял свой стакан и удрученно произнес:

— Господи! Да тут уже не знаешь, за что и пить-то!

— Чтобы отпустило, — сказал вернувшийся Стас, имея при этом в виду в первую очередь Гурова.

— Ну, если только за это, — согласился «следак».

Все выпили, не обременяя себя закуской, и Косарев попросил:

— Лев Иванович, объясни, как ты все это понял.

Гурову категорически ничего не хотелось сейчас говорить, у него было единственное желание: нажраться до провалов в биографии, чтобы наутро ничего не помнить, да вот только нельзя было — в этом деле еще разбираться и разбираться. Это потом, когда все закончится, можно будет расслабиться, съездить со Стасом к нему на дачу и отдохнуть душой. А сейчас нужно было работать, делать эту треклятую работу, которую за них никто не выполнит. И он начал:

— Первые подозрения, что здесь что-то нечисто, у меня появились, когда я узнал, как погибли потерпевшие.

— Да какие они, к черту, потерпевшие? — взревел Фомин. — Сам бы своими руками гадов на мелкие куски резал!

— Ну, для нас-то они все равно официально потерпевшие, — устало возразил Лев. — На мелкие клочки резать? Но они и так лютую смерть приняли — мы же не знаем, сколько времени они еще жили?

— Заслуженно приняли! — жестко заметил Андрей Федорович. — Я бы тому, кто это сделал, в ножки поклонился!

Гуров собрался рассказывать дальше, но тут раздался звонок — это вернулся дежурный, который обернулся действительно мухой. Он занес в кабинет два пакета с покупками, и когда стал выставлять их на стол, то увидел пуговички и воскликнул:

— О! У меня в детстве на рубашке такие же были!

— Уйди! — сдавленным голосом попросил его Косарев и, взглянув на растерявшегося дежурного, уже заорал: — Уйди, тебе сказали!

Тот пулей выскочил из кабинета и побежал к себе, но, посидев немного, решил все-таки узнать, в чем дело — а кто сказал, что любопытство сгубило только кошку? Оно, бывает, и мужикам боком выходит! Он на цыпочках пошел к кабинету, прилип ухом к двери и стал слушать. В кабинете же к тому моменту уже и закуска была нарезана и разложена, и водка была снова не только налита, но и выпита. Косарев с Фоминым закурили, и Фомин спросил:

— Ну а потом что?

— Когда я просматривал заявления о пропавших, меня насторожило то, что для ваших, уж простите, довольно глухих мест слишком много было заявлений о пропаже детей. Причем по всему району, — медленно рассказывал Лев. — Отложилось это как-то в памяти. Потом перечень драгоценностей, что были на женщине. Старинные серьги и ширпотреб, да еще и браслет с выпавшим камнем. А ведь вставить сейчас, ну, пусть не бриллиант, а что-то вроде него, чтобы пустого места не было, совсем несложно. Почему же она этого не сделала? Работа-то грошовая. Значит, побоялась соваться, то есть вещь явно краденая или с нехорошим прошлым, о котором женщина знала. А это говорит о том, что, по крайней мере, у нее самой прошлое не самое чистое. Тут тоже был повод кое о чем подумать.

— Потому-то ты и сказал, что они тут могут скрываться, — напомнил Стас.

— Была такая мысль, но по здравом размышлении я ее отбросил. Если бы они просто скрывались, а их нашли и убили за старые грехи, то не стали бы так заморачиваться. Да и не могли пришлые бандиты знать ни о даче Трофимыча, ни о всех проселочных дорогах в вашем районе. Здесь действовали явно местные. Значит, эта парочка и здесь успела что-то натворить. Что? За что их могли так жестоко казнить? Причем местные. А за нечто совершенно из ряда вон выходящее, что у нормального человека в голове не укладывается, за что любой нормальный человек убьет без малейших колебаний. Вот тут-то заявления о пропавших детях и были как раз к месту. Но я от себя эту мысль гнал, все надеялся, что ошибаюсь. Просто не хотел в это верить.

— А когда поверил? — осторожно спросил Косарев.

— Когда по дороге в Сабуровку вы сказали, что там сгорел дом, у меня еще теплилась надежда на то, что эти двое были управляющими в казино или борделе с девками, — словно и не слыша этого вопроса, продолжал Лев. — Но тот мужик рассказал, что гости чаще приезжали днем и надолго не задерживались, а ведь в казино порой на всю ночь зависают. Что оставалось? Публичный дом? Тащиться на навороченных машинах в такую даль, когда этого добра что в Москве, что в любом крупном райцентре навалом? Значит, это было нечто особенное, ради чего стоило такие концы давать. А уж когда этот мужик сказал про молоко, все встало на свои места. Но не мог я в это поверить! — не сдержавшись, выкрикнул Гуров.

— Но ведь молоко могло быть действительно для мужа, — тихо заметил Косарев.

Лев криво усмехнулся и ответил:

— Вам это, видимо, к счастью, незнакомо, и дай бог, чтобы так и оставалось, но вот только при заболеваниях желудка, поджелудочной и кишечника пресное молоко категорически противопоказано, уж вы мне поверьте. Так что не для мужа его покупали, а для детей.

— А пожарного ты велел позвать, потому что... — начал было «следак», но Лев перебил его:

— Потому что все еще надеялся. Потому и в дом этот пошел, причем именно в подвал! Раз этих сволочей в выгребную яму сбросили, значит, и детей держали в каком-то подобном месте.

— То есть преступники... — начал Косарев и тут же сорвался: — Какие они, к черту, преступники? Герои они! И хотели, чтобы эти сволочи на своей шкуре испытали то же, что и дети в подвале!

— Я там долго провозился, — продолжал Гуров. — Весь пол облазил, следы пребывания детей искал, а сам все надеялся, что ничего не найду! — дрогнувшим голосом сказал он. — Но нашел! Пуговки эти. Материя, наверное, натуральная была и от времени истлела или сгорела, а вот они остались! Так что с пожарным мне, в общем-то, уже не о чем было разговаривать.

Некоторое время все молчали, а потом Андрей Федорович предложил:

— Давайте выпьем, что ли? На душе до того погано, что выть хочется.

За время рассказа Гурова и он, и «следак» все подливали и подливали себе в стаканы, потому что слушать такое было невыносимо, а уж сигареты курили одну за другой. Крячко жестом, чтобы не мешать Льву, показал, что ему достаточно, а сам Гуров сидел, вертя в руках стакан, и, казалось, ничего вокруг не видел. Очнувшись наконец, он посмотрел на стакан и поддержал:

— Давайте! Господи! Как бы я хотел, чтобы ничего этого не было!

Они выпили, закусили, и Косарев спросил:

— Что делать будем, Лев Иванович?

— Работать! — просто сказал тот. — Эти двое были исполнителями, но есть тот, кто все это организовал, фальшивые документы этим сволочам сделал, снял этот дом, а потом на детских слезах немалые деньги заколачивал! И ведь как все придумано было! — сорвался он. — Приезжает какой-нибудь богатый извращенец и, ничего не боясь, оттягивается от души!

А чего ему бояться? Это в Москве мало кто рискнет таким делом заниматься, потому что большую часть борделей полиция «крышует», а она, я надеюсь, с такой откровенной мерзостью все-таки связываться не стала бы. А тут и на «крышу» тратиться не надо! Дом в области, но недалеко от приличной дороги, стоит прямо на въезде, то есть соседи далеко. Забор высокий, на окнах стеклопакеты, которые звукоизоляцию обеспечивают, кондиционеры имеются, так что окна и открывать не приходится.

— Когда ж ты все это заметил? — удивился «следак».

— Он — Гуров! — как о само собой разумеющемся, объяснил Крячко.

— Давайте за Гурова! — тут же предложил Косарев. — Если бы не он, мы никогда в жизни ни о чем не догадались бы! А ведь такое страшное дело у нас, можно сказать, под самым носом творилось! Ведь почти полтора года эти сволочи над детьми измывались.

Лев даже возражать не стал — понимал, что действительно это заслужил. Все снова выпили, и тут оказалось, что водка почти кончилась.

— Может, еще дежурного сгонять? — предложил Фомин. — А то столько выпили, а трезвые как стеклышки.

— От таких новостей и захочешь, так не захмелеешь, — буркнул Косарев. — Ну, что? По домам?

— Э нет! Берите бумагу и пишите, что надо будет сделать, — распорядился Гуров.

Фомин безропотно взял лист бумаги, и Лев начал диктовать:

— Первое. Проработать все заявления о пропавших детях начиная с мая 2003-го по ноябрь 2004 года включительно! А то знаю я вас — заявление от родителей приняли и подальше убрали. Разыскное дело никто и не почесался завести. А если ребенок вдруг нашелся, так и дело с концом! Хорошо, если заявление не порвали и в мусорную корзину не выкинули — бардак же у вас здесь, и вы сами об этом знаете! Так что по всем деревням, поселкам, городкам пройтись самым частым гребнем и все случаи до единого выявить! Я должен знать о каждом ребенке все! Предупреждаю: я человек не злой, но, если узнаю, что вы напортачили, пеняйте на себя! Завтра же обо всем генерал-майору Орлову доложу, так что с живых с вас не слезут!

— А без этого никак? — робко спросил Косарев.

— Никак! — отрезал Лев. — Дети могли пропадать и в соседних районах, и даже в соседней области! Да вы можете себе представить, сколько детей через этот ад за почти полтора года прошло? — сорвался он на крик. — А сколько их погибло в этом аду? Поэтому второе: проверить всю территорию вокруг дома на предмет захоронений.

— Могли в лес вывозить, — осторожно предположил Фомин.

Гуров на это только головой помотал:

— Нет, потому что это риск. Грибники или еще кто-то мог бы увидеть и полиции сообщить. То, что взрослых находят, дело привычное, а вот детей? Нет, тут бы шум поднялся, стали бы по домам ходить, людей опрашивать. А далеко везти — опять-таки риск.

— Вдруг гаишники тормознут? — догадался Косарев.

— Вот именно! — кивнул Лев. — А у охранника — я думаю, что именно он этими делами занимался, — труп ребенка в «Газели». Так что на территории дома их закапывали.

— Так апрель же еще, — заметил Фомин. — Днем хоть и тепло, а земля-то еще не отошла. Да и как искать, если за столько лет она вообще слежалась?

— А вот для этого я в Москву и позвоню, приедут специалисты с аппаратурой и найдут, а вот лопатами уже вашим подчиненным придется поработать, раз головой не умеют.

— А тех, кто этих сволочей порешил, будем искать? — спросил Косарев.

— Будем! И найдем! — твердо заявил Гуров.

Косарев и Фомин переглянулись — по их мнению, те, кто освободил детей, заслуживали награды, а уж никак не срока, — но промолчали, решив для себя, что в этом деле они Льву не помощники.

— Но как люди узнали, что там дети? — удивился «следак». — Судя по тому, что охранника убили на месте, а этих сволочей вывезли и казнили, туда явно не грабить шли, а именно за тем, чтобы детей освободить.

— Может, кто-то из детей сумел сбежать, добрался до родственников и все рассказал, — предположил Косарев.

— Так что же они в полицию не пошли? — воскликнул Фомин. — Тут бы мы всю эту шайку-лейку мигом накрыли! А из этих сволочей душу бы вытрясли, но они нам и имя организатора, и клиентов своих назвали!

— А почему ты думаешь, что из них это кто-то другой не вытряс? Вспомни их выбитые зубы и сломанные пальцы с ребрами, — усмехнулся Крячко. — Их ведь не просто били, из них эти имена выбивали! И выбили! Потому что иначе в выгребную яму не бросили бы! Представь себе человека, который, зная наши законы, понимал, что сроки эти сволочи получат не очень большие, чтобы они никого не сдали, им самого лучшего из прожженных адвокатов наймут! А могут с этим и не затеваться, а заплатить кому надо, и придушат подушкой ночью в камере что его, что ее. Нет, этот человек очень хорошо знал, что делал! Лично я, не будь полицейским, его и искать не стал бы! А если бы случайно узнал, кто это, руку бы ему от всей души пожал!

— Лирические отступления кончились? — довольно сердито спросил Лев, потому что устал он до чертиков и мечтал только о том, чтобы упасть на кровать и вырубиться, и, когда все замолчали, продолжил: — Третье. Связаться со всеми медицинскими учреждениями района, вплоть до фельдшерских пунктов в деревнях. Нужно выяснить, не привозили ли им ночью, утром или днем 5 ноября 2004 года детей с характерными для изнасилования или другими травмами. Пусть ваши участковые хоть ужом извернутся, но все выяснят! Такой случай не мог не запомниться! А по соседним районам и ближайшим областям запрос из Москвы пойдет. На данный момент у меня все! А дальше — война план покажет! — И, поднявшись, повернулся к Крячко: — Пошли, Стас, а то я отключусь прямо здесь!

— Подождите, вас сейчас «дежурка» отвезет, — тоже вскочил Косарев.

— Не надо, мы лучше пройдемся, свежим воздухом подышим, а то вы тут так надымили, что голова разболелась, — возразил Лев.

Голова у него действительно отчаянно болела, но только ли от табачного дыма? От того, что он сегодня пережил, она заболела бы даже у деревянного Буратино. Простоявший все это время под дверью дежурный мигом долетел до своего места и успел сесть с самым невинным видом, да вот только уши у него, как факелы, пылали — еще бы! Такие дела в районе творятся!

Гуров и Крячко вышли из управления и медленно пошли к гостинице. Улица была совершенно пустынна, незагазованный воздух был прохладен и свеж, и Льву действительно стало немного лучше. В гостинице разбуженная дежурная попыталась было взъерепениться, но Стас так на нее цыкнул, что она испуганно замолчала. В номере Гуров сбросил с себя костюм и куртку прямо на пол — вешать такое в шкаф было бы преступлением — и рухнул на кровать. Стас же аккуратно все собрал, развесил по стульям, думая при этом, а есть ли в городе срочная химчистка, и только потом разделся сам и лег. Льву казалось, что, стоит ему коснуться головой подушки, как он провалится в сон, дай бог, чтобы без сновидений, но оказалось, что физическая усталость — одно, а нервное перенапряжение — совсем другое. Перед его глазами вставали такие картины мучений детей, что в голос рыдать хотелось — какой уж тут сон? Гуров считал идущих вереницей один за другим слонов, представлял себя на берегу моря, с его шуршащим звуком набегавших на берег волн, со Стасом на рыбалке, когда в ветвях деревьев поют птички, тихо плещется вода, а на ее поверхности подрагивает поплавок, — все напрасно! Он вертелся с боку на бок, пружины визжали, как перепуганные поросята, мешая спать Крячко, но ничего с собой поделать не мог. Забылся Лев только под утро.

Оставшись одни, Косарев и Фомин дружно вздохнули, и «следак» спросил:

— Что будем делать, Андрюша?

— А что мы с тобой можем сделать, Леша? — безрадостно ответил Косарев. — Только молиться о том, чтобы Гурова и Крячко в Москву не отозвали — концы-то, судя по всему, туда ведут. А то пришлют сюда вместо них таких волкодавов, что от нас и косточек не останется. Гуров, конечно, мужик с гонором, но не сволочь, которая нас прилюдно мордовать будет. И он, и Стас — мужики нормальные, жизнь знают и правильно понимают!

— Ты прав. А еще надо нам их из гостиницы куда-то переселить. Я, конечно, Егорыча уважаю, но своя рубашка ближе к телу! У него свой бизнес и деньги немереные, а у нас с тобой? Снимут с нас погоны за это дело, куда пойдем? К нему в охранники или сторожа? Я предлагаю их у моей матери поселить. Это и отсюда недалеко, и биотуалет с душевой кабиной я ей установил, и водонагреватель там есть, так что будут они жить со всеми удобствами. Объясню ей, что к чему, так она им и сготовит, и постирает! Я прямо сейчас зайду, она утром комнаты и приготовит.

Мать Фомина, когда сын обрисовал ей ситуацию, ни секунды не колебалась.

— Веди! И накормлю, и обстираю! А Егорычу, если чего, в глаза все выскажу! У меня не застрянет! И пусть попробует мне в ответ хоть слово пикнуть! Барин нашелся! — бушевала она.

— Мама, ну, ты не особо лютуй! Может, и обойдется! — успокаивал ее сын.

А вот дежурный, сменившись утром и вернувшись домой, вид имел до того таинственный и загадочный, что его жена Варвара, почуяв сенсацию, вцепилась в него руками, ногами, зубами и ногтями, и ластилась, и уговаривала, и обиженной притворялась, и выпытала-таки все! При этом клялась самыми страшными клятвами, что никогда, никому, даже под самым большим секретом, ни словечка не скажет! А он и притворялся-то, что ничего рассказать не имеет права, только для того, чтобы она его уговаривала, хотя прекрасно знал, что обещания своего любимая женушка не сдержит. Поев, дежурный лег спать, а вот Варвара отправилась к соседке, где под страшным секретом рассказала той, что, оказывается, в Сабуровке педофилы были! Соседка заверила ее, что никому и никогда... Короче, по мере распространения слухов по Фомичевску уже через пару часов все, от мала до велика, знали от совершенно верных людей, что в их родном городе бесчинствует банда педофилов, так что детей лучше совсем из дома не выпускать, а тех, что в школу ходят, встречать и провожать, и еще накрепко втолковать детям, чтобы с незнакомыми дядями и тетями ни за что не разговаривали, а сразу же кричали и звали на помощь. В общем, жизнь в городе превратилась в настоящий дурдом.

Стас же, проснувшись утром, умудрился бесшумно подняться со скрипучей кровати, наскоро оделся, кое-как умылся и побрился в туалете — не баре, без душа обойдемся! — и пошел к дежурной, чтобы узнать, есть ли в городе срочная химчистка: ходить в том, во что превратились костюм и куртка Гурова, было невозможно. Выяснив все в подробностях, он поел в буфете, захватив кое-что Льву, отнес все это в номер, где сначала написал ему обстоятельную записку, а потом собрал его вещи и отправился в химчистку. По дороге встретил Фомина, который рассказал ему о грядущих приятных переменах в их жизни, и в химчистку, а потом и в управление они пошли вместе.

Косарев уже был у себя и претворял в жизнь намеченный вчера Гуровым план, то есть матюкал всех по телефону беспощадно, дабы взбодрить и подвигнуть на трудовые свершения. Первым делом Крячко с телефона Косарева позвонил Орлову, отчитался перед ним самым подробным образом, на что Петр отреагировал совершенно адекватно, как и положено нормальному русскому мужику, узнавшему о творившихся в Сабуровке делах, то есть минут пять ругался без передыха, а затем поинтересовался, что они сами собираются делать и какая требуется помощь от него лично. Узнав, что конкретно ему надо сделать, Орлов пообещал тут же подключить все возможные службы, а потом сказал:

— Стас! Тут из посольства Таджикистана странная бумага пришла.

— Что значит «странная»? — насторожился Крячко. — Она плохая или хорошая?

— Она странная, — повторил Петр. — Что-то я уже ничего не понимаю!

— Вот и давай не будем себе этим голову забивать, — предложил Стас. — Потом разберемся, не до нее сейчас! Ты лучше проследи, чтобы эти фотографии якобы потерпевших и драгоценностей в Москве у каждого пэпээсника были, про районы я уже и не говорю! Ноги-то у этой истории из столицы растут!

Пока Крячко, Фомин и Косарев обсуждали дела насущные, Гуров проснулся, причем уже в одиннадцатом часу, что было вполне объяснимо, если учесть, во сколько он заснул. Не увидев в номере Стаса, он сначала обиделся, что тот его не разбудил, а потом нашел записку и обалдел. Нет, конечно, завтрак почти что в постель — это очень приятно, но вот то, что из гостиницы выйти не в чем — гораздо хуже. Спортивные брюки и футболка у него были, так что проблема туалета и душа остро не стояла, но в управление же в этом не пойдешь! Поев и приведя себя в порядок, он позвонил Стасу и в категоричной форме потребовал вернуть ему одежду, но голос Крячко был едва слышен из-за раздававшихся вокруг него криков, и единственное, что Лев разобрал, было «после обеда». Решив, что грех не воспользоваться возможностью немного отдохнуть, потому что самое главное он вчера уже сделал, а уж воплощать в жизнь его замыслы Стас умел, как никто другой, Лев решил прилечь и снова уснул.

А объяснение крикам было самое простое — дурдом из города переместился в кабинет Косарева. Все началось с того, что дежурный, сменивший вчерашнего, позвонил ему и сказал, что возле него жутко скандалит Марыся и рвется лицезреть начальство, он ее пока сдерживает, но надолго его не хватит, так что требуется подкрепление. Бабка Матрена, которую кто-то в незапамятные времена назвал Марысей, и прозвище это приклеилось к ней намертво, была женщиной хорошо за шестьдесят, вес имела если не десятипудовый, то очень близкий к нему, а уж своим буйным характером была известна на весь город.

— Пропусти, пока она все управление не разнесла, — устало разрешил Косарев и объяснил Крячко: — Проще сдаться.

Бабка Матрена ворвалась в его кабинет, как ураган Катрина в беззащитный Новый Орлеан, и с порога начала скандалить:

— Скажи мне, Федорыч, ты какого лешего в это кресло сидеть поставлен? Почему я, старая, одинокая, беззащитная женщина, не могу на помощь родной милиции рассчитывать? Вчера Васька Рябой опять дружков собрал, опять они до поздней ночи свои уголовные песни горланили! Я чуть с ума не сошла! У меня же давление! Стенокардия! Гипертония! Этот... Поясничный радикулит! И... — Она на секунду замолчала, а потом махнула рукой: — Впрочем, неважно! Я на телефоне чуть не повесилась, а у вас тут все занято и занято! Может, этот придурошный у тебя тут сексом по телефону занимается за счет... э-э-э... налогоплательщиков!

— Марыся! — начал было Косарев, но тут же поправился: — Тьфу! Матрена! Так ведь ты же можешь и Ваську, и всех его дружков одной левой за Урал закинуть! Уж я-то тебя знаю!

— Могу! Но не обязана! А вот ты меня защищать обязан! И детей моих! И весь город наш! — стояла она на своем.

— Матрена! Давай начнем с того, что у тебя детей нет, — попытался как-то образумить ее Андрей Федорович.

— Ну и что, что у меня нет? — Она уперла руки в бока, и зрелище оказалось очень впечатляющим. — А у других-то есть! А ты до чего город довел? Люди детей боятся из дома выпускать! В городе банда этих... Пеки... пети... в общем, филов каких-то бесчинствует! А ты куда смотришь?

Косарев и Фомин переглянулись и синхронно вздохнули. Не обращая больше внимания на вопли Матрены, Андрей Федорович по громкой связи связался с дежурным и сказал:

— Немедленно привезите сюда Новикова.

— Так он же только сменился, — удивился тот.

— Вот вытащите его из постели и привезите сюда! Немедленно! — Косарев повернулся к Матрене и спросил: — Ну и кто же тебе про педофилов сказал?

Та тут же поджала губы и заявила:

— Обещала не говорить, и не скажу!

Косарев опять связался по громкой связи с дежурным и приказал:

— Давай ко мне всех, кто в управлении! Будем Марысю в «обезьянник» сажать! Авось все вместе справимся.

— Товарищ майор! Она же его вдребезги разнесет! — испуганно ответил дежурный.

— А вот тогда мы ее в тюрьму посадим! Не только за распространение злостных, не соответствующих действительности слухов, но и за нападение на сотрудников при исполнении, и за нанесение ущерба нашему управлению. В общем, лет на пятнадцать потянет! Кстати, ты за Новиковым машину отправил?

— Отправил, — пролепетал тот.

— Ну вот! Сейчас все соберутся, и отконвоируем мы все вместе гражданку Матрену в «обезьянник». Пусть она там посидит, подумает о жизни, а бушевать начнет, так мы психбригаду вызовем. Вколят ей что-нибудь успокоительное, а там и увезут в психушку, где в смирительной рубашке она не больно-то побуянит!

— Прав не имеете, — без прежней уверенности в голосе проговорила Марыся.

Тут подключился Крячко и официально сказал:

— Я — полковник полиции из Москвы, вот мое удостоверение. — Он развернул его и поднес к ее лицу. — Так вот, я вам разъясняю, что такое право они имеют!

— Да за что же это? — растерялась она. — Я же не для себя! Я же для других стараюсь! Детишек больно жалко!

— Я вам ответственно заявляю, что никаких педофилов в Фомичевске нет, не было и не будет! — четко и раздельно произнес Крячко. — Зная ваш характер и стремление всегда добиваться справедливости, кто-то злонамеренно ввел вас в заблуждение, чтобы спровоцировать на такой решительный, но необдуманный поступок, который мог быть чреват для вас очень тяжелыми последствиями!

Бабка Матрена слушала его очень внимательно, вряд ли поняв из его слов хоть половину, суть она все-таки уловила:

291

— Так, значит, Дашка с Песчаной мне соврала?

— Да, — твердо заявил Стас. — Я не знаю, почему она на вас так зла, но она вас подставила.

— Подлянку, значит, мне кинула, — по-своему расшифровала его слова Марыся. — Ну-ну! — добавила не предвещавшим ничего хорошего тоном и заторопилась: — Ты, Федорыч, извини, если что не так, а сейчас мне некогда. Пойду я!

Она развернулась, как броненосец в бассейне, и направилась к двери. В этот момент она открылась, и в дверном проеме показались человек пять полицейских.

— Ну, что? Будем сажать Марысю? — без особого энтузиазма в голосе поинтересовался тот, что стоял впереди.

— Инцидент исчерпан, гражданка Матрена идет по своим делам, — объяснил им Косарев — ответом ему был вздох величайшего облегчения.

Когда они остались втроем, Фомин, посмеиваясь, спросил:

— Стас, ты хоть понимаешь, что к вечеру половина баб этого города будет ходить с расцарапанными лицами и выдранными волосами?

— Чем меньше волос, тем больше доступа кислорода к мозгу, авось поумнеют, — хмыкнул Крячко.

— Леша, а ведь Песчаная — это другой конец города, — заметил Косарев.

— Так скорость-то сверхзвуковая! — развел руками тот.

— Я так понимаю, что дежурный вчера под дверью кабинета подслушивал? — спросил Стас, хотя и так был уверен в ответе.

— Вот именно! Ладно бы только сам подслушивал, он же потом все своей жене пересказывает, а уж Варька мастерица трепать языком во все стороны. Он нас уже не раз так подставлял, — вздохнул Фомин.

— А пинка под зад не пробовали? — поинтересовался Крячко.

— Он Егорычу дальняя родня, — мрачно объяснил Косарев, — потому и терпим.

Они стали обсуждать дальше свои дела, когда позвонил дежурный:

— Товарищ майор! Тут Илья Егорович приехал.

— Так, пропускай! — обреченно сказал Косарев. — Если Женька прочухал, что его не на пряники зовут, то вполне мог Егорычу позвонить и защиты попросить. Ну, и как его теперь пинком под зад? — это сказал он уже Крячко.

Вошедший Егорыч был не в костюме, а в джинсах, что в столь почтенном возрасте могло бы показаться странным на другом человеке, а вот на нем смотрелось совершенно естественно, и толстом пушистом пуловере явно домашней вязки. Стас видел его только сидящим, а теперь оказалось, что ростом он оказался даже повыше Гурова. Поздоровавшись со всеми, Егорыч сел и, не чинясь, спросил:

— Федорыч, какая тебе помощь нужна?

— Илья Егорович, о чем вы? — удивился тот.

— Брось! — поморщился старик. — Меня ваши тайны следствия не волнуют, но тут Настя с базара прибежала, перепуганная насмерть, говорит, что в Фомичевске банда педофилов орудует и детей нужно как можно скорее из города увозить. Надюша в рев, а ей нервничать нельзя — она же у нас опять беременная. Сына дома нет — по делам уехал, вот я к вам и пришел, чтобы узнать, что это за напасть такая новая в нашем городе объявилась.

Косарев закрыл лицо руками, и его плечи затряслись, а Фомин просто отвернулся. Тогда Егорыч повернулся к Стасу и потребовал:

— Полковник! Ну, хоть ты мне объясни, что случилось!

— А это ты, Егорыч, у своего родственника поинтересуйся, его как раз скоро привезти должны, — скромно ответил Стас.

— Опять! — раненым медведем взревел старик. — Ну, не твою ли мать! Послал Бог родственничка! — И уже Крячко стал рассказывать: — Ядовитые змеи с удавами у нас по городу уже ползали — это когда из живого уголка в школе уж исчез! Собаки-людоеды у нас тут тоже уже были — это когда мальчишки в чужой сад за яблоками полезли и одного из них собака за задницу цапнула! А теперь, значит, педофилы! — Он хлопнул себя по коленям. — И ведь понимаю я, откуда ноги растут! Сам-то он парень недалекий, но безобидный, а вот жена его! Он как мне сказал, что на Варьке жениться собирает-

293

ся, я его прямо спросил: «Ты что, не видишь, что она дура на-битая? Или глаза у тебя на другом месте выросли?» А он мне: «Я ее люблю». Я ему втолковываю: «Да залюбитесь вы хоть до смерти, но жить-то тебе не с мохнаткой, а с человеком!» А он мне опять: «Я ее люблю». Плюнул я и сказал, чтобы поступал как хочет, но ко мне жаловаться не ходил. Сюда его пристро-ил, думал, что тут от него вреда никакого никому не будет, си-дит человек на телефоне и на звонки отвечает, так нет же! Ну, узнал ты что-то на работе, так зачем все тут же своей жене раз-болтал?

— Так он не узнал, он специально подслушал, — возразил Стас и рассказал, как дело было.

— Господи! Да как же вы его терпите? Гнать его надо в три шеи! — возмутился Егорыч.

— Мы терпим?! — взвились Косарев и Фомин.

— Понял, из-за меня его держали, — вздохнул старик. — Ну, так больше не держите, пусть на все четыре стороны ка-тится! Увольняйте по любой статье, по какой захотите. Это же надо было опять так город взбаламутить!

— Ничего, — мстительно заметил Косарев. — Когда бабы до первоисточника все-таки доберутся, кое-кому очень силь-но не поздоровится! Матрена очень грозно настроена.

— Да видел я, когда сюда ехал, как она на всех парах куда-то мчалась. Если бы у моей машины на пути оказалась, сшибла бы нас и не заметила, — хмыкнул Егорыч и вернулся к делу: — Значит, как я понял, что-то такое все-таки было.

— Да, но не у нас, а десять лет назад и в Сабуровке, — от-ветил Фомин. — Почти полтора года над детишками измыва-лись. Завтра приедут специалисты и будут обследовать терри-торию вокруг дома в поисках захоронений — вряд ли они детей лечили.

Егорыч побледнел и схватился за сердце, Фомин тут же бросился за водой, а старик свободной рукой достал из карма-на тюбик с нитроглицерином и протянул его Стасу, потому что тот стоял ближе всех, прошептав:

— Парочку.

Крячко высыпал себе на ладонь две таблетки и сам вложил их в рот старика. Егорыч отдышался, попил воды и слабым голосом проговорил:

— Позвоните и скажите, куда людей прислать, я таджиков дам. Нечего вашим ломами да лопатами махать — другая у них работа. Если деньги нужны будут на экспертизы какие-нибудь, я тоже дам. Родители-то столько лет живут и не знают, что с их детишками приключилось, а хуже неизвестности ничего на свете нет. А так хоть могилка будет, куда можно прийти и поплакать. Ну, и молебен за упокой души невинно убиенных я закажу. Батюшка у нас хороший, душевно отслужит.

— Илья Егорович, может быть, врача вызвать? Или «Скорую»? — спросил Фомин.

— Нет, я сейчас Женьку дождусь и домой поеду — Наталья мои болячки лучше любого врача знает, — отказался старик. — Да и отпустило уже. А поганца этого я сейчас уму-разуму поучу!

— Лучше бы он Варьку свою уму-разуму поучил, — сжал пальцы в увесистый кулак капитан.

— Не то ты, Леша, сказал! Не то! — покачал головой Егорыч. — Да разве же можно женщину бить? Она и так Богом наказана — ей же рожать приходится. Нам-то, мужикам, одно удовольствие, а им? Вот Мишку моего врачиха как-то уговорила при родах присутствовать — мол, сейчас так принято, Надюше от этого легче будет. Ну, и кого нашатырем откачивали? Ее? Не-е-ет! Его! Это Надюшка наша еще легко рожает, а другие бабы по суткам мучаются. А вот Мишка после этого неделю как пришибленный ходил, а потом поклялся, что больше не допустит, чтобы его жена так страдала. Хорошо, она сама его на третьего уговорила, а потом уже и остальные пошли. А ты говоришь — бить. Не можешь ты с женой жить, так уйди! Потому что бить ее, по большому счету, и не за что — сам же дурак, что не разглядел вовремя, на ком женился. — Он тяжко вздохнул, посмотрел на часы и возмутился: — Да скоро, что ли, Женьку привезут?

Косарев позвонил дежурному, и тут на весь кабинет раздался его взволнованный голос:

— Товарищ майор! У входа толпа собралась. Люди кричат о каких-то педофилах и вас требуют.

Косарев стал подниматься, но Егорыч остановил его:

— Сиди! Сам к народу выйду! — и направился к дверям, приговаривая на ходу: — Господи! Это же надо было такое натворить! Вот дурак-то! Ну, ничего, сейчас он у меня за все свои художества сполна получит!

Андрей Федорович, Фомин и Стас пошли за ним следом, и Крячко шепотом спросил у Косарева:

— Думаешь, он сумеет народ утихомирить?

— Раньше получалось, — ответил тот.

Старик вышел на высокое крыльцо, встал на краю верхней ступеньки и молчал, а ждавшие его на улице охранники тут же оказались рядом с ним, бдительно посматривая по сторонам. Толпа состояла в основном из женщин, причем лица некоторых из них были уже действительно расцарапаны, а волосы пребывали в отнюдь не художественном беспорядке, но попадались и старики. Из нее раздавались разные выкрики, порой и угрожающие, но при виде Сидоркина все стали потихоньку успокаиваться, а потом и совсем смолкли. Выглядел сейчас Егорыч как могучий, старый, мудрый дуб над мелкой, неразумной порослью. Дождавшись абсолютной тишины, он начал говорить:

— Люди добрые! Вы меня хорошо знаете. И о том, как я душой за детишек болею, тоже. На детский дом деньги даю? — Ответом ему был нестройный хор голосов. — На церковь жертвую, чтобы воскресная школа там работала? — В ответ все одобрительно загудели. — Вот и сейчас я, слухи эти поганые узнав, сюда пришел. Разговаривал и с Косаревым, и с полковником московским. Так вот! Истинный вам святой крест, — он размашисто перекрестился, — нет у нас в городе никаких педофилов!

— Люди зря говорить не будут! — выкрикнула из толпы какая-то женщина.

— Смотря какие люди, — возразил Сидоркин. — Бывают и такие, что услышат звон, да не знают, где он. Или мне вам про ядовитых змей с собаками-людоедами напомнить? Вон герой стоит! — показал он на Новикова. — Мало того что разговор начальства подслушал, так еще и Варьке все растрепал, а у той ума меньше, чем у курицы, вот и пошла языком чесать!

— Значит, разговор-то был, — не унималась все та же женщина.

— Был! — честно ответил старик. — Только говорили о делах давних и не у нас произошедших! Дайте-ка мне сюда Женьку! — Разглядев в толпе старика с клюкой, он обратился к нему: — Митрич! Дай-ка мне свой подожок на время!

Перепуганного Новикова толпа пинками и толчками прямо-таки вынесла к ногам Сидоркина:

— Дядя Илья! — заскулил тот.

Егорыч, нагнувшись, уцепил его за ухо и заставил подняться, а потом, опять же за ухо нагнув его вниз, начал охаживать палкой по спине, приговаривая:

— Это тебе, чтобы пост свой не бросал! Это, чтобы под дверью не подслушивал! Это тебе, чтобы языком направоналево не трепал! А это за то, что меня вовремя не послушался и на дуре женился! — Выдохшись, он отпустил ухо парня и устало проговорил: — А теперь пошел прочь! И пусть все знают, что не родня ты мне больше! Из полиции тебя, считай, уже выгнали, а я тебя к себе на работу не возьму — мне дураки не нужны! — Парень рванул сквозь толпу, получая по дороге новые пинки и оплеухи. — Ну, все! Расходитесь по домам! А то у баб небось еще и обед не сварен, и полы не метены! И живите спокойно — никаких педофилов в городе нет!

Бурно обсуждая произошедшее, толпа начала расходиться. Наблюдавшие за происходившим из дверей Стас, Косарев и Фомин вышли на крыльцо.

— Ну, Егорыч, ты и сила! — восхитился Крячко.

— Дай вам Бог здоровья, Илья Егорович, — благодарно сказал Андрей Федорович. — Меня бы они и слушать не стали.

— Угробите вы меня раньше времени, — покачал головой старик. — Кому от этого лучше будет? Ладно, поеду я домой — своих-то мне надо успокоить.

— Подожок-то мой отдай, — подсунулся к нему Митрич. — Рано тебе еще с ним ходить, хоть ты и старше меня. Эк ты им размахивал! Как Илья Муромец дубинкой! Хорошо, что не сломал!

Сидоркин уехал, площадь перед управлением опустела, и Косарев подозвал к себе стоявшего в стороне пэпээсника:

— Где вас черти носили?

— Так подъехать — подъехали, а через толпу пробиться не смогли, — объяснил тот. — Ну, не дубинкой же мне было людей разгонять? Вот и стояли, ждали, чем дело кончится.

Тут Крячко, глянув на часы, спохватился:

— Мне же в химчистку надо, а то у меня Гуров из номера выйти не может. Он же меня с башмаками слопает!

Отказавшись от машины, Стас быстро пошел в химчистку, но, поскольку в первый раз он шел туда с Фоминым и за увлекательным разговором о грядущих бытовых удобствах и перспективах домашнего питания как-то не очень запомнил дорогу, теперь ему пришлось внимательно смотреть по сторонам. Он уже прошел мимо какого-то учреждения, когда до него дошел смысл висевшей возле дверей вывески. Крячко резко развернулся и вошел внутрь — это было районо. Предъявив удостоверение и попутно обаяв всех женщин, независимо от возраста — а уж это Стас умел, он уже через пятнадцать минут сидел и смотрел личное дело бывшего директора детдома Зотова Олега Павловича. Выписав оттуда все, что ему было надо, и мило распрощавшись с женщинами, Крячко уже с улицы позвонил Орлову и попросил:

— Петр! А подними-ка ты свои армейские связи и выясни, где служил капитан Зотов Олег Павлович, уж очень он меня интересует! И информацию передай лично мне, потому что Лева сейчас основной версией занят, так что нечего его отвлекать — вдруг моя пустышкой окажется? — и продиктовал тому все необходимое.

Дело в том, что Крячко вспомнил рассказ кастелянши о побеге из детдома восьми мальчишек, не выдержавших установленной там Зотовым военной дисциплины. Они сбежали в конце сентября, а, проболтавшись неизвестно где побольше месяца, вернулись в ноябре, больные и несчастные. Вот у Стаса и возникла мысль, а не были ли они в том доме? То, что директор детдома обязательно подавал заявление в милицию — несомненно, но раз они все вернулись, то разыскное дело закрыли. Значит, нужно немедленно поднять его из архива и попытаться найти их, подумал он, но по здравом размышлении решил, что делать это ни в коем случае нельзя, потому что одно дело — Зотов и совсем другое — дети. Размышляя на эту тему, Стас в автоматическом режиме дошел до химчистки, забрал оттуда вещи Гурова и понес их в гостиницу. Лев встретил его отнюдь не с распростертыми объятиями.

— Ну ты бы хоть меня предупреждал о том, что делать собираешься, — ворчал он, одеваясь.

— А ты думаешь, я не знаю, что ты только под утро заснул? — огрызнулся Крячко. — Вот и делай после этого людям добро! Сам же виноват окажешься! В следующий раз пальцем о палец не ударю, будешь ходить, как чушка, изгвазданный!

— Значит, ты тоже не спал, — виновато вздохнул Гуров.

— А это, Лева, как в том анекдоте, когда на исповеди поп у бабы спрашивает: «С чужими мужиками спала?» А она ему мечтательно так отвечает: «Эх, батюшка! Да разве же с ними уснешь?» Ну, ничего, зато, начиная с этой ночи, будем спать в разных комнатах — мы к матери Фомина переезжаем. Там и все удобства есть, и кормить она нас будет.

— С чего это вдруг он так осмелел? — язвительно поинтересовался Лев.

— Брось! — поморщился Крячко. — В каждой избушке свои игрушки! Ну, правит здесь бал Егорыч, и что? Нечего было с его сыном собачиться! Причем на пустом месте! Они нормальные мужики! Надеюсь, что ты из-за своей всегдашней фанаберии не собираешься отказываться от переезда? Не взбрыкивай ты, хотя бы из жалости ко мне!

— Согласен, но единственно из сострадания к тебе, — ответил Гуров. — Что нового произошло, пока я спал?

Крячко добросовестно перечислил ему все, что уже успел сделать, о реакции Орлова на местные дела, о странном письме из посольства Таджикистана, на что Лев просто отмахнулся — не до него сейчас, и в красках описал выход Егорыча к народу.

— А что такого интересного ты узнал, когда пройтись пошел? — спросил Гуров. — У тебя, когда ты вернулся, такой вид загадочный был.

— Да просто в церковь я забрел, потолкался там среди стариков и узнал, что Егорыч, оказывается, местный церковный староста. А на день своего ангела, то есть мученика Ильи Персидского, что 10 апреля отмечают, деньги на новую ограду для церкви пожертвовал!

— А-а-а! Ну, это к делу не относится, — сказал Лев. — Знаешь, Стас, я тут вспомнил, как ты говорил о побеге из детдома восьми мальчишек. Найти бы их надо.

— А что это нам даст? Прошло десять лет, дети давно уже покинули детдом, кто-то из них, может, и остался в городе, но вот захочет ли он с тобой разговаривать? Ты представляешь, что им там пришлось пережить? А теперь приходит незнакомый человек, сверкает корочками и начинает копаться в его прошлом, о котором он изо всех сил старается забыть. Ты бы в такой ситуации стал перед кем-нибудь душу наизнанку выворачивать? — задумчиво произнес Стас, потому что именно эта мысль остановила его, когда он сам подумал о том, что нужно найти тех восьмерых мальчишек. — Да и что ты хочешь конкретно узнать? Как их туда заманили? Что там с ними делали?

— Я хочу выяснить, кто и как их освободил, — объяснил Гуров.

— Зачем?

— Эти люди были в том доме, убили охранника, допрашивали якобы Самойловых, а потом казнили их... — начал было Лев, но Стас, вскочив, заорал на него, что позволял себе за все годы только несколько раз:

— С меня хватит! Люди, которым впору при жизни памятник ставить за то, что детишек из сексуального рабства вырвали, для тебя преступники? Которые совершенно заслуженно и справедливо покарали этих сволочей, для тебя преступники? А теперь представь себе, что было бы, если бы детей освободила милиция! Их, и так замордованных, чужие люди стали бы расспрашивать, а что это с ними такое делали чужие дяди? — язвительно произнес он. — Показания бы с них снимали! На экспертизы водили! Просили словесный портрет насильника составить! Заставляли бы детей снова и снова переживать то, что с ними случилось! От такого ведь и свихнуться можно! А город маленький, как чего ни скрывай, все равно слухи поползут — я в этом сегодня наглядно убедился! Родители, которые и так до времени поседели от переживаний, не знали бы, куда от стыда глаза девать! И продолжалось бы это не месяц, не два и не три! Пока бы еще всех насильников нашли! Если бы нашли! — подчеркнул он. — А потом суд! И каким бы он ни был закрытым, а слухи все равно просочились бы! И людям, которые понимали, что их детям в родном городе нормальной жизни уже никогда не будет, пришлось бы с насиженного места сниматься и перебираться куда-нибудь подальше, где их никто не знает, и заново жизнь начинать. А вдруг кого-то из насильников уже после суда бы нашли? И что тогда? Все заново переживать? Мы не знаем, сколько детишек тогда пострадало, но у всех у них жизнь сейчас более-менее наладилась, старые раны зарубцевались, а теперь ты со своими сапожищами к ним в душу полезешь? А за те десять лет, что прошли, эти сволочи, что над ними измывались, скорее всего, уже на свободу бы вышли — у нас же по отношению к преступникам самый гуманный суд в мире! А есть вещи, которые прощать нельзя! Знаешь, Лева! Я вот сейчас на тебя смотрю, и мне страшно становится! Ты, поборник закона, Новоленск вспомни! Значит, за то, что тебе и сибирякам позволено, другим нужно в тюрьму идти? Ну и как? Удобно тебе по двойным стандартам жить? Совесть нигде не жмет? Только кто ты после всего этого? А просто сволочь законченная!

Стас выскочил из номера, так шарахнув дверью, что штукатурка посыпалась. Гуров сидел, уставившись в пол. Он знал, что людям с ним трудно, да ему порой с самим собой было не легче, но он ничего с этим поделать не мог — что выросло, то выросло! Но Стас! Его верный друг Стас сейчас даже не захотел его дослушать до конца, поэтому понял все совершенно неправильно. Высказал все, что накипело у него на душе за многие годы, и ушел. Значит, действительно наступил предел его терпению, на что он, в общем-то, уже намекал. И винить за это Льву было некого, кроме себя самого. А ведь он, начиная разговор, имел в виду совсем другое, потому что про Новоленск никогда не забывал, но никакого раскаянья и угрызений совести при этом не испытывал. И Лев страшно обиделся на Стаса, причем не за то, что тот ему наговорил, а за то, что домыслил то, чего у него и на уме-то не было. Горестно вздохнув, Лев разложил по карманам вещи и документы, надел куртку и пошел в управление.

К его удивлению, Стаса там не оказалось. Решив, что он пошел пройтись, чтобы остудить буйну головушку, Лев попросил принести из архива разыскное дело о побеге из детдома восьми мальчишек и стал его изучать. А Стас тем временем, дождавшись в буфете, когда Лев уйдет из гостиницы, снял себе другой номер и перенес туда свои вещи, хочет Гуров жить с полным комфортом — пожалуйста, а ему, Крячко, и здесь не дует! И вообще он решил впредь держаться с Гуровым строго официально. А что? Все в жизни бывает — был друг, да протух! Не держать же при себе эту гниль! Выбросить, и вся недолга!

Устроившись на новом месте, Стас тоже пошел в управление. Заглянув к Фомину, он предупредил его, что из гостиницы никуда перебираться не собирается, а вот Гуров как хочет. «Следак» озадаченно на него посмотрел, а потом махнул рукой — разбирайтесь, мол, сами. Заявившись в отведенный им с Гуровым для работы кабинет, Стас только что каблуками не щелкнул у порога и заявил:

— Полковник Крячко прибыл для получения дальнейших указаний.

— Прошу вас пойти в детдом и выяснить, когда и куда выбыли вот эти его воспитанники, — сухо сказал Гуров и протянул Крячко отксерокопированный список из восьми фамилий.

— Разрешите выполнять? — по-военному спросил Стас.

— Идите, — кивнул Лев.

Крячко четко развернулся и ушел, а Гуров стал изучать материалы дальше. Он читал и не верил ни слову из того, как

302

мальчишки объясняли, где они были все это время. По их версии, они болтались по Подмосковью, ночевали в заброшенных домах по деревням, воровали оставшиеся на дачах овощи и фрукты, и все в этом духе. О том доме в Сабуровке там не было ни слова, а поскольку никто о нем ничего не знал, то их об этом и не спрашивали. А вот если бы знали и спросили, то мальчишки, глядишь, и раскололись бы, потому что младшему из них было всего восемь лет, а старшему — четырнадцать. Правда, все разговоры велись в присутствии Зотова, так что нажать на мальчишек при любом раскладе не было никакой возможности. Потом Гуров уже с позиции новых знаний пересмотрел разыскные дела, по которым другие дети после отсутствия от нескольких дней до месяца вернулись домой, и нашел в объяснениях то же вранье. Оставалось только ждать результатов работы участковых, которые должны были найти тех выросших детей, кто находился в пределах досягаемости.

Стас же проторенной дорогой шел в детдом к кастелянше — вся ее жизнь прошла в этих стенах, она тут каждого ребенка не только по имени, фамилии и прозвищу помнит, но и кто чем отличался. Но та при виде него перепугалась и зашептала:

— Нельзя мне с тобой разговаривать. Как Зойка узнала, что я тут с тобой откровенничала, так меня костерила, что вспомнить стыдно. И строго-настрого запретила сор из избы выносить!

— Как бы я ее саму отсюда не вынес, — буркнул Крячко, еще не отошедший после скандала с Гуровым. — Да мне много и не надо. Вы вот список посмотрите — это те восемь, что тогда сбежали. Они уже давно здесь не живут, так что никакого секрета в этом нет. Расскажите мне, кто и что собой представлял.

— Ох, выгонит она меня, куда я на старости лет пойду? Я же тут и живу при детдоме, а пенсия-то у меня с гулькин нос! — сопротивлялась кастелянша.

— А вы мне все быстренько расскажите, вот никто ничего и не узнает, — уговаривал ее Стас.

— Ну, смотри! А бумажка твоя мне не нужна, и так все помню. Заводилой у них был Димка Ломакин, настоящий бандит, прости господи! Ничьей власти над собой не признавал! И учился кое-как, а уж хулиганил! Палыч с ним как рыба об лед бился, а все без толку. Димка его за глаза «сапогом» и «костяной ногой» крыл! А остальные-то семеро — мелюзга, что Димке в рот смотрела, он для них героем был. Он же, как отсюда в город сбежит, так обязательно что-нибудь там стырит. Вот и приносил им то конфет, то семечек, то еще чего. А сам возвращался, бывало, что и пьяный, а уж курил, никого не стесняясь.

— То есть на побег их подбил именно Ломакин? — уточнил Крячко.

— И не сомневайся! Мелюзга за ним в огонь и в воду готова была. Одно меня смущает, и тогда покоя не давало: а чего они по осени в бега подались? Если бы в мае, когда все лето впереди и гуляй — не хочу! Под каждым кустом переночевать можно, а уж с дач чего наворовать — и того легче. Ладно, Димка один бы сбежал — этот нигде не пропадет, но чтобы мелюзгу за собой тащить? Младшему-то, Игоречку, его здесь еще все Малышом звали, потому что фамилия Малышев, тогда только-только восемь лет исполнилось. Да он действительно малыш был, маленький да худенький. Нет, не понимаю!

— Зато, кажется, я понимаю, — процедил сквозь зубы Стас. — Как вашу директрису зовут?

— Зоя Леонтьевна. Ох, поостерегся бы ты ее! С виду-то она как мед, а в душе — змея подколодная! Палыч, тот прямой был, что думал, то и говорил, а эта все исподтишка норовит! Когда бывший-то наш, что до Палыча был, ушел, ее исполнять обязанности поставили, ох, тут она себя и показала! Да рано обрадовалась! Палыча совсем со стороны назначили, потому что, мол, мужская рука в детдоме нужна. Как уж она перед ним лисой стелилась, а за спиной только что ядом не плевалась. А вот как ушел, тут ее и назначили.

— Его из-за того побега заставили заявление написать? — уточнил Крячко.

— Бог с тобой! — замахала она руками. — Как мальчишки сбежали, Палыч тут же в милицию заявление отнес. Потом комиссия из РОНО приезжала, и учителя ей все, как есть, про

304

Ломакина рассказали, так что Палыча никто ни в чем не винил и уйти не заставлял! Сам ушел.

— Ладно, пойду я к Зое Леонтьевне вашей и узнаю, где мне теперь этих восьмерых искать, — сказал Крячко и собрался уже было поблагодарить кастеляншу за помощь и распрощаться, как вдруг услышал:

— А ей-то откуда знать? Она же, как директоршей стала, тут же всех восьмерых куда-то отправила. Сказала еще: чтобы впредь другим наука была, как сбегать, не нравилось им здесь жить, так пусть теперь на новом месте попробуют так же хорошо устроиться. А личные дела в таких случаях вместе с детьми отправляют.

— Но ведь все равно в ваших бумагах должны быть какие-то сведения о том, куда их отправили, — настаивал Стас.

— Так она в январе царствовать начала, а по весне у нас трубу в подвале прорвало, где весь архив лежал, и залило все, только и оставалось, что скопом выкинуть, — объяснила кастелянша.

— Что-то рановато она эти бумаги в архив отправила, — покачал головой Крячко. — Но я все равно к ней зайду, а мы с вами сегодня ни о чем не разговаривали, и вы меня вообще не видели. Договорились?

Старушка на это покивала ему с самым заговорщицким видом, и Стас отправился к директрисе. Это оказалась молодящаяся дамочка средних лет, обвешанная золотыми цацками и одетая с претензией на изыск. После всего, что Крячко узнал от кастелянши, он сразу же почувствовал к ней то, что на юридическом языке обычно именуется личными неприязненными отношениями, причем у него они были очень сильными. Но начал он довольно вежливо, то есть представился, предъявил удостоверение и объяснил цель визита. Дамочка сначала попыталась с ним кокетничать, но, поняв тщету своих усилий, приняла до того официальный вид, что хоть по стойке «смирно» вставай.

— Видите ли, Станислав Васильевич, эти восемь человек, когда окончательно оправились от болезни, были переведены в другой детдом, и их личные дела соответственно были отправлены вместе с ними, поэтому в этом вопросе я ничем не могу быть вам полезной. Я считала и считаю, что поступила правильно. Прежний директор создал здесь невыносимые для детей условия: постоянные занятия физподготовкой, военная дисциплина, изучение стрелкового оружия и все прочее. Поскольку дети не сочли возможным для себя здесь оставаться и предпочли сбежать, я решила, что для них будет лучше сменить обстановку.

— А о том, что они здесь провели много лет, что у них здесь остались друзья, с которыми они выросли, вы не подумали? А о том, как им, новичкам, придется на новом месте, где они никого не знают? — сдавленным от ярости голосом спросил Стас, который и так был разозлен до предела, а тут на него свалилась новая информация, причем такая, что ему хватило даже не искры, а намека на нее, чтобы взорваться. — Я не собираюсь обсуждать с вами методы воспитания Зотова, но думаю, что подготовка мальчиков к военной службе была совсем не лишней — в армии их не чай с плюшками ждет. А вы выжидали момент, чтобы подставить ему ножку, сместить и занять вожделенное кресло.

— Как вы смее... — гневно начала директриса, но Стас шарахнул кулаком по столу, и этот его выразительный жест заставил женщину замолчать.

— В этом списке восемь фамилий, — продолжал он. — Самому старшему, Дмитрию Ломакину, было тогда четырнадцать, а остальные — мелюзга от восьми до десяти. Что представлял собой Ломакин?

— Сильный, умный, гордый мальчик, который не выдержал диктата Зотова, — высокомерно ответила директриса.

— И этот прекрасный мальчик не только сам подался в бега, но еще и увлек за собой семь несмышленых мальчишек? Да-а-а, здесь есть, чем гордиться! — язвительно произнес Стас. — А когда они через месяц вернулись, больные и несчастные, он все еще продолжал гордиться своим подвигом?

— Я не понимаю, что вы от меня хотите! — взвизгнула она.

— В какой детдом были отправлены дети? И не лепите мне горбатого, что архив залило водой, а вы теперь ничего не пом-

306

ните! Кстати, пора и вам осваивать блатной язык, на зоне вам это очень пригодится. И не заставляйте меня вызывать людей и устраивать обыск у вас в кабинете и на квартире.

— Вы все равно ничего не найдете, — зло бросила директриса. — Все забрал Зотов. Он приехал сюда в феврале, а когда узнал, что их здесь уже нет...

— Вы поняли, что гораздо безопаснее будет все ему рассказать, — понятливо покивал головой Крячко.

— Я думала, он меня просто убьет...

— А следовало! — с ненавистью крикнул Стас. — Вы это вполне заслужили! Счастье ваше, что он офицер и о такую падаль, как вы, руки пачкать не стал. Другой бы на его месте вас, как гниду, раздавил! Только не гоните мне туфту, что вы все забыли! Где дети? Я это все равно узнаю, только времени мне для этого потребуется больше. В районо и облоно следы обязательно остались! Ну!

— В Воскресенский детдом перевели, в Рязанской области, — уже рыдая, ответила она.

Стас вышел, изо всех сил хлопнув дверью, чтобы дать хоть такой выход бушевавшей у него в груди ярости, и пошел, но не в управление, не в гостиницу, а к Егорычу. Знакомый охранник в этот раз даже обыскивать его не стал, а сразу провел в дом. Отец и сын Сидоркины сидели и что-то обсуждали, но, когда вошел Крячко, тут же замолчали и уставились на него.

— Мир дому сему, — поздоровался Стас и тут же поинтересовался: — Егорыч, ты нитроглицерин, часом, далеко не убрал? А то ведь пригодиться может.

— Смотрю, с хорошими новостями ты, полковник, пришел, — хмыкнул старик. — Ужинал?

— Какие есть, — развел руками Стас. — Да не затевайся ты, в гостинице поем.

— Ну, там только язву себе наесть можно, — отмахнулся Егорыч. — Миша, скажи Насте, чтобы собрала чего, да возвращайся.

Михаил вышел, а старик закурил, но спрашивать пока ни о чем не стал — ждал сына.

— Егорыч, ты бы не смолил при таком-то сердце, — посоветовал Крячко.

— Все едино помирать, а так — хоть с удовольствием, — ответил тот.

— Смотри, тебе жить, — пожал плечами Стас.

Тут вернулся Михаил, сел рядом с отцом, и Сидоркин-старший обратился к Стасу со словами:

— Ну, рассказывай, что приключилось. Сразу говорю, пока не забыл, Андрей мне сказал, куда людей отвезти, так что таджики завтра там будут и все что нужно раскопают. А теперь давай ты.

— Егорыч, ты кого в кресло директора детдома посадил? — ласково спросил Стас.

— Давай без этих штучек, — поморщился старик.

— Ты вот сегодня людям сказал, что деньги на детдом даешь, так ты бы хоть поинтересовался, куда они идут. На какие шиши Зоя Леонтьевна при своей грошовой зарплате вся золотом обвешана? Обручального кольца я на ней не заметил, насчет богатого любовника тоже сильно сомневаюсь — уж больно у нее глаза голодные, даже со мной от великой нужды кокетничать пыталась. Да и не полезла бы замужняя женщина, у которой семья, дети, внуки, в такой хомут.

— Вот ты о чем, — помрачнел Егорыч. — Хорошо, проверю. Это все?

— Да стал бы я из-за одного этого ноги бить, — усмехнулся Крячко. — Ты помнишь, как в 2004-м восемь мальчишек из детдома сбежали?

— Как же такое забудешь? А что?

— Проболтались они где-то побольше месяца и вернулись в детдом в начале ноября, а пожар-то был 5-го числа, это тебе ни о чем не говорит?

Старик откинулся на спинку стула и рявкнул:

— Настя! Долго тебя ждать?

— Да бегу уже! — раздалось из-за двери.

Женщина вошла и, видя, что хозяин не в духе, быстро все расставила на столе и выскользнула из комнаты как тень. Старик налил себе водки, выпил, закусил дымом и спросил:

— Намекаешь, что они там были?

— Доказательств нет, но чутье старого сыскаря говорит, что были, — ответил Стас.

— У нас по-простому: наливай и пей, да закусывать не забывай! — предложил Егорыч. Стас последовал его совету, а старик между тем сказал: — Ну, чутье старого сыскаря со счетов не сбросишь, только Зойка здесь при чем?

— Сейчас объясню. Она давно на место директора зарилась, а поставили Зотова. Что он за человек, говорить не буду — незнаком, но то, что Зойка своих намерений не оставила, это точно. Просто удобного момента ждала и дождалась. Был там такой отъявленный хулиган — Дмитрий Ломакин, который Зотова ненавидел. Чем уж она его прельстила, не знаю, но то, что он на ее уговоры поддался, — факт. Вот скажи мне, Егорыч, ты мужик жизнью битый, — какой уголовник пойдет в побег по осени?

— Только самоубийца, — уверенно заявил старик.

— Вот! А Ломакина, как я выяснил, жизнь тоже хорошо во все зубы пожевала. Так чего же он в побег сорвался в конце сентября, да еще семь мальчишек несмышленых с собой прихватил? Они ведь ему не подмогой, а только обузой были.

— Понял я, о чем ты, — покивал Егорович. — Они ему для количества нужны были, чтобы скандал погромче получился. Зотова бы тогда с треском сняли, а Зойка на его место села.

— Только скандала не получилось, потому что цену Ломакину все хорошо знали. Зотов сам понял, что не его это — с детьми работать, и ушел, а Зойка не без твоей помощи до власти дорвалась.

— Ты на больной мозоли не прыгай, — огрызнулся старик.

— Так ведь и это еще не все! — выразительно проговорил Крячко. — Как только Зойка директрисой стала, она тут же всех восьмерых в другой детдом перевела. Вот представь себе, Егорыч, что ты полсрока в одном лагере отмотал, где всех и все знаешь, связи налажены и никакие неожиданности тебе не грозят. А тут тебя — раз! И в другой лагерь переводят, где ты за новенького, никого и ничего не знаешь и каждая «шестерка» тебя гнобить пытается. Каково тебе будет?

— Сука она! — процедил Егорыч сквозь зубы.

— А ты знаешь, зачем она это сделала?

— Чтобы Ломакин не проболтался, а остальных — просто за компанию, чтобы подозрений не вызывать, — тихо произнес Сидоркин-младший.

— Правильно, Михаил Ильич! — кивнул Стас. — Она их в Воскресенский детдом, что в Рязанской области, сплавила, документы якобы в архиве водой залило, а то, что у нее оставалось, приехавший навестить детей Зотов забрал! Он, как узнал, что она натворила, так чуть не убил ее.

— Ты насчет Зойки не волнуйся, я с ней по-свойски потолкую! — успокоил его старик, пристукнув кулаком по столу.

— Егорыч, а ты не помнишь, кто говорил, что женщин бить нельзя? — насмешливо заметил Крячко.

— Ты, полковник, хрен с пальцем не путай! Есть женщины, а есть суки рваные! А про них речи не было! Ты ешь давай! Зря, что ли, Настя старалась! Да и мы с сыном тоже повечеряем.

Стас вышел от Сидоркиных сытый и успокоившийся насчет детдома — Зойка там явно долго не задержится. Посмотрев на часы, он понял, что идти в управление уже поздно, и отправился в гостиницу. О том, что он вдрызг разругался с Гуровым и перебрался в другой номер, он не жалел — в конце концов, должен же был хоть кто-то сказать ему правду в глаза. А если Лева так ничего и не поймет, значит, так тому и быть! В гостинице он вошел в уже свой номер, разделся и лег спать — прошлой ночью практически ведь и не спал.

А вот у отца и сына Сидоркиных, когда он ушел, разговор еще не закончился.

— Папа, я Зотова хорошо помню и ничего не забыл, — сказал Михаил. — И не простил! Но на фоне Зойки он выглядит человеком порядочным. Он-то, по крайней мере, не врал, не подличал, не воровал и детей действительно любил.

— Да найдем мы на место Зойки хорошего человека, — успокоил его отец. — Поищем и найдем.

— Папа, ты этому полковнику веришь?

— Не абсолютно, но да, — кивнул старик. — Он, конечно, хитрит, но у него ведь служба такая. Да и какой настоящий русский мужик без хитрецы? Без нее и черта в дурачка не обыграешь, и сам можешь в дураках остаться.

— А что ты о Гурове думаешь?

— Не знаю пока, я же его не видел. Справки я о нем навел — тот еще волчара, но мужик вроде бы порядочный, подлостей никому не делает да и начальству не кланяется. Слава о нем, во всяком случае, именно такая идет. Но гонору, все говорят, как у сучки блох, аж впереди него бежит. Ошибки свои признать для него — нож острый. Вот Крячко, например, сначала человек, а уже только потом мент, а Гуров — наоборот: он по сути своей мент, может, даже родился таким, а уже только потом — человек. Несчастный он! Жизнь свою не прожил, а прослужил! Он ее, по сути, и не видел.

— Знаешь, у меня парнишка есть один, из новеньких... Ну, тот, что мне насчет останков позвонил. Так он Гурова тоже несчастным назвал.

— Так это только слепой не увидит, — отмахнулся Егорыч и раздраженно спросил: — Ты мне все-таки скажи, почему не приказал те останки закопать?

— Папа! Если бы был один, я бы так и сделал, собственными руками. Но там были таджики, которые со временем выучат русский язык и обязательно кому-нибудь об этом расскажут, да и охрана моя. Сегодня они мне служат, а завтра — другому, ему и доложат. Зачем же кому-то козыри против себя давать? — объяснил Михаил. — Я безусловно верю только тебе, маме и жене.

— Трудно тебе, сынок, — вздохнул Егорыч. — Мне-то было на кого опереться — время было другое, да и люди моего поколения более честными были, а вот тебе все приходится одному тащить.

— Ничего, папа, я справлюсь, — улыбнулся ему Михаил. — Когда ты рядом, мне ничего не страшно.

Он, как в детстве, прижался головой к плечу отца, и лицо у него сейчас было совсем не властное и жесткое, а «домашнее» и даже детское, но таким он позволял себе быть только среди своих.

311

Гуров же после ухода Крячко окончательно зарылся в документах, которые все подтаскивали и подтаскивали. Он просмотрел их все, но они ему ничего не дали, милиция тогда никого не нашла. Дети либо исчезали с концами, либо появлялись возле своих домов, словно сами собой, и родители забирали свои заявления. Поговорить со своими детьми они никому не позволили, и Лев их прекрасно понимал. И все семьи уже давно уехали из района. Да «домашние» дети Гурову были и не нужны — запуганные насмерть, они и тогда мало что могли бы рассказать, а уж через столько лет... Ему нужны были те, что постарше, кто вырос в неблагополучных семьях, состоял на учете в детской комнате милиции, практически беспризорничал, за кем водились кое-какие грехи. Они на улице рано повзрослели, так что как раз и могли хоть что-то запомнить. Номер стоявшей во дворе машины, хоть какую-нибудь особую примету того, кто над ними измывался: татуировку, шрам, характерное слово... Тут любая мелочь была важна. Гуров хотел найти хоть что-то, от чего можно было бы оттолкнуться и начать разматывать этот клубок. Он знал, что, если сможет добраться хоть до одного клиента того притона, дальше будет легче. Он вытрясет из него имена других клиентов, потому что тот мужик из Сабуровки говорил, что, бывало, и на нескольких машинах приезжали. А там и до организатора всего этого мерзкого бизнеса добрался бы. Самая главная цель для Гурова была — именно он, организатор! Ведь когда у него здесь все сорвалось, нет никакой гарантии, что он не создал что-то подобное в другом месте. И, может быть, сейчас где-то в другом районе области работает такой же притон, где снова издеваются над детьми. Конечно, Лев помнил, как Стас сказал, что кто-то уже выбивал всю эту информацию из якобы Самойловых. А если это было не так? Если мстители... — да, вот правильное определение — именно мстители! — если они просто вымещали на Самойловых свою ярость? Но, предположим, они получили эту информацию, а что дальше? В том, что детей освободили местные, у Гурова никаких сомнений не было, но как они смогли бы добраться до тех, кто приезжал в тот притон на дорогих машинах и явно с охраной? Не по зубам им такое!

Гуров выписал на отдельный листок данные пропавших тогда проблемных подростков, хотя и понимал, что надежды найти кого-нибудь из них мало, потому что из этой среды редко кто выходил в люди. Одни спивались, другие становились наркоманами, а у них век короткий, третьи попадали на зону, хотя он был готов в любую поехать, если это будет надо. Потом он отправился к Косареву, где застал и Фомина.

— Как успехи, Лев Иванович? — спросил «следак».

— Никаких, так что я сейчас буду вас озадачивать, — ответил Гуров и протянул Косареву свой список: — Вот, как хотите, так и выясняйте, что с кем стало, где живет, чем занимается! Мне это надо очень срочно!

— Сделаем! — пообещал тот. — Что еще от нас требуется?

— Объясняю! Меня не интересуют мстители! — начал Гуров.

— А что? — воскликнул Фомин. — Правильно ты их назвал! Именно мстители!

— Так вот! Мне не нужны их фамилии, адреса и так далее! — продолжил Лев. — Сам готов им в ноги поклониться! Но они были в этом доме, золото с якобы Самойловых взять побрезговали, а это говорит о том, что люди они порядочные. Но вдруг кто-то из них взял мобильные телефоны, документы какие-то, настоящие паспорта тех сволочей или что-то еще? Не для собственной выгоды, а именно для того, чтобы попытаться самим найти тех, кто измывался над детьми. Слухи у вас в городе распространяются с космической скоростью, вот и подумайте, как сделать так, чтобы люди поняли: мы не интересуемся теми, кто убил этих сволочей, а только тем, что может вывести на след организатора или клиентов. А уж подбросить или еще как-то сообщить необходимые мне сведения они смогут. Оптимальный вариант, чтобы слухи пошли не только по городу, но и по району. Думайте, как реально это сделать!

— А чего тут думать? Если завтра в Сабуровке мы действительно найдем захоронения, то тут и делать ничего не надо — слухи сами собой пойдут, а уж направить их в нужном направлении мы сумеем, — заверил его Косарев.

— Ну, что, Лев Иванович? Пошли в гостиницу за вещами, и провожу я вас к своей маме — там уже все приготовлено, — поднялся Фомин.

— А Крячко уже перебрался? — поинтересовался Гуров.

— Он сказал, что ему и в гостинице неплохо, — объяснил «следак».

— Тогда пошли, — согласился Лев.

Услышав это, Косарев с Фоминым удивленно переглянулись — они же собственными глазами видели, какими закадычными друзьями были Гуров и Крячко, как переживали друг за друга, а тут такое! Но никто из них даже звука не издал — сами разберутся, какая кошка между ними пробежала. Гуров и Фомин пошли в гостиницу, где Лев узнал, что Крячко, оказывается, перебрался от него в другой номер. Стараясь не показать, как же ему горько и обидно, он побросал свои вещи в сумку, а потом «следак» отвел его к своей матери. Она оказалась женщиной простой и душевной, комната небольшой, но уютной, кровать мягкой, а ужин восхитительным. Принять настоящий полноценный душ после его жалкого подобия в гостинице было вообще настоящим блаженством. Но когда Гуров остался один в комнате и лег в постель, на душе стало тоскливо. И как ни утешал себя Лев, что Стас сам виноват в их ссоре, потому что даже не захотел дослушать его, легче от этого не становилось. В том, что все равно они со Стасом помирятся — не в первый раз вот так чуть ли не насмерть ругались, он не сомневался, но все равно было так погано, что он опять довольно долго ворочался, прежде чем уснул.

Недаром говорят, что утро вечера мудренее, потому что, проведя ночь в удобной постели, проснулся Лев бодрым и по-настоящему отдохнувшим. Приводить себя в порядок в человеческих условиях было сплошным удовольствием, а идти после сытного и вкусного завтрака в управление, где его ждали пусть и не самые радостные дела, было куда приятнее, чем после невразумительного месива в пластиковой банке в гостинице. Главное же, что период самобичевания у Льва прошел, и

314

теперь он уже не собирался так просто мириться со Стасом, он еще очень хорошо над этим подумает!

Первым, кого Гуров увидел в управлении, был Крячко, и вид он при этом имел до того жалкий, что впору было погладить его по голове и дать конфетку. И ничего удивительного в этом не было, потому что пришел Стас в управление довольно рано — что ему одному в гостинице делать, а среди своих вроде бы повеселее, — но уже застал там Косарева и Фомина, которые активно что-то обсуждали. Стас тут же подключился, стал выяснять, что произошло, и тогда они объяснили ему, чем озадачил их Гуров. То, что почувствовал, выслушав их, Крячко, он не пожелал бы своему самому заклятому врагу! Ну почему он не дослушал Гурова?! Какой черт и под какое ребро его толкнул? Кто тянул его за язык? Вылив на Леву ушат совершенно незаслуженной им грязи, он совершил самую страшную на свете ошибку! И Гуров ему этого не простит!

Стрельнув у мужиков сигарету, давно бросивший курить Стас стоял возле дверей и судорожно думал, как и какой найти выход из положения, когда мимо него прошел сухо кивнувший ему, как малознакомому человеку, Лев. Стас продолжал измышлять самые невероятные планы примирения и неизвестно до чего додумался бы, если бы из Москвы не прибыл автобус с экспертами.

— Ну, Крячко! — шутили они, выходя из автобуса, чтобы размять ноги. — Тебя с Гуровым даже в рай опасно пускать, вы и там чего-нибудь нароете! Какие-нибудь незаконные захоронения или трупы в кущах, а то и воровство с небесной кухни манны небесной или яблок обнаружите.

Эксперты и криминалисты не меньше, чем судмедэксперты, становятся со временем циниками — работа такая, иначе с ума можно сойти. Тут из управления вышел Гуров и с ходу заявил:

— Если шуточки-прибауточки кончились, пора бы и ехать!

То, что с Гуровым особо не пошутишь, знали все, так что молча пошли опять в автобус. Увидев, что Стас тоже собирается туда зайти, Лев остановил его до того холодным тоном, что Крячко было впору инеем покрыться:

— Станислав Васильевич, попрошу вас остаться в управлении — мало ли какая новая информация может поступить.

Автобус ушел, и Стас, не зная, чем себя занять, стал снова думать, что бы ему такое сделать, чтобы помириться со Львом. И тут его озарило: он просмотрел составленный Гуровым список и понял, что Лев ищет побывавшего в том притоне бойкого, воспитанного улицей подростка, а Ломакин — самое то! Ему тогда было четырнадцать лет, так что уж такой пройдоха, как он, точно должен был не только что-то заметить, но наверняка и способы побега обдумывал, а значит, вертел головой во все стороны. Кроме того, раз он из своих походов в город приносил малышам семечки, конфеты и так далее, то какая-то привязанность у него к ним была. И он, поняв, что из-за него они все в такую беду попали, просто обязан сейчас помочь найти тех, кто издевался над детьми. Влетев в управление, а потом в кабинет Косарева, Крячко потребовал:

— Андрей! Мне нужно позвонить в Воскресенский детдом в Рязанской области! Номера я не знаю, как у вас тут что делается?

— Сейчас закажем, — пообещал тот.

В ожидании звонка Стас сидел, как на иголках, и, когда телефон зазвонил, аж подскочил на месте.

— Это детдом, который находится в городе Воскресенске Рязанской области? — уточнил он и, получив подтверждение, представился и попросил: — Пригласите, пожалуйста, к телефону директора.

— А вы со мной и разговариваете, — ответил ему немолодой женский голос. — Зовут меня Елена Владимировна. Что вас интересует?

— В январе 2005 года к вам из Фомичевского детдома, что в Московской области, были переведены восемь мальчиков. Мне остро необходимо знать, где они. Может быть, кто-то из них, выйдя из детдома, остался жить в вашем городе.

— Во-первых, это было почти десять лет назад, а во-вторых, неужели вы думаете, что я дам вам эту информацию по телефону, когда не вижу ни вас, ни вашего удостоверения, ни даже какого-то официального запроса? — холодно ответила директриса.

Ожидавший чего-то подобного, Крячко стал ее уговаривать:

— Елена Владимировна! Но ведь телефонистка сказала вам, откуда этот звонок.

— Это еще ничего не значит, — упиралась та.

— Хорошо, в вашем городе в районном управлении полиции обязательно есть телефонный справочник для служебного пользования. Позвоните туда и попросите, чтобы вам дали номер телефона начальника Фомического райуправления. Тогда вы сами сможете позвонить сюда и убедиться в том, что вас никто не обманывает. — Стас прямо-таки ужом извивался. — Поймите, ну нет у нас времени, чтобы приехать к вам, а дело очень срочное и важное.

— И как я буду объяснять проверяющим потом этот междугородний разговор? — язвительно поинтересовалась директриса.

— Елена Владимировна! Да он же продлится только одну минуту, — уговаривал ее Крячко. — Вы просто убедитесь, что я действительно тот, за кого себя выдаю, а телефон установлен именно в полиции, а потом я вам снова перезвоню.

— Хорошо, — сдалась она. — Что конкретно вам надо?

— Меня интересует старший из детей Дмитрий Ломакин. Где его сейчас можно найти?

— Полагаю, что в какой-нибудь колонии, — вздохнула она. — Совершенно неуправляемый был мальчик. Единственное его достоинство — он прямо-таки трепетно относился к остальным семи, защищал их, во всем помогал, а в остальном!.. — судя по тону, она безнадежно махнула рукой.

— Так, может, они и сейчас поддерживают отношения?

— Представления не имею. Те семь малышей пробыли у нас только до лета, а потом выбыли.

— Как выбыли? Куда? — воскликнул Стас. — Их опять куда-то перевели?

— Понимаете, их здесь постоянно навещал один отставной военный с женой, не знаю, как у него это получилось, но все семеро были зачислены в Суворовское училище, и он их увез.

— А Ломакин? Он-то куда делся?

— Вскоре после того, как они уехали, он ушел. Дети с ним с таким трудом расстались, навзрыд плакали, да и он был очень расстроен. С неделю после этого ходил смурной, а потом пришел ко мне, прямо сказал, что хочет уйти, и попросил отдать его документы по-хорошему, — подчеркнула она, — а то он просто сбежит. Что мне оставалось делать? Это же был такой человек, что, если бы я отказала ему, он вполне мог бы ночью взломать мой кабинет и сам все забрать из так называемого сейфа, который на самом деле просто большой железный ящик. Я подумала и отдала, потому что ему ведь уже пятнадцать лет было, восемь классов закончил, паспорт имел. Поэтому я и сказала вам, что с его задатками и неукротимым характером он может быть только в колонии.

— Спасибо большое, — пробормотал Стас. — Попробую найти его по нашим базам.

Чтобы не мешать Косареву, Крячко ушел в их с Гуровым кабинет и позвонил Орлову.

— Петр, пробей по нашим базам некоего Ломакина, — попросил он и продиктовал на того все установочные данные. — Судя по всему, наш клиент. Если вдруг действительно сидит, то сообщи мне, где именно.

— Слушай! Когда вы прекратите использовать меня как справочное бюро! — возмутился Орлов. — То одно вам узнай, то другое!

— Петр! Очень надо! — с нажимом произнес Стас.

— Ладно, сделаю! И вот еще что — тут тебя какой-то Пантелеев ищет, говорит, что это очень важно.

— Пантелеев? — напрягся Крячко. — Что-то знакомое. А-а-а! Вспомнил! Пересекались мы с ним, а что ему надо?

— Вот сам у него и спроси — он номер телефона оставил, — недовольным голосом сказал Орлов. — Даже до меня добрался, такой настырный!

— Не преувеличивай! Скорее всего, он, не дозвонившись в наш кабинет, позвонил твоей секретарше, которая доложила тебе, — предположил Стас и попросил: — Диктуй номер!

318

Записав его, он тут же перезвонил Пантелееву, одновременно пытаясь вспомнить, как того зовут, но так и не вспомнил. Неудобно, конечно, а что делать?

— Пантелеев? Крячко моя фамилия, — сказал Стас, когда тот ответил. — Что у тебя стряслось? Помощь нужна?

— Скорее тебе, Василич, чем мне, — рассмеялся тот, и Стас сразу вспомнил, что все обычно звали его собеседника Пантелеичем.

Страшно этому обрадовавшись, он в ответ тоже рассмеялся:

— Ну, если безвозмездная, то всегда готов принять.

— «Фунфырик» поставишь, и считай, что квиты, — хмыкнул Пантелеев. — Я ведь девку с той фотки узнал, а инициаторами розыска ты и Гуров заявлены. Ну к тому не сунешься — барин он, а ты мужик свойский.

— Пантелеич! Я тебя люблю! — радостно заорал Крячко.

— Вот только давай без этого, а то мало ли кто что подумать может, — остудил его пыл тот. — Имени-фамилии я ее не помню, но это и посмотреть недолго, потому что задерживали мы ее не раз за проституцию, а вот человека, который о ней многое знать может, я тебе дам.

— Слушай, я сейчас в области, но немедленно срываюсь в Москву! — воскликнул Крячко. — Когда буду подъезжать, позвоню тебе, и договоримся, где пересечемся.

Пантелеев согласился, и Стас тут же позвонил Орлову:

— Петр! Пантелеев, которого ты так ругал за настырность, девку опознал! Я, с твоего позволения, возвращаюсь в Москву, потому что здесь мне делать больше нечего, а вот там от меня намного больше пользы будет. Да и к Ломакину, если тот действительно сидит, из столицы будет всяко ближе добираться, чем из области.

— Тебе там, на месте, виднее, — согласился Петр.

Крячко бодрым шагом отправился к Косареву и сообщил ему, что в свете вновь полученной информации делать ему в Фомичевске больше нечего и он возвращается в Москву, с полного согласия непосредственного начальства. Наотрез отказавшись поделиться новостями — уж преподносить Леве подарок, так самому, а не через посредников, Стас метнулся в гостиницу, кое-как попихал вещи в сумку и выехал в Москву.

А вот у Гурова новости тоже были, только совсем нерадостные. По дороге эксперты хоть и тихо, но хохмили и рассказывали анекдоты, да и в Сабуровку они приехали в самом развеселом настроении. Высадившись из автобуса возле сгоревшего дома, рядом с которым уже стоял кунг с таджиками, они начали выгружать аппаратуру. Из полицейского «уазика» при виде Гурова вышел начальник местного отделения, подойдя к Льву, откозырял и доложил, что понятые приглашены.

— Вы их пока не морозьте — эти поиски могут надолго затянуться, — попросил Гуров. — Пусть где-нибудь в тепле посидят, а потом мы их пригласим.

— Да они и так у меня в машине находятся, — сообщил тот и тихо спросил: — Товарищ полковник, неужели действительно трупы могут быть?

— Эх, капитан! — вздохнул Лев. — Вы даже представить себе не можете, как я буду счастлив, если мы ничего не найдем!

— Ну, Лев Иванович! Объясни народу, что да как, — сказал подошедший к ним старший из экспертов.

— Да вы и сами знаете, что делать. Раз перед домом все заасфальтировано, то искать надо за ним.

Они все вместе прошли туда, и оказалось, что некогда там было разбито нечто вроде сада, но за многие годы буйно разрослись сорняки, чьи высохшие стволы высотой намного больше метра сейчас качал неслабый весенний ветер. Гуров застегнул куртку доверху и даже капюшон надел, но все равно ему было холодно — или это была внутренняя дрожь? Эксперты, шепотом ругаясь в его адрес за то, что приходится действовать в таких нечеловеческих условиях, принялись за работу, а Лев стоял в стороне, на самом краю заасфальтированного участка, и наблюдал за ними. Шло время, но эксперты ничего не находили. Вдруг один из них воскликнул:

— Люди, у меня пустота!

Гуров тут же сказал капитану, чтобы тот позвал таджиков и понятых, а сам пошел на голос. Эксперт стоял, крайне озадаченный, и водил прибором над землей, где колосились не такие уже мощные и высокие сорняки.

— Внизу пустота, и сигнал в наушниках такой, словно не земля подо мной, а...

Он потопал ногой, и вдруг раздался звук ломающегося дерева. Схватив эксперта за куртку, Гуров быстро оттащил его в сторону. Тут к ним прибежали все, в том числе и капитан с таджиками и понятыми — двумя средних лет женщинами. Забрав у стоявшего ближе всех к нему таджика лопату, Гуров стал стучать по тому участку, где только что стоял эксперт, и нашел место, где кончалось дерево и начиналась земля.

— Скорее всего, это деревянный щит, который закрывает яму. Надо его поднять, — сказал он.

— Ну, Гуров, если хозяева так старый туалет замаскировали, то будут у тебя бедствия с последствиями! — пригрозил старший эксперт и скомандовал своим: — Разоружайте иностранный пролетариат и давайте посмотрим, что там, а то они нам такого натворят, что потом вовек не разберемся.

Отобрав у удивленных таджиков лопаты с ломами, эксперты стали определять границы деревянного щита, а Гуров нетерпеливо подсказал:

— Да что вы колдуете? Там, где трава пониже и пожиже, он и лежит.

— И что ж ты нас вызывал, если сам такой умный, — буркнул кто-то.

Но вот границы деревянного щита, оказавшегося довольно большим, были определены, и эксперты, поддев ломами край, чуть отодвинули его в сторону — внизу оказалась яма. Посветив фонариком вниз, эксперт удивленно протянул:

— Не пойму я, что там такое, что-то белое лежит.

Повернувшись к таджикам, Гуров показал им, что щит нужно поднять и оттащить в сторону совсем. Те дружно взялись за дело, а потом отошли в сторону в ожидании новых указаний. Сгрудившись по краям ямы, все посмотрели вниз и увидели, что на дне лежит толстая полиэтиленовая пленка.

— Ну-с, полюбопытствуем, — сказал кто-то из экспертов.

Улегшись животом на землю, он перегнулся вниз, а за ноги его, чтобы не свалился, держали двое коллег, подцепил пленку и потянул на себя. Увидев то, что оказалось под ней, все трое чуть в яму не рухнули, а вот остальные невольно отшатнулись — там лежали наваленные друг на друга детские скелеты. То есть умерших детей никто даже не трудился хоронить по отдельности. Видимо, когда замученный извращенцами первый ребенок умер, охранник решил, что не стоит заморачиваться, а надо сразу выкопать одну, но глубокую яму, куда он и бросил труп и закрыл яму щитом. Потом и остальных поверх него сбрасывал, а пленкой сверху закрывал так тщательно, чтобы вонь уж очень сильной не была.

Гуров отошел в сторону и отвернулся, уставившись взглядом в небо. Он глубоко дышал, чтобы хоть так немного прийти в себя, потому что первый раз в жизни почувствовал, что может потерять сознание.

— Ну, Гуров! Всякого в жизни насмотрелся, но чтобы такое?! И носит же земля таких сволочей! — раздался возле него глухой голос кого-то из экспертов. — Ты прости, что не поверили тебе.

— Уже не носит, — поправил его Лев, повернулся к эксперту, и тот ахнул:

— Лев Иванович! Да на тебе же лица нет! Может, примешь? — достал он из внутреннего кармана плоскую фляжку.

— Нет, — покачал головой Гуров. — Мне еще работать.

— Ну, как знаешь, а я выпью. — Эксперт сделал хороший глоток, а потом, подумав, повторил.

— До вечера управьтесь, пожалуйста, и дно у ямы хорошенько осмотрите — мало ли, что там может найтись? — попросил Лев. — Да и остальную территорию проверьте — вдруг это захоронение не одно, а было более старое, которое, когда оно заполнилось, просто засыпали землей?

— Сделаем! Все сделаем! — заверил его эксперт.

Гуров осмотрелся по сторонам: две женщины-понятые сидели на земле с совершенно невменяемым видом — видимо, только-только от обморока очнулись, ничего не понимающие перепуганные таджики сбились в кучу и что-то горячо обсуждали, эксперты уже занялись своей прямой работой, а капитан стоял до того потерянный, что Лев подошел к нему и начал успокаивать:

— Да не казнитесь вы так! Они очень осторожно действовали. Если бы у вас в поселке пропал хоть один ребенок, то вы, конечно, были бы виноваты, но они привозили детей из других мест, потому что точно следовали старому правилу: не греши там, где живешь и работаешь.

Но капитан только бормотал себе под нос что-то бессвязное, и тогда Лев рявкнул:

— Товарищ капитан!

Тот мигом вышел из ступора и уже человеческим голосом ответил:

— Слушаюсь, товарищ полковник!

— Понятых немедленно отпустите по домам — они документы потом подпишут. Главное они видели, и хватит с них! Пожалейте женщин! А нас с вами работа ждет!

— Таджиков тоже отпустить?

— Нет, пусть подождут в машине. Я очень надеюсь на то, что они нам не понадобятся, но на всякий случай пусть будут здесь.

— Слушаюсь, товарищ полковник! Что делать надо?

— Для начала мы с вами поедем в отделение и выпьем горячего крепкого чаю, подождем часок, а потом начнем действовать, — сказал Лев.

— Товарищ полковник, может, чего покрепче чая? — спросил капитан. — А то после такого, — он мотнул головой в сторону ямы, — выть хочется.

— Очень хорошо вас понимаю, но пока нельзя, а вот как дело сделаем, тогда пейте сколько душа примет.

Они приехали в отделение, капитан занялся чаем, а Гуров сидел, расслабившись и закрыв глаза, и уже намечал для себя

323

план дальнейших действий. Когда они пили чай с пирожками, капитан не выдержал и спросил:

— Товарищ полковник, а почему вы сказали, что нужно час подождать? Чего мы ждем?

— Вы женщин домой отпустили? — поинтересовался Лев, и тот кивнул. — Как думаете, чем они сейчас заняты?

— По соседкам побежали! Или те к ним сами пришли, для баб же языком чесать — любимое дело!

— Вот мы с вами и ждем, когда все в этом поселке, от мала до велика, будут знать все в подробностях, тогда мы с вами и пойдем с людьми разговаривать об охраннике — очень он меня интересует, — объяснил Гуров.

— Из-за того, что это он детишек так хоронил?

— Нет, капитан! Вот, рассудите сами. Приехали в ваш поселок трое: якобы муж с женой и охранник. Чем они здесь занимались, понятно. Может, охранник был совсем посторонним человеком?

— Нет, он в деле, — уверенно ответил капитан.

— Правильно! Скажу больше, он — доверенное лицо настоящего хозяина, его цепной пес. Эта парочка была кем-то вроде администраторов, так что приглядывал охранник не только за домом, чтобы чужие не сунулись, но и за ними. А ну как они «крысятничать» вздумают или, почуяв неладное, приберут денежки и подорвут? Паспорт у него, конечно, был липовый, но его данные мне все равно нужны, так что вы поищите, что на него есть, а то в тех документах, что я раньше смотрел, на него ничего не было.

— Понимаете, товарищ полковник, все трое регистрацию в Москве имели, мы все данные на мужа с женой только из договора Рыжова с ними и узнали. А охранник же — нанятый работник, кто ж им интересовался? — виновато проговорил капитан.

— Сколько лет ему на вид было?

— По виду, где-то 40—45.

— Вы хотите мне сказать, что одинокий, молодой, здоровый мужик в вашем поселке, где, как и по всей России, мужчин меньше, чем женщин, не привлек женского внимания? Да они его со всех сторон рассмотрели и оценили, как помидор на базаре! От их глаз ничего не укрылось! А может, он и сам с кем-то шашни завел? К фермеру вашему он за молоком ездил? В магазин ходил? Да его люди постоянно видели, а теперь нам с вами нужно помочь им вспомнить все, что они о нем знают.

— Так ведь времени-то сколько прошло, — засомневался капитан.

— Вспомнят! — уверенно заявил Лев.

И это было действительно так, потому что он, как никто другой, умел шаг за шагом, слово за словом выуживать из свидетеля нужную информацию, и равных ему в этом деле не было. Так что уверенность Гурова основывалась совсем не на пустом месте. Но вот уже и чай был допит, да и время подошло, и Лев поднялся:

— Пойдемте, капитан. И начнем мы с вами с магазина, где продавщицей работает баба Дуся. Думаю, она уже полностью в курсе произошедшего, так что нам останется только ее выслушать.

И он оказался прав! В магазине, этом средоточии поселковых сплетен, гул стоял такой, что стекла дрожали. Сбежавшиеся туда бабы живо обсуждали последние события, что обычно неизбежно сопровождается воспоминаниями о самых разных подробностях, так что теперь оставалось только направить этот поток информации в нужное русло. Первым делом бабы, естественно, набросились на капитана, а пока тот отбивался и отбрехивался от них, Гуров подошел к продавщице, пожилой, но изо всех сил молодившейся женщине, предъявил ей удостоверение и тихо сказал:

— Евдокия?..

— Андреевна я, — важно сообщила она. — Только уж и вы зовите меня просто Дусей, как и все здесь.

— Как же можно? Вы здесь такой уважаемый человек, и вдруг просто по имени, — запротестовал Лев и продолжил: — Евдокия Андреевна, я полагаю, что вы уже все знаете?

— А то! — подбоченилась она. — Как Нюркин старший за водкой прибежал, я сразу же поняла, что неладное случилось. Мужика-то у нее нет, сыновья, слава тебе господи, не пьют, сама она даже по большим праздникам больше рюмки не принимает, а тут целая бутылка! Сказал он мне только, что скелеты детские возле сгоревшего дома нашли, и убежал! Да разве ж от него подробностей добьешься?

— Потом, как я понимаю, еще кто-то пришел?

— Так зять Веркин! Сказал, что тещу ни валерьянка, ни корвалол не берут, вот они и решили водкой попробовать ее в чувство привести. Но это он врет! Сам не дурак выпить! А уж как бабы пошли, так я все и узнала! Кто же детишек-то так? — рыдающим голосом спросила она.

Гуров сделал вид, что замялся, решая говорить или нет, а потом сказал:

— Евдокия Андреевна! Я уже понял, что вы человек очень наблюдательный и в людях хорошо разбираетесь, вот и хочу поинтересоваться вашим мнением по поводу охранника, что в сгоревшем доме жил.

— Так это Мишка! — воскликнула продавщица так громко, что все сразу замолчали и повернулись в их сторону. — Нечего подслушивать! — грозно проговорила она. — Освободите помещение! Мне с товарищами полицейскими поговорить надо! Идите-идите!

Женщины повозмущались, но вышли — видимо, авторитет у бабы Дуси здесь был непререкаемый, а к Гурову присоединился красный и потный капитан, которому они наговорили много чего.

— Значит, Мишка это! — удрученно покачала головой баба Дуся.

— На самом деле его могли и по-другому звать, — заметил Лев.

— Как же! И наколку он себе на пальцах просто так сделал! — язвительно сказала она, помахав левой рукой. — Я сиделых влет определяю!

— А внешность вы его можете описать? — попросил Гуров.

— Ну, ростом он был с тебя, в плечах, правда, пошире, — начала сосредоточенно вспоминать баба Дуся. — Волосы русые, густые, на висках уже с сединой. Глаза голубые, наглые до невозможности, а иногда, бывало, так глянет, что аж мороз по коже продерет. Помнится, я магазин уже закрыла и домой шла, а он меня догнал и попросил вернуться, водку ему продать. Я, конечно, отказалась — не девочка уже, чтобы туда-сюда бегать, так он мне ничего не сказал, глянул только и ушел. Так я до самого дома бегом бежала, до того страшно стало.

— А водку он часто брал?

— Через день по бутылке, говорил, что норма у него — 250 граммов в день. Врачи, мол, для сердца рекомендуют.

— Ну а что еще по внешности сказать можете?

— Брови у него были светлые, ничем не примечательные, — продолжила она. — Нос, видать, перебитый, потому что по роже его горбинка ему не полагалась. Губы вот у него красивые были, очерченные такие, крупные, словно вырезанные — женщине такие впору. Только он все больше кривил их в ухмылочках разных.

— А зубы? Может быть, не было какого-то или коронка золотая, например, — продолжал допытываться Гуров.

— Нет, зубы как зубы, прокуренные только — он же «Беломор» смолил! Сказала я ему как-то, чего он нормальные с фильтром не берет, а он мне в ответ, что мать его такие курила. Он в детстве у нее папиросы таскал, вот и пристрастился, с тех пор другие не курит.

— А других татуировок у него не было?

— На груди-то точно была, но я только часть ее видела — вроде волны какие-то. Да и на руках, наверное, были, но он прятал их — даже в самую сильную жару рубашку с длинным рукавом носил.

— А якоря у него не было? — спросил Лев.

Тут продавщица зависла, уставившись взглядом на полки с коробками и что-то соображая, а потом заявила:

— Может, и был. У него вот тут, — она похлопала себя по тыльной стороне правой ладони, — как я сейчас думаю, что-то было наколото, да он свел, шрамы там были. А так-то руки у него красивые были, не мужицкие, а вроде твоих.

— Он сюда один приходил или с хозяйкой?

— По-разному было. Когда много покупок делали, то, бывало, и на «Газели» своей приезжали.

— А что они обычно покупали?

— Крупы и консервы в основном, — подумав, ответила баба Дуся. — Муж у нее желудком маялся, так она манку помногу брала, гречку, рис опять же, сахар, конфеты иногда... Шоколадные, но самые дешевые, те, что на развес идут... — Она замолчала и вдруг воскликнула: — Ой, вспомнила! Они же консервы разные прямо коробками брали, вот он и потянулся как-то за одной такой наверх, рукав левый у него и сполз вниз, а там цифры были, вроде тех, что на памятнике, — год рождения и год смерти, через черточку. Разглядеть-то я их толком не могла, но они были.

— Ну и память у вас, Евдокия Андреевна! Цены вам нет! — восхитился Гуров, и продавщица довольно улыбнулась. — А уж перед хозяйкой-то он, наверное, лебезил?

— Щас! — усмехнулась она. — Та как-то раз бананы хотела взять, а он ей запретил. Она ему: «Так я же для себя», а он прямо отрезал: «Обойдешься!»

— Ну, значит, он служил не ей, а ее мужу, а тому какие фрукты при больном желудке? — понятливо покивал Гуров. — Евдокия Андреевна, ну, у вас-то глаз наметанный, все видите! У него, случаем, с хозяйкой ничего не было?

Продавщица на него даже руками замахала:

— И не думай! И близко не было — уж я бы заметила! Разве же такое скроешь?

— А с кем было? — как бы невзначай спросил Лев. — Ну, чтобы молодой, здоровый, одинокий мужчина прожил здесь столько времени, и ни с кем ничего? Я не поверю!

— А вот так и было! — выразительно сказала она. — Тут из баб многие пытались с ним закрутить, а он ни в какую! Может, снаружи он был из себя весь такой молодец, а внутри, выходит, гнилой!

— Евдокия Андреевна, очень прошу вас, подумайте и не торопитесь отвечать, кто тут в вашем городке мог его татуировки видеть? Они для знающего человека как открытая книга, по ним всю биографию уголовника узнать можно.

Баба Дуся надолго задумалась, а Лев терпеливо ждал. Наконец она как-то неуверенно ответила:

— Ну, если только мальчишки, что летом на речке целыми днями пропадают — Мишка-то туда тоже купаться ходил. Но уж вспомнят они чего или нет, я не знаю.

— Евдокия Андреевна! Сказать, что я вам благодарен, значит, просто промолчать! — проникновенно произнес Гуров. — Вы даже не представляете, как вы нам помогли! Женщины, что сейчас на улице окончания нашего разговора дожидаются, сейчас вовсю уже Мишку этого вспоминают, а после нашего ухода опять же к вам придут, правда?

— Где же им еще поговорить-то по душам, как не здесь? — важно подтвердила баба Дуся.

— Так вот! — продолжил Лев. — Очень вас прошу, если они что-нибудь новое вам скажут или вы сами вдруг что-то вспомните, сообщите об этом немедленно товарищу капитану, а уж он передаст мне. Помогите нам, пожалуйста, Евдокия Андреевна!

— Да чего там! — засмущалась продавщица. — Чего ж не помочь хорошим людям, если для дела надо. Мне нетрудно, а вам польза.

— Пойдемте, товарищ капитан, а то у нас с вами еще дел много, — сказал Гуров.

Они вышли из магазина, а бабы, проводив их возмущенными взглядами, тут же бросились к бабе Дусе за подробностями.

— Где тут у вас ферма? — спросил Лев.

— К Матвеичу вас сейчас наш «уазик» отвезет, а я пока попробую найти кого-нибудь из тех парней, что тогда на речке ошивались, — предложил капитан. — Время-то, правда, рабочее еще, те, кто не в поселке трудится, только вечером дома будут, но вдруг кто-нибудь приболел, например, или еще чего? В общем, я в любом случае в отделении буду.

Тому, что фермер с семейством уже полностью в курсе событий, Лев ничуть не удивился — он же на это и рассчитывал. Матвеич встретил его прямым вопросом:

— Про Мишку поговорить пришли?

— Да, про него. Вспомните, пожалуйста, все, что он когда-либо о себе говорил, да и ваши впечатления о нем мне тоже очень интересны.

— Да мы тут уже себе голову сломали, вспоминая, — вздохнул фермер. — Пошли в дом. Молочка парного не хотите?

— И рад бы, да нельзя, — отказался Лев.

— Бывает, — философски заметил Матвеич. — Но уж от чая-то не отказывайтесь, жена моя как раз пироги спроворила, так что и перекусите заодно, а то, я так понял, вы с утра на ногах.

Они сели к столу, самовар, хоть и электрический, радовал глаз, а пироги пахли совершенно одурманивающе. Пока Лев отдавал дань угощению, фермер начал рассказывать:

— Ну, помню, приехал он с бабой этой. Насчет цены за молоко они не торговались, сразу согласились. Потом насчет мяса поинтересовались. А у нас же тут не только коровы, но и свиньи есть, и птица всякая. Бью я не так, чтобы часто, но регулярно, так что желающие всегда купить могут. Яйцами они не интересовались, а все больше говядиной, да не какой-нибудь, а вырезкой и краями, ну, и птицей.

— Недешевые у них запросы, — заметил Лев.

— Вот и я о том же! Ну, поскольку они мою цену за молоко приняли, так я им и за мясо цену назвал предельную, но они и тут согласились. Правда, потом и гуся на Рождество брали, и поросят, но это я так, к слову. Поначалу-то они вдвоем приезжали, а потом уже один Мишка. Неприятный мужик! Глаза наглые! Весь такой вечно ухмыляющийся! А у меня дочка! Я его сразу предупредил, что, если он к ней только сунется, как кабанчика прирежу! У него глаза тут же такие злые стали, колючие, и процедил он сквозь зубы: «Мне она без интереса!» Ну, на том разговор у нас и кончился! Один раз, помню, приехал он за молоком, довольный весь, а уж чем именно, не знаю, и сказал, что говядина у меня хорошая, не хуже аргентинской. Обиделся я здорово — тогда и в газетах писали, и по телевизору говорили, что она мало того что просроченная, так еще и с химикатами там какими-то, а он эту дрянь с моим мясом сравнил. Мишка в ответ только рассмеялся: я, мол, про настоящую говорил. Еще вот был случай, приехал и сказал, что они поросенка молочного хотят купить. А мне их закалывать, между прочим, без интереса, но цену он настоящую предложил, и я согласился, спросил только, когда он нужен, чтобы я загодя его приготовил. А Мишка вдруг заявил, что сам забьет. Но это же уметь надо! Тут я его и предупредил, чтобы деньги мне вперед отдал, а если у него ничего не получится, то пусть забирает уже оплаченного, а нового я ему не продам ни за какие деньги. Отдал он мне всю сумму, вынес я ему поросенка, нож дал... А! — махнул вдруг рукой фермер.

— Ничего у него не получилось, — догадался Гуров.

— Вот говорят, работает, как мясник, а ведь работа эта филигранная, если уметь, конечно. Настоящий мясник тебе крутое яйцо на полированном столе своим топором разрубит так, что и царапинки не останется! А он! Да голодный волк с меньшей яростью овцу задирает! Он этого несчастного поросенка раскромсал так, что... — помотал головой фермер. — Ну, приготовить его еще можно было, в тесте запечь, например, но уже не целиком. И какой же он довольный при этом был! Посмотрел я на него и подумал, что с мозгами у него что-то не то!

— Еще что-нибудь можете вспомнить? — поинтересовался Гуров.

— Да нет вроде, — пожал плечами Матвеич. — Таких случаев и было-то всего несколько, а обычно он приезжал, забирал молоко или еще что-нибудь и уезжал.

Поблагодарив фермера за информацию и угощение, Лев поехал в отделение, а там его уже ждали не только начальник, но и два очень недовольных парня. Как оказалось, это были братья, которые на этот день как раз взяли отгул, чтобы вскопать матери огород, а их неожиданно оторвали от работы.

— Ребята, поймите, дело действительно очень важное, — примирительно сказал Гуров. — Сами же, наверное, уже все слышали?

— Да, поселок гудит, — вынужден был согласиться с ним старший из братьев. — Только мы же не знаем ничего.

— А вот это вам только кажется, — уверенно заявил Лев. — И вы сейчас сами в этом убедитесь! Скажите, вы видели, как этот Михаил ходил купаться на реку?

— Да сколько раз, ну и что?

— А татуировки вы у него рассмотрели?

— Как бы не так! — усмехнулся младший. — Он, когда первый раз пришел, так нас оттуда шуганул, что мы в поселок бегом бежали, не оглядываясь. А потом, только его завидим, так тут же по кустам прячемся.

— Но оттуда-то вы могли что-то разглядеть, — настаивал Лев.

— Плавал он хорошо, красиво очень, — начал вспоминать старший. — На груди у него корабль был, это точно, на правом предплечье еще что-то, но что именно, не знаю. Просто видел синее что-то, и все.

— На левом предплечье у него тоже что-то было, а еще пониже локтя, — добавил младший.

— Ребята! Ребятушки! Это очень важно! — уговаривал их Лев. — Ну, вспомните, что еще было! Может, шрамы какие-нибудь от пуль, от ножа, от операции. Ожоги. Ну хоть что-нибудь!

Парни переглянулись, словно совещаясь, говорить или нет, а потом старший неуверенно начал:

— Вы нас тоже поймите — мы же тогда малые были, может, чего неправильно поняли...

— Родной, ты говори, а мы уж разберемся, — попросил его капитан.

Парни снова переглянулись, и старший продолжил:

— Может, это нам только тогда так казалось... В общем, плавки на нем, как на девчонке, сидели.

Тут настала очередь переглянуться капитану с Гуровым, и Лев спросил:

— Что, совсем как на девчонке?

— Да нет, только... Ну, у него впереди ничего не было. Но я опять-таки повторяю, что это нам, может, только показалось.

— Но вы же его не один раз видели? — настойчиво спросил капитан.

— Не один, но странно это как-то! Ненормально же, — пожал плечами парень. — Так же не бывает.

— Ребята! Спасибо вам огромное, — искренне поблагодарил их Лев. — Вы нам очень помогли, а теперь идите работать дальше — мать-то, наверное, заждалась. — А когда парни ушли, сказал капитану: — Ну, вот и вся разгадка, почему он ни с кем из женщин здесь не закрутил, да и Матвеичу объяснил, что его дочка ему без интереса. И ребят он по этой же причине с речки гонял, чтобы они ничего не видели.

— Да уж, наказала жизнь мужика. Может, поэтому так и озлобился?

— Думаю, что это не жизнь, это люди его наказали, — возразил Лев. — И, видимо, за дело. Так чем его там убили, заточкой? — Капитан кивнул. — Ну, вы ее, конечно, за давностью лет по акту списали?

— Списали, — с готовностью подтвердил тот.

Гуров посмотрел него и вздохнул:

— А почему мне кажется, что фактически она у вас в наличии?

Капитан поерзал на стуле, покряхтел, но полез в стол и достал ее.

— Да больно уж она затейливо сделана, вот жалко и стало. Пальчиков на ней никаких не нашли — да и какие могли быть после такого пожара? Вот и решил оставить.

— А заберу-ка я ее у вас, вдруг в деле может сгодиться? — сказал Лев. — Вещь-то необычная, как знать, кто ее в руках держал.

— Да берите, мне она все равно без надобности, — согласился капитан.

— Что там возле дома? Не интересовались?

— Да работают еще. Другого захоронения, слава богу, не нашли, так они и с этим еще не скоро закончат.

— Ну, тогда оставляю их на вас. Протокол составите, подписи соберете и все остальное. Таджики-то уехали?

— Нет, вы же сами сказали, чтобы я их задержал, — удивился капитан.

— Тьфу, ты! — не сдержался Лев. — Если второго захоронения не нашли и раскапывать нечего, чего ж вы их не отпустили? — Капитан смущенно пожал плечами. — Ясно, приказа не было. Ну, да это сейчас и к лучшему — я с ними в Фомичевск вернусь, чего вашу машину зря гонять?

Когда они подъехали к сгоревшему дому, то увидели, что эксперты работают уже в свете фар автобуса и фонарей. Хотя не так уж было темно на улице, но работа ведь у них практически ювелирная. Гуров не стал их отвлекать и что-то говорить, а сел в кабину кунга, благо водитель был русским, и, показав пальцем себе за спину, спросил:

— Все там?

— А куда же они денутся? Они до того перепугались, что как забились туда, так только по нужде до ближайших кустов добегали и тут же обратно.

— Тогда давай в Фомичевск, и очень тебя прошу, не включай радио, как собака устал, хоть подремлю по дороге.

И Гуров действительно уснул, но перед этим еще успел подумать: «Для кого же эта сволочь дешевые шоколадные конфеты покупала? Неужели все-таки для детей?»

Водитель разбудил его, когда машина была уже не только в Фомичевске, но и стояла возле райуправления, все окна которого светились. Лев вылез, потянулся, размял затекшие ноги и пошел к Косареву. А там уже были все: и Косарев с Фоминым, и прокурор с экспертом, не было только Стаса.

— Куда Крячко делся? — поинтересовался Лев.

— Да он, с полного согласия вашего начальства, в Москву сорвался — там какая-то новая информация появилась, — объяснил ему Андрей Федорович.

— Понятно, — кивнул Гуров. — О том, знаете ли вы, что произошло в Сабуровке, спрашивать бессмысленно — иначе бы вы здесь в полном составе не собрались.

— Капитан отзвонился, — объяснил Фомин.

— Это не только мы знаем, — печально вздохнул Косарев. — Это уже и в Москве знают — криминалисты сообщили. Мне оттуда звонили, сказали, что следственную бригаду создают по этому уголовному делу и сюда ее направят. Шуму будет! Дай бог, погоны хоть какие-то на плечах останутся, чтобы до пенсии дослужить.

— Господи! Ну почему Ильич не приказал тогда просто забросать эти трупы землей?! — чуть не взвыл «следак».

— Тогда мы никогда бы не нашли останки детей, — возразил ему на это Лев. — По поводу охранника у меня появилась кое-какая ясность, завтра свяжусь с Москвой, и пусть его пробивают по всем возможным базам. А сейчас я пойду спать, потому что меня ноги не держат.

— Погоди, Лев Иванович, — остановил его Фомин. — Тут из Москвы для тебя информация пришла. Читаю...

— Пожалуйста, давай своими словами, — попросил его Лев, — а то мне этот канцелярский язык — поперек горла.

— Как скажешь, — согласился «следак». — 5 ноября 2004 года около 7 часов утра в приемное отделение ЦРБ Петушков, что во Владимирской области, позвонил неизвестный мужчина и сказал, что у них возле дверей стоит белая «Газель», а в ее кабине — девочка, которой требуется экстренная медпомощь. Врачи выскочили — есть такая машина, а там девочка лет пяти-шести, без сознания, еле живая, вся в крови, со следами изнасилования, в том числе и в извращенной форме. Стали смотреть, а у нее разрывы внутренних органов. Девочку срочно на операцию, и в милицию сообщили. Наши приехали, стали разбираться: «Газель» без номерных знаков, на руле и рычаге переключения скоростей отпечатков никаких — все бензином протерто. Звонок пробили — звонили из автомата, что напротив приемного отделения, трубка тоже протерта бензином. Девочку, слава богу, спасти удалось — ее потом во Владимир в больницу переправили долечиваться. По фотографии опознали ее как Марину Соколову, пяти лет восьми месяцев от роду, которую 2 ноября украли из детсада в Рассказово. Сообщили родителям, ну, дальше по схеме. «Газель» была угнана из Москвы весной 2003-го у частного предпринимателя, о чем есть соответствующее заявление.

— Слава богу, что девочка выжила, а не разделила судьбу тех, кого в общей могиле нашли. Но теперь-то хоть все? — с надеждой спросил Лев.

— Ладно, иди отдыхай, — слегка усмехнувшись, кивнул Косарев. — Завтра поговорим.

— Значит, не все, — вздохнул Гуров. — Ну, добивайте!

— Да пробили мы тебе весь список, — сказал Фомин, протягивая ему бумагу. — А ты уж сам разбирайся, кто тебе нужен, а кто — нет.

Лев внимательно просмотрел список, и оказалось, что кандидатур было несколько, и все не в Фомичевском районе.

— Какого черта Крячко уехал в Москву? — взорвался он. — Мне что, разорваться? Что там за новая информация такая появилась? — Вытащив телефон, он позвонил Орлову и напустился на него: — Ты меня скоро вообще в автономное плаванье отправлять будешь? Что там такого в Москве случилось, что Крячко туда сорвался?

— Лева! Угомонись! — устало попросил его Орлов. — Здесь нашелся человек, который опознал ту женщину с фотографии, и Стас работал по ней. Короче, выяснили мы личности убитых. Я понимаю, что пережить тебе сегодня пришлось немало, но ты уж до утра-то продержись! Приедет бригада, и тебе останется только руководить, так что полегче будет.

Гуров посмотрел на сидевших вокруг него понурившихся мужиков, которых ждали немалые неприятности, и спросил:

— Чьим приказом следственная группа создается?

— Моим, чьим же еще? — ответил Петр.

— Слушай, не надо никакую бригаду сюда присылать — ей здесь уже нечего делать. Да и мне тоже — завтра вот только кое-что подчищу, заберу все документы с собой в Москву и там все оформлю.

— Все ясно! Ты, как всегда, ни одной бумажки на месте не написал! А теперь еще и местных мужиков выгораживаешь! — возмутился Орлов. — Они хоть того стоят?

— Все мы чего-нибудь стоим, — философски заметил Лев. — Ну, раз мы с тобой уже разговариваем, то не буду я до завтра откладывать. Записывай, что я на охранника нарыл, и оперативно пробей его по всем нашим базам, потому что он точно наш клиент. Итак, зовут его Михаил, год рождения, приблизительно, 1960—1965-й, с очень большой вероятностью, уроженец Ленинграда: во-первых, мать его папиросы курила, а там у женщин это тогда было в моде, а во-вторых, он когда-то был водоплавающим и ходил в загранку. Рост 180—190 сантиметров, волосы русые, глаза голубые, нос с горбинкой, скорее всего, был сломан, губы, по словам свидетеля, красивые, крупные, резко очерченные, руки интеллигентные. Особые приметы: имеет на пальцах левой руки наколку «Миша», на груди татуировку в виде корабля на волнах, а также неустановленные татуировки на правом и левом предплечье и на левой руке ниже локтя — там какие-то цифры через черточку. На тыльной стороне правой кисти татуировка сведена. Ну, и отсутствует половой член.

— Лева! С этого надо было начинать, — возмутился Орлов. — Уж по этой-то примете мы его на раз вычислим.

— Ты не прав, это могли и в колонии покуражиться, если он за изнасилование сидел, да и там умудрился чем-то отличиться. А если он потом не попадался? Тогда мы о ней и знать не можем, — возразил Гуров. — Как ты там? Держишься?

— Ой, Лева! Тут такой шум поднялся — аж стены дрожат. Не дай бог, журналисты пронюхают! Не отмоемся, не отпишемся, не отбрешемся! — тоскливо произнес Петр.

Отключив телефон, Гуров обвел всех усталым взглядом и предупредил:

— Если еще кто-то попытается меня остановить, стреляю на звук.

Но разве могли эти понявшие, что грозу пронесет стороной, и поэтому разом оживившиеся мужики так просто отпустить своего спасителя, и Косарев радостно предложил:

— Лев Иванович! Может, с устатку по маленькой?

— Сопьюсь я тут с вами, — пробормотал он, с трудом поднимаясь. — Я лучше спать пойду. Да и вы не особо увлекайтесь, а подготовьте мне все документы, чтобы я их с собой забрать мог.

— Пойдем, Лев Иванович, я тебя провожу, — предложил Фомин.

Как оказалось, это было нелишним, потому что Гуров отправился к себе в автоматическом режиме. Когда он наконец добрался до своего временного жилья, то вынужден был все-таки поесть — Фомин с матерью его так уговаривали! А вот для душа у него сил уже не осталось. Да и как разделся и лег в постель, Гуров тоже не помнил.

А приехавший в Москву Крячко был полон сил и энергии, энтузиазм бил в нем ключом. Подъехав к месту встречи в одном из переулков старой Москвы, где его возле отделения Сбербанка уже ждал Пантелеич, Стас усмехнулся:

— Странное место ты выбрал.

— Зато тебе потом далеко ходить не придется, — объяснил тот, сев к нему в машину, и показал на находившийся на другой стороне массажный салон.

Пантелеев, несмотря на солидный возраст, был все еще капитаном. Будучи человеком старой закваски, он многого в современной жизни, и в частности в работе полиции, не одобрял, чего не находил нужным скрывать, так что повышение ему не светило. Но это его нимало не расстраивало — у обоих его сыновей был собственный бизнес, и своими заботами они отца с матерью не оставляли. Мечта у Пантелеева была только одна — дослужить до пенсии, а потом с внуками заниматься, а то у их отцов из-за вечной занятости до них руки не доходили.

— Ну, повествуй, — попросил Стас.

— Держи, — сказал Пантелеев, протягивая ему листки. — Пока ты ехал, я кое-что в архиве посмотрел и отксерокопировал.

Крячко начал читать: «Светлана Николаевна Суховей, 1980 года рождения, приехала покорять столицу из провинции, в частности, из Воронежской области в 1997 году...» Куда уж она там собиралась поступать, неизвестно, но, скорее всего, в театральный, потому что была довольно смазливая. Ну а дальше история известная: в институт провалилась, возвращаться домой не захотела и, в конце концов, оказалась в проститутках.

— Мы ее три раза задерживали, — сказал Пантелеев, увидев, что Крячко все прочитал. — Ее землячка, которая давно уже путанила, Светку тоже в этот бизнес пристроила. Ну, ты сам знаешь, как тогда делалось — снималась квартира, превращалась в бордель, куда девочки на работу ходили. Сообщат соседи, у которых этот бардак уже в печенках сидит, в милицию, накрывали их, а через некоторое время они уже в другом месте

338

обосновывались. Причем почему-то очень наш район любили и сейчас любят. Тебе это ни о чем не говорит?

— Мы с тобой это положение изменить не в силах, так что давай не будем себе нервы жечь, — поморщился Стас. — Лучше дальше рассказывай!

— Девка наглая была до невозможности, хамка первостатейная. Я потому ее так хорошо и запомнил, что она мне как-то раз трусами своими в лицо запустила, да еще и смеялась при этом. У других-то хоть какой-то стыд остался, а этой — хоть бы что! Последний раз я ее видел в 2003-м, где-то зимой, точнее не вспомню.

— А человек, который о ней много рассказать может, кто? — поинтересовался Стас.

— Это мамка их, Татьяна. Они ведь так всем скопом по квартирам и кочевали. Кто-то из девок уходил, кто-то приходил, но основной состав не менялся. А сейчас Танька администратор в массажном салоне, возле которого мы и стоим.

— То есть тот же бордель, — кивнул Крячко. — А твои же его и «крышуют». Ладно, пойду я и поговорю с этой Татьяной.

— Ну а я тебя здесь подожду, музыку послушаю.

— Спину мне прикрываешь? — напрямую спросил Крячко и получил такой же прямой ответ:

— Ты, Василич, давно уже высоко сидишь, от земли оторвался. Эти сопляки, оборзевшие и обнаглевшие, думают, что раз у них корочки и пистолет, так они уже цари природы! Не сталкивался ты еще с ними, видать!

— Как сказал тигр, глядя на нового дрессировщика: «Пожуем — увидим!» — усмехнулся Крячко.

В якобы массажном салоне звучала негромкая, приятная музыка, да и обстановка была обволакивающе-располагающая, но впечатление портил громила в форме охранника. Увидев Стаса, который, судя по одежде, никак не походил на клиента заведения и мог попасть туда только по ошибке, громила направился к нему и был встречен раскрытым удостоверением, которое Крячко только что не сунул ему под нос.

— Татьяну позови, — приказал он.

— Да вон она стоит, — показал охранник на стройную, довольно молодую и привлекательную женщину. — А чего надо?

— А что мне надо, я ей и скажу, — отрезал Крячко.

Привлеченная их разговором, женщина подошла к ним, и Стас, показав ей удостоверение, объяснил:

— Поговорить надо.

— Я на работе, — настороженно ответила она.

— Предпочитаете на Петровке? Поехали.

— О чем разговор хоть?

— Не бойтесь, о временах давних, — успокоил ее Крячко. — Так что давайте сядем рядком да поговорим ладком.

— Хорошо, проходите вот туда, — показала на стоявшие вокруг журнального столика кресла женщина. — Но у меня не очень много времени.

— А вот продолжительность нашего разговора будет зависеть исключительно от вас: он может закончиться здесь, а может — и в другом месте, но в этом случае я не гарантирую, что вы вернетесь как на работу, так и домой. Выбирайте! — жестко произнес Стас.

Вместо ответа она прошла к столику и села в кресло, а вот Крячко подвинул свое так, чтобы видеть весь холл, в том числе и охранника, а за спиной у него была стена — отнюдь не лишняя предосторожность в подобного рода заведениях. Он положил перед Татьяной фотографию женщины и спросил:

— Никого не напоминает? — И, пока та разглядывала снимок, предупредил охранника: — За телефон не хватайся, не поможет.

— Странное какое-то лицо, — пожала плечами Татьяна, долго рассматривавшая фотографию. — Словно она не живая и не мертвая. Нет, не знаю.

— Тогда, может, из вот этого что-то покажется знакомым? — Крячко разложил перед ней фотографии драгоценностей, и та, только мельком глянув на них, изменилась в лице. — Хватит Ваньку валять! Ведь узнали же!

— Что с ней? — спросила женщина, кивая на снимок.

— Внешность воссоздана по черепу, — объяснил Стас.

— Доигралась, значит, сучка драная! — с ненавистью бросила Татьяна. — А я-то все гадала, кто браслет мой увел.

— А вот теперь ты мне все подробно расскажешь, — резко перешел на «ты» Стас. — И учти, что натворила эта мразь такие дела, что тебе для собственного же блага нужно быть предельно откровенной. Ее анкетные данные я уже знаю, так что это мне неинтересно.

— Людка ее привела — они из одного города, — начала рассказывать Татьяна. — Светка мне сразу не понравилась — мутная девка, сука, каких мало. Но в работе была безотказная, да и от клиентов у нее отбоя не было. Были у нас девки и покрасивее, но вот что-то такое в ней мужики находили. Она сначала где-то в пригороде ошивалась, а потом они с Галькой квартиру на двоих сняли. Галька девка серьезная была. Отец у нее алкаш был, вот мать всю семью на себе и тащила. А как умерла, отец тут же бабу привел, стали на пару бухать. Галька в Москву и сбежала. Она во всем себе отказывала, каждую копейку на книжку несла — копила на то, чтобы потом как-то в жизни устроиться и сестренку младшую, которая в Твери осталась, к себе забрать. Серьги вот эти, — постучала ногтем по снимку Татьяна, — Галькины, единственная ее память о родной матери. Она их никогда на работу не надевала, дома держала. И пропали они в тот день, когда Светка исчезла, а вместе с ней не только они, но и те деньги, что Галька не успела на книжку положить. Светка тогда больной сказалась и на работу не вышла. Галька домой вернулась, а там!.. — Татьяна развела руками. — Насчет денег Галька тогда не очень расстроились — их-то заработать можно, а вот из-за сережек убивалась так, что от слез не просыхала.

— Когда это случилось? — уточнил Стас.

— Где-то в мае 2003-го, но уже после праздников, а точнее не скажу, — подумав, ответила Татьяна.

— А браслет как она у тебя увела?

— Девок тогда всех скопом знакомые клиенты в сауну заказали. Знай я об этом заранее, браслет надевать не стала бы, дома оставила. До сих пор проклинаю себя, что тогда с ними поехала — попариться мне, дурище, захотелось. Только куда с браслетом в парную? Я его сняла и в сумку положила, а как собираться начали, смотрю, браслета нет. На мужиков даже не подумала — не те люди, а вот из девок чуть душу не вытрясла, но ни одна не призналась. А это, оказывается, Светка была!

— В нем одного камня нет, ты потеряла?

— Нет, он ко мне таким уже попал. Мне этот браслет человек один подарил. Любили мы с ним друг друга. Очень любили. Только и он вам уже ничего не расскажет — убили его давно. Вот тогда-то друзья его в память о нем меня к делу и приставили.

— Что же ты на пустое место какой-нибудь камень не вставила?

— Да сказал он мне, чтобы я браслет особо не светила, — буркнула она, а потом неожиданно разозлилась: — Знаю я, что вы сейчас подумали — бандит он был. Пусть так! Но я любила его и до сих пор забыть не могу! И помнить буду, пока жива.

— Татьяна! Это лирика, а я сюда по делу пришел, — поморщился Крячко. — Давай к Светке вернемся. У нее постоянные клиенты были?

— Да полно, — успокоившись, ответила она.

— Посмотри, вот такого среди них не было? — Он протянул ей фотографию мужчины.

— Ну, вы спросили! — хмыкнула она. — Сколько человек передо мной за эти годы прошло! Разве я могу всех запомнить?

Но снимок взяла и стала рассматривать. Тут у Стаса зазвонил сотовый — это оказался Пантелеич, который сказал:

— Гости к тебе, Василич.

Разговаривая с Татьяной, Крячко краем глаза наблюдал за охранником и видел, что по телефону тот никому не звонил, значит, оставалась...

— КТСку нажал? — ласково спросил он у охранника. — Да хозяин тебя за такое, самое малое, живым в асфальт закатает. Ну и где эти доблестные блюстители закона?

Крячко достал из наплечной кобуры пистолет и демонстративно снял его с предохранителя, а потом положил на столик свое раскрытое служебное удостоверение. Тут и они появились, двое тех самых оборзевших сопляков, о которых говорил Пантелеич. Они, конечно, были на побегушках, основные деньги шли начальству, но и парни внакладе не оставались. Увидев Крячко с пистолетом в руке, они на мгновение растерялись, чем Стас и воспользовался:

— Ручками не сучим! Медленно подходим, читаем, что вот тут написано, — показал он пистолетом на свое удостоверение, — разворачиваемся и валим отсюда к чертовой матери!

Парни были молодыми, на зрение явно не жаловались, так что им даже близко подходить не надо было, чтобы увидеть, что написано в удостоверении и кто там на фотографии.

— Простите, товарищ полковник, но был вызов, вот мы и приехали, — попытался выкрутиться один из них.

— Во-первых, я тебе не товарищ! — сорвался на крик Стас. — А, во-вторых, я этому придурку, — кивнул он в сторону охранника, — свое удостоверение, едва вошел, предъявил! Пошли вон отсюда! А объяснения для службы собственной безопасности приберегите! — Полицейские рванули к выходу, а он, не сдержавшись, выкрикнул им вслед: — Учтите, я вас запомнил!

Когда те исчезли, Крячко вернул на место пистолет и удостоверение и обратился к Татьяне:

— Ну, никого не напоминает? — Она только покачала головой. — Тогда рассказывай про ее постоянных клиентов. Меня интересуют те, что были у нее в последнее время.

— Так они у всех были в основном постоянные. К нам же со стороны никто прийти не мог, только по рекомендации.

— Тогда я поставлю вопрос иначе: кто из ее постоянных клиентов исчез одновременно с ней? Не те, кто пришел и, не найдя ее, расстроился, а тот, кто к ней больше не приходил.

— Пятнадцать лет ведь прошло, — пожала плечами Татьяна.

— Вспоминай! — приказал Стас. — Пока не вспомнишь, не уйду!

Горестно вздохнув, она принялась усиленно размышлять, а потом отрицательно покачала головой:

— Не помню, но вот вспомнила другое. Уже после того, как Светка исчезла, Галька сказала, что у нее мужик постоянный был, из наших бывших клиентов. Только Светка очень просила Гальку никому об этом не говорить. Она его Федюнчиком звала, а за глаза — Простофиля, Простачок и все в этом духе. Галька сказала, что ничего особенного — невысокий, лысоватый, немолодой и на лицо не красавец. А еще Светка по пьяни проболталась, что он был врачом и сидел.

— Раз он раньше был ее постоянным клиентом, то попасть к вам мог только по рекомендации. Отсюда вопрос — чьей? Кто его к вам привел?

— Не мой уровень. Я такие дела никогда сама не решала, этим хозяин занимался.

— И кто это? — тут же спросил Стас.

— Полковник, за ответы на такие вопросы язык отрывают вместе с головой, — отрезала Татьяна.

— Ладно, сам выясню, не проблема, — буркнул Крячко. — Галина еще работает?

— Нет, давно уже ушла. Она же соседям постоянно звонила, интересовалась, как там сестра. А тут они ей сами сообщили, что ее отец с мачехой паленой водкой отравились и умерли, вот она домой и вернулась.

— Фамилию помнишь?

— Потапова.

— Ты, Татьяна, не расслабляйся, вспоминай! Может, еще чего на ум придет?

— Мне вам врать, что ли? — возмутилась она. — Не помню я больше ничего!

— Хорошо, зайдем с другой стороны. Вот ты много лет в этом бизнесе, знаешь все от и до. Вот скажи мне, когда-нибудь кто-то из клиентов интересовался детьми? Может, кто-то предлагал такой бизнес организовать?

— Нет, — уверенно ответила Татьяна. — Не наш профиль — тут статьи уже серьезные, штрафом не отделаешься. И несовершеннолетних девчонок у нас никогда не было по той же причине. И вообще никто никого у нас силой не держит. Хочет девка именно так себе на жизнь зарабатывать, причем в комфортных условиях, — флаг ей в руки! У нас же тут и студентки подрабатывают, и другие тоже.

— Что-нибудь еще сказать можешь?

Татьяна в ответ пожала плечами, и тут в холле появился вальяжный, хорошо одетый солидный мужчина, который с самой располагающей улыбкой направился к столику. Судя по тому, как при виде его Татьяна вскочила и собралась было оправдываться, это был управляющий заведением — для хозяина он был слишком слащав.

— Сиди, Танечка! Только что же ты господина полковника в холле держишь? Могли бы для серьезного разговора в одну из комнат пройти, чай бы заказала и к нему что-нибудь, — укоризненно произнес управляющий, а потом обратился уже к Крячко: — Господин полковник! Вы уж простите болвана этого, — кивнул он на охранника. — Как говорится, заставь дурака богу молиться, так он и лоб расшибет. Пройдите, пожалуйста, в кабинет, там и стол уже накрыт, а то что ж вы здесь?

— Во-первых, мы разговор с Татьяной уже закончили, а, во-вторых, мне в вашем бардаке даже свой кусок в горло не полезет, — неприязненно ответил Стас.

— Господин полковник, мне бы очень не хотелось, чтобы произошедший здесь прискорбный инцидент имел далеко идущие последствия.

— Ты мне еще взятку предложи, чтобы окончательно себя утопить, — зло бросил Крячко. — Я понимаю, что, пока есть спрос, будет и предложение, и с проституцией бороться бесполезно, но все равно с души воротит, так что ты меня лучше не зли. Вот тебе мой номер телефона, — он быстро написал его на листке из блокнота и протянул управляющему, — отдашь его хозяину и скажешь, чтобы он мне позвонил. Это не наезд, и «крышевать» я вас не собираюсь, мне от него нужен четкий ответ на один вопрос. Но если он мне не позвонит или вздумает крутить, от вашего бизнеса не останется даже воспоминаний. И никакие «крыши» вас не спасут. Это я вам гарантирую на тысячу процентов.

— Его сейчас нет в Москве и даже в России, — быстро ответил управляющий.

— Ваши проблемы, — бросил Крячко. — Крайний срок — послезавтра.

Собрав фотографии, он вышел на улицу и сел в машину.

— Ну как? С пользой сходил? — спросил его Пантелеич.

— Спасибо, что предупредил, а то эти оборзевшие сопляки еще врукопашную бы полезли, — проворчал Стас, заводя машину. — Узнал я кое-что, но мне ведь опять твоя помощь нужна, так что я тебе уже два «фунфырика» должен.

— Я столько не выпью — здоровье берегу, оно мне для внуков еще потребуется, — рассмеялся Пантелеич. — А в чем у тебя нужда?

— В этой теплой компании была некая Галина Потапова из Твери, она еще вместе со Светкой квартиру снимала, а та ее перед побегом обчистила. Галина эта давно домой вернулась, вот ее-то адресок мне и нужен. В Москве она наверняка без регистрации жила, так что в протоколе задержания именно он и должен быть указан.

— Ну, это дело несложное — документы еще у меня в сейфе, так что подожди где-нибудь немного.

Получив от Пантелеева адрес Галины Потаповой, Стас позвонил Орлову, который, несмотря на то, что рабочий день уже закончился, оказался в управлении, и поехал к нему. О своей ссоре с Гуровым он решил умолчать — кому же охота в собственной глупости расписываться, а вот насчет остального выложил все от начала до конца.

— Значит, что мы имеем, — подытожил Петр. — Данные на эту стерву есть, но они нам ничего не дают. Ну, установили мы ее, что дальше? Бывшей проститутке, да еще такой молодой на тот момент, никто серьезное дело не доверит. Хахаль ее, он же якобы муж... Что мы о нем знаем? Приблизительный год рождения, то, что он по профессии врач и сидел... Не знаю...

— Ты его по нашим базам пробивал? — спросил Стас.

— Отдал я его портрет, возятся еще — сам посуди, какой объем данных нужно перелопатить... — Орлов вдруг замолчал, а потом воскликнул: — Черт! Его же по пропавшим пробивают, а не по нашим!

— Слушай, Петр, у меня тут мысль возникла. Если этой стерве ее родное имя с отчеством оставили, так, может, и с мужиком то же самое? Может, его настоящее имя-отчество и есть Федор Васильевич?

— Ну, круг поисков это несколько сузит, — согласился Орлов. — Фамилию бы нам! Как, ты говоришь, его Светка за глаза звала? Простофиля... Простачок... Почему не дурачок? Или, скажем, болванчик?

— Думаешь, это она от фамилии? — с сомнением спросил Крячко. — Простаков, например?

— А чем мы рискуем? Попробовать-то можно. — Орлов потянулся к телефону.

— Петр! На часы посмотри! — остановил его Стас. — Все уже давно ушли.

— После того, что нашли в Сабуровке...

— А что нашли в Сабуровке? — насторожился Стас. — Я же ничего не знаю.

— Захоронение, а там детские скелеты, — скрипнув зубами, объяснил Орлов. — Так вот, после этого все на месте! Я уже имел беседу там, — он потыкал пальцем в сторону потолка. — Полномочия, как ты понимаешь, широчайшие, но и ответственность будет жесточайшей!

— Значит, Лева, как всегда, не ошибся, — пробормотал Крячко.

Орлов позвонил компьютерщикам и объяснил, что у неизвестного появились не только профессия и уголовное прошлое, но и имя-отчество, а также часть фамилии, так что пусть как хотят, так и вертятся, но информацию ему вынь да положь! Когда надо, генерал мог быть таким убедительным, что ему не то что возражать, а даже объяснять, что за пять минут такие дела не делаются, никто не решался. Положив трубку, Петр спохватился и сказал:

— Да! Совсем забыл! Не проходит по нашим базам Ломакин.

— Вот это да! — присвистнул Стас. — Ошиблась, выходит, директриса его детского дома. Она ему такое черное будущее напророчила, а оно не сбылось!

— А про Зотова я тебе сейчас ничего сказать не могу — человек в санатории отдыхает, но днями должен вернуться. Ты телефон запиши и сам с ним свяжись от моего имени, а то ведь я и забыть могу, — сказал Орлов.

Говорить о том, что эти данные ему, в общем-то, уже и не нужны, Крячко не стал, а самым тщательным образом записал в блокнот номер и спросил:

— Слушай, у тебя в холодильнике куска чего-нибудь съедобного не завалялось? А то есть хочется так, что сил нет!

— Ну и езжай домой, — предложил Петр.

— А ты тогда здесь чего торчишь? — удивился Стас.

— Да вот сижу, жду — вдруг какая-нибудь новая информация появится. Лева, я чувствую, вполне может что-нибудь новое откопать. Так чего же я буду из дома командовать, когда мне здесь сподручнее?

— И ты хочешь, чтобы я тебя оставил одного? — возмутился Стас. — Да и вдвоем вроде бы не так обидно сидеть. Ну, так я покопаюсь в холодильнике?

— Хозяйничай! — разрешил Орлов. — Может, чего и найдешь.

Ну, хозяйничать Крячко было не привыкать — он вообще в этой троице всегда был за каптенармуса, так что вскоре на столе появился не только чай, но и бутерброды.

— Теперь и работаться будет веселее, — довольным сытым голосом проговорил Стас, когда на тарелке не осталось даже крошек.

Он собирал грязную посуду, когда в дверь постучали — секретарши, естественно, на работе уже не было, и в кабинет зашел парнишка из компьютерной группы.

— Петр Николаевич! Вот, — положил он на стол для совещаний распечатку, — меня отправили вам отнести. Там дел-то оказалось на пару минут.

Орлов махнул ему рукой, что, мол, можешь идти, а Крячко, схватив бумагу и прочитав первые же строки, не выдержал и расхохотался.

— Имей совесть! Не тебе принесли! — недовольно пробурчал Орлов.

— Петр! Ты знаешь, как фамилия этого гада? — никак не мог успокоиться Крячко. — Прост! Его фамилия Прост!

— Дай сюда, — потребовал Орлов и, взяв распечатку, прочитал все от начала до конца. — Ну вот! И этого установили! А родом-то он из Воронежа — видно, на этой почве поначалу со Светкой общий язык и нашел. И осудили его там же по нынешней 105-й, части 2-й, пункт «м». Отбывал в Иркутской области и освободиться должен был осенью 2002-го.

— Ни хрена себе! — Крячко обрушился на стул. — Значит, он людей ради их органов убивал? И сколько ему дали?

— Двадцатку, хотя я бы за такое дал даже не пожизненное, а собственноручно расстрелял, — мрачно сказал Орлов. — Да, такому зверю вполне могли доверить притон для педофилов — в нем же ничего человеческого нет. Слушай! А может, детей ради органов и похищали?

— И что? Здоровому мужику детскую почку пересаживали? — возразил Стас. — И потом, по утверждению эксперта, у Проста был застарелый перелом обеих рук, а с ним не больно поопериуешь. И вообще для этого операционная нужна, медсестры, анестезиолог... черт его знает, что еще — я же не специалист. Не бывшая же проститутка ему ассистировала? Хотя... — Крячко, вскочив, заметался по кабинету. — Может, в тех машинах, что туда приезжали, этих людей и привозили? А органы потом в контейнерах увозили? А вдруг там операционная была? Или что-то вроде нее? Может, просто комната, которую можно было быстро в операционную переоборудовать? Дом-то никто толком не осматривал! Лева же только в подвал спускался!

— Час от часу не легче! — взорвался Орлов. — Но пожарные-то должны были ее увидеть! Они же внутри тоже пожар тушили! И потом, что значит «быстро переоборудовать»? От кого этим сволочам было таиться? Если уж она там была, то чего ее собирать-разбирать? — Поднявшись, он тоже начал расхаживать по кабинету, рассуждая на ходу: — Хотя, если честно, такая версия имеет право на существование — органы не только взрослым, но и детям бывают нужны. А пошлю-ка я завтра туда людей, пусть они этот дом именно с данной точки зрения обследуют.

— Дом еле стоит, — предупредил его Крячко.

— Ничего! Они аккуратно, со страховкой, — успокоил его Петр. — Завтра в Фомичевск следственная бригада выезжает, вот они с ней и отправятся. Как я понимаю, скальпели и прочие хирургические инструменты в огне вряд ли пострадали бы, вот пусть их и поищут или что-нибудь другое, что к медицине относится.

— А может, там и то и другое совмещали? — предположил Крячко. — Натешится какой-нибудь извращенец с ребенком так, что тот еле жив, тут его и под нож!

— Помолчи! — гаркнул на него Орлов. — И так уже выть хочется, а тут ты еще страсти нагнетаешь! И вообще шел бы ты домой, а то... — Тут зазвонил телефон, и Петр рявкнул в трубку: — Да!

Это оказался Гуров, который был ни в чем не виноват, так что срываться на него причин не было, и Орлов разговаривал с ним нормальным голосом. Когда речь зашла о Крячко, тот стал руками показывать Петру, что его здесь нет. Тот удивленно пожал плечами, а потом стал что-то записывать.

— Ну, вот и Лева отличился, — сказал Петр, положив одну трубку и берясь за другую. — Охранника определил. Сейчас я кое-кого озадачу. Кстати, он просил следственную бригаду в Фомичевск не отправлять — делать им там якобы больше нечего. Что, хорошие мужики там, что он за них так заступается?

— Нормальные мужики, — подтвердил Крячко. — А в Фомичевске действительно делать нечего, если уж и копаться, то в Сабуровке, где дом был, но в основном в Москве. А что там Лева нарыл?

— Сейчас услышишь, — пообещал Орлов и, позвонив компьютерщикам, стал диктовать приметы охранника. — И информация мне нужна срочно! — добавил генерал.

— Это кто же охранника без мужского достоинства оставил? — удивился Стас.

— Разберемся со временем, — пообещал Орлов. — А пока ты мне скажи, что у тебя с Левой произошло.

— Петр, мы с ним сами разберемся, — смутился Крячко.

— С каких это пор у вас от меня тайны появились? Я что, уже лишний? — нехорошо сощурился на него Орлов.

— Я сам во всем виноват, — честно признался Стас и вздохнул: — Чего с дурака возьмешь?

— Ты тут сироту казанскую из себя не строй! — цыкнул на него Петр. — И дураком не прикидывайся! Иначе ты у меня в друзьях не был бы и не работал бы здесь! Говори толком, что произошло!

Охая, ахая, стеная и только что не посыпая голову пеплом, Крячко рассказал ему, как напрасно обидел Леву и теперь не знает, что делать.

— Это какая же шлея и куда тебе попала? — удивился Орлов. — Ты хоть выслушать-то его до конца мог? Или решил, что он из ума выжил и нечего на него время терять? То, что Леву надо время от времени с заоблачных высот на грешную землю спускать, чтобы он окончательно не зазнался, я и без тебя знаю, но ведь за дело же, а не на пустом месте!

— Ну давай! Давай! — обиделся уже Крячко. — Размажь меня по столу тонким слоем! Тебе от этого легче будет?

— Иди к компьютерщикам и стой у них над душой до тех пор, пока они этого Михаила не найдут, — пробурчал Орлов. — А то они там, может, в «Тетрис» играют!

— Петр, это мы в молодости в него играли, а нынешняя молодежь все больше стрелялками-догонялками увлекается. А вот я бы в «Тетрис» поиграл, только где его взять? — вздохнул Стас.

Появление Крячко у компьютерщиков было встречено сдавленным стоном, издавна считавшимся на Руси песней бурлаков:

— Товарищ полковник, оттого, что вы пришли, машина быстрее работать не будет.

— Зато я могу сидеть рядом с ней, смотреть на мелькающие на мониторе рожи и мысленно представлять себе, что это «Тетрис», — объяснил Стас.

— При чем тут «Тетрис»? — несколько зависли парни.

— А я знаю? Привязался вот, — пожал он плечами, уселся рядом и уставился на экран.

Такого издевательства над собой компьютер не выдержал, минут через пять Стасу выдали несколько распечаток и объяснили:

— Все, что нашли.

— Отправьте их еще и в Фомичевск Косареву для Гурова, — попросил Стас.

Схватив распечатки, он почти бегом бросился к Орлову и, влетев в кабинет, разложил их у него на столе. Склонившись над ними, оба принялись читать и рассматривать фотографии.

— Я сказал, чтобы Гурову их тоже отправили, — сообщил Стас и, ткнув пальцем в один из листков, сказал: — Я думаю, вот этот. Тихонов Михаил Иванович!

— Почему именно он?

— У остальных статьи не тяжкие, и сроки были небольшие, они, освободившись, не стали бы связываться с таким уж мерзким делом. А у него же не просто 105-я, часть 2-я, а пункты «г», «д», «к»! Он же беременную женщину не просто изнасиловал, а потом еще и убил с особой жестокостью. Так что работа охранником в притоне для педофилов как раз для него — у него же ничего святого в жизни нет. Да и по приметам подходит, вот он — корабль на груди и наколка на левом предплечье, что себе выпускники Питерской «мореходки» делают. Правильно все Лева просчитал.

— Но осудили-то его в Москве по месту совершения преступления! Странно, что ему за все это только пятнадцать лет дали — за такое и пожизненное не жалко, да и отбывал он в Псковской области, — удивился Орлов.

— Значит, адвокат был хороший, а то, что к черту в зубы не загнали, так у нас сейчас за деньги еще и не такие чудеса творятся, — вздохнул Крячко. — Но если он с эдаким букетом в колонию прибыл, да еще не ко двору там пришелся, за такое дело ему вполне могли кое-что и укоротить под корень. А освободился он, смотри, в январе 2003-го! Но в Питер почему-то не вернулся, а остался здесь.

— Ну, этого мы знать не можем, — возразил Орлов. — Вдруг поехал, понял, что ему там ловить нечего, вот сюда и вернулся.

— А к кому? — тут же спросил Стас. — На пустое место? Уж, если он в своем родном городе не смог устроиться, то тут-то тем более! К бабе, что по переписке завел? Так он, ущербный, ей и не нужен совсем.

— Ну, Прост тоже в Воронеж не вернулся, а в столицу к кому-то приперся, и раз у него деньги на баб были, то не бедствовал, — заметил Петр.

— Вот как хозяин борделя мне отзвонится, так мы и будем знать, кто тут Проста с распростертыми объятиями ждал. Надо с колониями связаться и дела их уголовные запросить, — предложил Стас. — С Тихоновым сложностей не будет, его здесь судили, а вот из Воронежа — когда еще дождемся!

— С колониями ты правильно решил — кто-то же им писал, на свидания приезжал, передачки присылал, с кем-то они там скорешились, и все такое. А дела? Что ж, можно посмотреть, но раз они оба в родные края не вернулись, то многое мы там вряд ли нароем, — с сомнением покачал головой Петр. — Здесь надо концы искать, в Москве!

— Тогда я завтра запросы составлю, в Воронеж, Иркутск и Псков позвоню — пусть они там пыль с папок стряхнут, да в затылках почешут и вспомнят, кто и чем отличился. А еще с Тверью свяжусь, чтобы Галину Потапову нашли и сюда направили. Она мухой прилетит — сережки-то вернуть точно захочет! А какие-нибудь фотографии матери с этими серьгами у нее обязательно остались! Так что дело это будет хоть и не скорое, но верное! А Галина многое от Светки знать может — ведь они в одной квартире жили. Раз уж Светка ей проболталась про Проста, то и еще кое-что рассказать могла.

Орлов на это ничего не ответил, да и не мог — он душераздирающе зевал, а потом решительно заявил:

— Все! Разъезжаемся по домам!

Утром Крячко проснулся рано и, быстро собравшись, отправился на работу. Разница во времени с Иркутском позволяла ему начать теребить тамошних коллег прямо сейчас. Но предварительно он связался с Тверью и озадачил местных оперов поисками Галины Потаповой, некогда проживавшей по определенному адресу, с просьбой сообщить ей, что при желании она может получить назад украденные у нее серьги своей матери, нужно только незамедлительно приехать в Москву на Петровку. Это было делом недолгим, а вот с Иркутском и Псковом пришлось повозиться. Нет, нужные телефоны были, и люди не отказывались оказать всяческое содействие, да вот только поиски нужных документов, давно пылившихся в архиве, должны были занять некоторое время. А пока Стас составил запросы на уголовные дела Проста и Тихонова, отдал их секретарше Орлова и стал размышлять, что еще можно сделать. Мысли его прервал телефонный звонок.

— Господин Крячко? — поинтересовался резковатый мужской голос.

— Да! Я оставлял свой номер управляющему массажным... — начал Стас.

— Значит, я по адресу. Что вы хотели у меня узнать?

— Как мне сказали, без рекомендации к вам попасть невозможно. Но дело прошлое, человека давно нет в живых, так что хуже ему уже не будет. Меня интересует, кто привел в ваше заведение Федора Васильевича Проста. Я понимаю, что прошло много лет, и если вам нужны подробности об этом человеке...

— Не нужны, — прервал его мужчина. — Я его помню. Его привел Хрящ, который тоже уже умер.

— Вообще-то это достаточно распространенная среди уголовников кличка. Лично я знаю нескольких, — ответил Крячко.

— Его звали Антон, — подсказал мужчина.

— Это не Коновалов Антон Григорьевич?

— Он самый. Хрящ был обязан Просту — тот его вылечил, когда он в лагере заболел.

— Не слышал, чтобы он умер, — удивился Крячко. — А что с ним случилось?

— Пневмония. Я ответил на ваш вопрос?

— Да, но очень хочется узнать, почему вам так запомнился Прост — времени-то прошло много.

— Я встречал в своей жизни самых разных людей, но они все-таки были людьми, а Прост — не человек. У него из всех эмоций была только одна — жажда денег, чем больше, тем лучше, и неважно, каким образом. Все остальное ему было безразлично.

— А вы не интересовались, куда исчез Прост, чем стал заниматься? — не унимался Крячко.

— Я вам на это отвечу так: я был рад, что он исчез из поля моего зрения, и не испытывал ни малейшего желания интересоваться его судьбой. Я человек достаточно терпимый к людским недостаткам, но Прост вызывал у меня омерзение. Я могу считать конфликт исчерпанным?

— Да, вполне, — вынужден был ответить Стас.

— Тогда всего доброго.

В трубке раздались короткие гудки, и Крячко задумчиво положил ее на место: уж если Прост вызывал омерзение даже у хозяина публичных домов — вряд ли тот массажный салон был у него единственным, — то это говорило об очень многом! Потом мысли Стаса переключились на Хряща — мог ли он быть тем человеком, к которому приехал Прост? Очень даже возможно! Хрящ был рядовой уголовник-рецидивист, но он баб любил и в педофилии никогда замечен не был. Хрящ мог подкинуть Просту деньжат, помочь с квартирой, свести с какими-то людьми, но связей среди педофилов, причем такого высокого уровня, чтобы они могли по-крупному вложиться в этот мерзкий бизнес, у него не было и быть не могло. Да узнай Хрящ о том, чем занялся Прост, он бы ему, несмотря на благодарность, самое малое — морду набил. Значит, Хрящ отпадает. К кому же в Москву приехал этот подонок Прост? И от кого? Ведь рекомендации, чтобы ему поверили, должны были быть очень солидными. Ох, как бы ни пришлось в Иркутск лететь! А пока Стас решил позвонить в Воронеж, благо бывать ему там приходилось и знакомые в органах у него были, а если они и ушли на пенсию, то все равно могли подсказать, к кому обратиться. Покопавшись в своей записной книжке, Стас нашел нужный телефон и позвонил.

А Гуров, придя утром в управление, распечатал полученные Косаревым для него данные, с которыми опер отправился в Сабуровку, чтобы там показали фотографии бабе Дусе и остальным — не самому же с такой ерундой ездить, и в данный момент разговаривал с позвонившим ему Орловым.

— Лева, тут вот какое дело, — начал Петр. — Якобы Самойлов, а на самом деле его фамилия Прост, был хирургом, и осудили его по 105-й, часть 2-я, пункт «м».

— Час от часу не легче! — хрипло воскликнул Лев, потому что от таких новостей у него горло перехватило.

— Мы со Стасом, в общем-то, так же отреагировали. И возникла у нас мысль, а не продолжил ли Прост там, в Сабуровке, это гнусное дело? У него, правда, как сказал Стас со слов тамошнего эксперта, обе руки были сломаны, но черт его знает, мог он оперировать или нет? Я в тот дом людей отправил, чтобы посмотрели там все хорошенько — вдруг какие-то следы операционной найдут или чего-то вроде нее. Я тебе все это говорю, чтобы, если они что-то найдут, это шоком для тебя не стало — как я понял, ты там только на нервах и держишься.

— Знаешь, Петр, мне разные дела приходилось вести, но такого грязного я не помню. С души воротит! — честно признался Лев. — У тебя есть что-нибудь новенькое?

— Да вот мы по твоему описанию нашли несколько кандидатур, похожих на охранника...

— Знаю, получил и уже человека с распечатками в Сабуровку отправил, чтобы там опознание провели и протокол составили, — подтвердил Гуров.

— Так вот, Стас решил, что это Тихонов. У него тоже 105-я, часть 2-я, а вот пунктов аж три: «г», «д» и «м». Он сейчас им и Простом занимается.

— Так, Петр-миротворец! Судя по тому, как ты постоянно повторяешь: Стас то, Стас се, ты уже в курсе того, что произошло, — раздраженно проговорил Лев.

— Лева! Остынь! — попросил Орлов. — Да он сам себе не рад! Мучается так, что смотреть больно! Ну, наговорил он сгоряча лишнего! С кем не бывает? А ты что, ангел небесный? Тебя, бывает, заносит так, что мы потом все втроем расхлебать не можем! Причем заносит не в нашей узкой компании, а на людях! Тебе ничего не напомнить? — Лев счел за лучшее промолчать, потому что за ним-то грехи числились и покрупнее. — Вот и я об этом, — все поняв, заметил Петр. — Ты сегодня в Фомичевске все заканчивай и давай в Москву. Тут дел невпроворот, Стас один не справится, твоя голова нужна, — подсластил пилюлю Орлов.

У Гурова было время проанализировать ту информацию, которую нашел для него Фомин по его списку, и он понял, что есть только один человек, с которым имеет смысл поговорить. Остальные двое успели отметиться на зоне и не признались бы в том, что были в притоне для педофилов, даже под страхом смерти. Этим третьим был парень по имени Геннадий, который в то время жил со своей бабушкой в Ивантеевке, поселке городского типа. Бабушка его заявление в милицию 3 ноября утром и принесла, потому что внук домой ночевать не пришел. Но там на это особо внимания не обратили, потому что был он еще та оторва. А 5-го вечером парнишка домой вернулся, вот она заявление и забрала. А в 2007 году бабушка продала дом и уехала с внуком к дочери в Шатуру. В настоящее время Геннадий жил там и работал механиком на СТО, адрес, как домашний, так и рабочий, имелся. К нему-то Гуров и собрался. Конечно, получалось, что Геннадий если и был там, то всего несколько дней, но время его возвращения домой — вечер 5 ноября — давало надежду на то, что поездка может быть небесполезной.

Понимая, что на откровенность Геннадия можно рассчитывать только в том случае, если он будет полностью уверен в том, что дальше Гурова информация не уйдет и его имени никто никогда не узнает, Лев решил ехать на своей машине. И, как ни уговаривали его Косарев с Фоминым взять полицейский «уазик», настоял на своем. По дороге Лев размышлял о том, что хоть Стас и совершенно напрасно на него тогда окрысился, но мириться все равно надо, потому что если хочешь иметь друзей без недостатков, то не будешь иметь друзей совсем. А уж когда и сам не святой, то обижаться на других по меньшей мере глупо.

В Шатуре Гуров довольно быстро нашел станцию техобслуживания, где работал Геннадий. Услышав звук подъехавшего автомобиля, из гаража вышел солидный дядька, который при виде старой машины Гурова только тяжело вздохнул, вероятно, предположив, что сейчас эту рухлядь попросят починить. А когда Лев протянул удостоверение, ничуть не растерялся, и сыщик подумал, что крупных грехов за этой СТО не водится. А вот узнав, кто ему нужен, хозяин насторожился:

— Он что-то натворил?

— Нет, мне с ним нужно только поговорить. Речь пойдет о временах давних, когда он еще у бабушки в Ивантеевке жил. Просто дело одно старое всплыло, а Геннадий может о нем что-то знать.

— Ну, если так... — Хозяин пожал плечами и скрылся внутри.

Через несколько минут к Гурову вышел молодой парень, и, судя по его спокойному лицу, ему тоже нечего было бояться. Они отошли к стоявшей возле стены скамейке, присели, парень закурил и выжидательно посмотрел на Льва, а тот никак не мог придумать, как начать.

— У меня вообще-то работа стоит, — заметил Геннадий.

— Давай я тебе вкратце ситуацию обрисую, — приступил наконец Лев. — Были найдены останки двух человек: мужчины и женщины, мы выяснили, что они снимали в Сабуровке дом, где был организован притон для педофилов. Кто-то освободил детей, убил этих двоих и охранника, а дом поджег так, что от него практически ничего не осталось. А в саду мы нашли яму, полную детских скелетов. И есть подозрение, что над детьми там не только издевались, но еще и убивали ради органов. Я тебе все это говорю потому, что это уже ни для кого не секрет, Фомичевский район гудит, да и до вас, наверное, слухи дошли. Я знаю, что 2 ноября 2004 года ты и двое твоих друзей куда-то исчезли и вернулись домой только 5-го вечером. То, как ты и остальные объяснили свое отсутствие, я читал. А теперь прошу тебя: ради тех замученных до смерти детей, которые уже никогда не увидят родителей, солнца над головой, не вырастут, не заведут своих собственных детей, скажи мне правду — ты был в этом доме? Даю тебе слово офицера, да я тебе своей жизнью клянусь, что никогда и никому не назову твоего имени.

— Зачем вам это? — Парень смотрел на него с неприкрытой враждебностью. — Из любопытства?

— Нет, Гена! Для того, чтобы это никогда не повторилось. Те, кого убили, были простыми исполнителями, но где-то есть организатор. И нельзя исключать, что сейчас в каком-то из районов области работает такой же притон. Я хочу найти этого организатора для того, чтобы он ничью жизнь больше не погубил.

— И что вы с ним сделаете? В тюрьму посадите? А он потом выйдет и примется за старое! — насмешливо произнес парень.

Гуров достал удостоверение и, раскрыв, показал ему.

— Я — полковник, занимаюсь особо важными делами, причем дольше, чем ты живешь на свете. Я из практически вымершего племени честных ментов — поверь, они еще остались! — и никогда в жизни ни у кого не взял денег, а предлагали очень многие. Именно поэтому я в авторитете по обе стороны закона: и среди своих, и среди уголовников, причем не мелкой шантрапы. И даю тебе слово, что, когда найду этого организатора, он не то что до суда не доживет, его даже задерживать никто не будет. Он умрет, но не просто, а смертью страшной и мучительной. И будет при этом жутко завидовать тем своим подручным, которых бросили умирать в выгребную яму! Я ответил на твой вопрос?

Гуров говорил все это тихо и вроде бы спокойно, но таким сдавленным от ярости голосом, что парня даже дрожь пробила. Он закурил новую сигарету, помолчал, а потом, глядя себе под ноги, сказал:

— Мы там были, но с нами просто ничего не успели сделать. Про операции ничего не знаю, нас, во всяком случае, никакой врач не смотрел, и анализы не брали. Хотя, как я понял, врач там был, потому что лечил некоторых.

— Давай все с самого начала, — попросил Лев.

— Ну, как отец от нас ушел — мать сама виновата, не хрена было хвостом вертеть, — она принялась личную жизнь устраивать, мужики каждую неделю менялись, а потом она меня, чтобы не мешал, к матери своей в Ивантеевку отправила. А я уже на весь мир озлобленный, школу прогуливал, компания такая же. Бабуля пыталась меня как-то воспитывать, а я, бывало, ее и матом посылал. В общем, намаялась она со мной. Все случилось 2 ноября, мы с пацанами, как обычно, возле автостанции тусовались. Врать не буду: и подворовывали мы, и хулиганили всячески. Сидели мы на скамейке в скверике, и тут мимо нас бабенка молоденькая катит, пьяная в хлам. Остановилась возле нас и пригорюнилась — какие мы, дескать, несчастные. А мы ей в ответ: «Купи нам пива, и мы счастливые станем!» Она головой помотала и чуть не грохнулась при этом, денег, говорит, нет, а потом полезла в сумку, долго там ковырялась и пакет с конфетами достала. Вот, говорит, берите, они очень вкусные. Мы, кретины, блин, — не сдержался он, — и взяли! Сожрали кто одну, кто две. Конфеты как конфеты! Но на халяву и уксус сладкий! А она стоит и все допытывается: «Вкусно же? Правда, вкусно?» И тут я чувствую, что ведет меня, голова закружилась, на других смотрю, а Юрка, который две конфеты слопал, уже в отключке. Встать хотел — да не смог! Крикнуть — голоса нет! Смотрю, а баба эта, оказывается, совсем не пьяная, глядит на меня зло так и язвительно говорит: «Я же предупреждала, что будет вкусно». Ну, тут и меня срубило!

— Ну, теперь мне понятно, куда она с охранником ездила и для чего конфеты покупала, а дома в них, скорее всего, наркотик вводила, — скривился Гуров. — Извини, Гена, что перебил, ты продолжай.

— Очнулся я уже в подвале. Стены бетонные, на полу какая-то рвань валяется, под потолком лампочка тусклая, и вонь такая ядреная, что глаза режет. Осмотрелся я, а там еще ребята были.

— Сколько вас было всего? А девочки были? — не удержавшись, спросил Лев.

— С нами двенадцать человек, десять ребят и две девчонки, такая же босота, как мы. Я сел кое-как, башка гудит, тяжелая, ничего не соображаю. Друзья мои тоже ворочаются, в себя приходят. — Геннадий рассказывал все это тусклым, безжизненным голосом, уставившись в землю. — Спрашиваю: «Куда я попал?», а парень там один, самый старший среди нас, усмехнулся и сказал: «Вот как с тебя штаны снимут и оттрахают, тогда и узнаешь». Как же мне тогда стало страшно! Никогда в жизни так не было! Подполз я к нему и говорю: «Бежать отсюда можно?» Он чуть в голос не заржал: «Ты думаешь, мы здесь сидим, потому что нам нравится?» Тут дверь открылась, а там здоровый такой мужик, а перед ним кастрюля большая, как в столовой. «Лом, хавку принимай!» — говорит. Парень поднялся и кастрюлю внутрь занес, а мужик добавил: «Как пожрете, ведра с дерьмом вашим вынесешь, а то даже на первом этаже уже воняет».

— И чем кормили?

— Да консервы из банок в кастрюлю выбросили, на плите разогрели, и все. Хоть бы разогрели как следует, а то часть так холодной и осталась. И из этого месива ложки алюминиевые торчали. Попробовал я — есть же невозможно, а остальные уплетают за обе щеки. Лом увидел, как я скривился, и сказал: «Ешь и не выделывайся! Другого не будет». Ну, поел я — куда деваться? В общем, кастрюлю до дна вычистили, аж ложками скребли. Для воды бидон молочный стоял, и на нем кружка, а под туалет — две ведра в углу. Пришел тот мужик, пустую кастрюлю забрал, а Лом ведра эти подхватил и к двери пошел, а мужик ему вслед: «Если только разольешь опять, я тебя, сучонка, больше бить не буду! Я тебя заставлю языком все вылизать!» Потом Лом с пустыми уже ведрами вернулся, а вторым заходом ведро воды принес и в бидон вылил. Запер мужик за ним дверь, а Лом сказал: «Кажется, сегодня все будет тихо, я ни одной машины во дворе не видел. Давайте спать!» В общем, понял я, что попали мы в самый настоящий ад. Лежал, а сна ни в одном глазу. Тут услышал, как в том углу, где Лом со своими друзьями лежал, перешептываться начали.

— А сколько их было?

— Шесть мальчишек, мелюзга.

— И о чем они шептались?

361

— Да я не все расслышал, но понял, что Лом в тот раз специально ведро разлил, чтобы суматоху вызвать, а под шумок какой-то мальчишка сбежал, он должен был куда-то дойти и привести помощь. А на следующий день... Хотя черт его знает, сколько было времени! Рисовую молочную кашу принесли. А мне молоко нельзя, у меня тут же понос начинается, так что я вообще голодный остался, а Лом специально не ел, чтобы своим побольше досталось, еще и приговаривал: «Шустрее ложками работайте, наедайтесь впрок!» И опять ничего! Разошлись все по своим углам и сидим. Сколько времени прошло, не знаю, там же не поймешь, только дверь открылась, и мужик девочку внес, без сознания. Положил ее возле порога и сказал: «Принимайте новенькую! Полюбуйтесь на куклу, а то она у нас надолго не задержится — это же спецзаказ!» Закрыл он дверь, а Лом к девочке этой, как коршун, бросился, на руки ее взял, в их угол отнес, а сам в голос орет: «Будь ты проклят, господи! Будь прокляты все идиоты, кто в тебя верит! Нет тебя, и не было никогда! Только и умеешь, что с крашеной доски на людей таращиться!» Я подошел, посмотрел на девочку, а она действительно красивая, как кукла! Глаз не оторвать! Я тогда у Лома спросил: «А что такое спецзаказ?» Тут он на меня вызверился, как будто я был в чем-то виноват: «Есть одна сволочь! Затрахает ребенка до смерти! Ему только таких подавай! Она же не первая уже!»

— И что с ней стало?

— Очнулась она, глазами похлопала, а потом в рев ударилась, маму звала. Лом ее как-то утешить пытался, а сам еле-еле сдерживался. В общем, душу мне в клочья тогда разорвало! А потом та баба появилась, разнаряженная, вся в золоте, и сюсюкать начала: «Где тут моя маленькая? Где тут моя хорошая?» А малышка эта... Ну, понятно, что к женщине она с большим доверием отнесется, чем к ребятам, тем более таким затрепанным, как мы, да еще в подвале этом. Она так доверчиво этой бабе: «Я к маме хочу!» А та ей: «Сейчас, моя хорошая! Сейчас пойдем! Только мы с тобой сначала искупаемся, платьице красивое наденем, чтобы мама тебя такой грязнулей не увидела, и к ней пойдем!» Лом вскочил, малышку собой загородил и заорал: «Сука! Ну хоть что-то святое у тебя в жизни есть?» А она ему в ответ: «Баксы, мой мальчик! Только баксы! И радуйся, что на тебя пока любителя не нашлось, а то ходил бы, как и все остальные, с рваной задницей! Мы тебя вообще зря кормим!» Лом ей в ответ: «Я тебе эту кроху не отдам!» Тут она позвала: «Миша! Займись!» Появился тот мужик, посмотрел на Лома и сказал: «Наверное, мне тебя лучше просто убить! Надоел ты мне!» А Лом ему: «Будешь сам ведра таскать!» Мужик расхохотался и на меня показал: «Вот она, твоя смена!» Пока они препирались, малышка эта из-за Лома вышла и к бабе той пошла — та же обещала ее к маме отвести. В общем, ушли они, а Лом начал по подвалу метаться, только что о стены головой не бился, а уж что он при этом говорил! Мы все прижухли, потому что в таком состоянии он и убить мог. Не знаю, сколько времени прошло, но дверь открылась, Мишка девочку эту на пол положил, усмехнулся и сказал: «Странно! Живая еще! То ли сдает старик, и силы уже не те! То ли такая живучая оказалась! Может, еще и оклемается! По второму заходу пойдет!» Лом ее на руки взял, а она как кукла поломанная, платье разорванное, сама вся в крови. Он ее в их угол отнес, кто-то из его мальчишек воды принес, а я сказал: «Не трогал бы ты ее, она сейчас, по крайней мере, боли не чувствует». Он все равно ее напоить пытался, а она же без сознания — как ее напоишь? Он ее на руках укачивает, плечи ходуном ходят, губы дрожат, а из глаз слезы катятся. Да крупные такие, как горох, честное слово. Умирать буду, а эта картина перед глазами будет стоять, — произнес Геннадий таким голосом, что Лев ему поверил. — Тут опять кастрюлю принесли, а Лом и не пошевелился, как сидел с ней на руках, так и продолжал, я кастрюлю занес, а он и не ел даже. И отложить не во что — не было там ни тарелок, ни чашек. А Мишка, когда кастрюлю забирал, сказал, улыбаясь: «Ну-с, завтра большой день! Гостей ждем! Будем проводить смотр личного состава. Так что утром пойдете мыться и переодеваться. Готовьте задницы и передницы!»

— Сигарету дай и помолчи немного, а то я сейчас с ума сойду! — попросил Гуров.

Слушать он был больше не в силах, это было настолько ужасно, что казалось, мозги закипят, сердце билось где-то в горле и в висках, словно два кузнечных молота стучали. Он сидел, курил в долгий затяг, изо всех сил стараясь успокоиться, а потом спросил:

— Как я понимаю, до этого не дошло? Вас же в эту ночь освободили?

— Да просто дверь открылась, когда мы все, кроме Лома, уже спали — он так с малышкой на руках и сидел. Но это был не Мишка и не баба, а какой-то совершенно посторонний мужик, и на голове у него был обыкновенный черный чулок. Мы перепугались, а он сказал: «Вставайте и выходите во двор, вы свободны». Это было так неожиданно, что мы в первую минуту не поверили. А он добавил: «Время не тяните, нам же вас еще по домам развозить». Тут Лом первым к нему бросился и стал умолять: «Ее в больницу надо! Может быть, еще удастся спасти!» Мужик, как на малышку ту посмотрел, выматерился — ей-богу, я таких слов никогда в жизни не слышал, и кому-то там рядом сказал: «Бери «Газель» и дуй в Петушки — это ближайшая больница. Только номера на подъезде сними. Машину там бросишь, и обратно своим ходом. — И еще спросил: — Может, кому-то еще в больницу надо?» Какая нам была в тот момент, на хрен, больница? До дома бы добраться! Малышку у Лома забрали, ну, тут уж мы все к выходу рванули. А как Мишкин труп увидели, так никто не сдержался и хоть раз его, да пнул.

— Это были военные? Или просто в камуфляжке? В форме какой-нибудь? В спецовках?

— Нет, обычные мужики, кто в чем, только у всех чулки на головах были. Вышли мы все во двор, а мужик, что всеми командовал, спросил: «Кто сам до дома добраться сможет? Деньги я дам». Ну, почти все сказали, что смогут, только там два пацаненка были, такие запуганные, они к мужику этому прижались и начали просить, чтобы их отвезли. Они были... Черт! Забыл! Да неважно, откуда они были! А еще мужик этот нам сказал: «Ребята, хорошенько запомните! Вы нас никогда не видели! О том, где вы были и что с вами делали, вы должны рассказать только своим родителям, и никому больше! Это ваша тайна, и только ваша, вот и храните ее. Сегодняшний друг может завтра оказаться вашим врагом и разболтает ее, чтобы вам досадить, потому что для вас это позор на всю жизнь. А кто-то другой просто проболтается по глупости! Так что врите что хотите, но правду никому, кроме родителей, не говорите!» И так он это сказал, что проняло нас. В общем, деньги нам раздали, сели мы в машину...

— Какая машина была?

— Да обычная, бортовая. До станции нас довезли, мы вылезли и разъехались потом кто куда. Пацанят тех, наверное, на машине отвезли. А с малышкой я не знаю, что потом было.

— Ее отвезли в больницу, и врачи сумели ее спасти. И родители ее нашлись.

— Ну, и слава богу, хотя... После всего, что произошло, как-то плохо мне в него верится.

— А мужики по большей части там остались?

— Когда мы отъезжали, да, а потом, наверное, тоже уехали — там же еще две машины стояли. Вернулся я тогда домой, а соседка на меня с кулаками набросилась за то, что я бабулю до больницы довел своими выходками. Она, оказывается, когда я пропал, заявление в милицию подала, а потом по нескольку раз в день туда ходила узнавать, не нашелся ли я. Бросился я в больничку нашу, она, увидев меня, как начала рыдать! А сама все приговаривает: «Слава богу, нашелся! Слава богу, живой!» И почувствовал я себя тогда самой распоследней сволочью! Она же единственный в мире человек, у которого обо мне сердце болит, а я ее матом! Это я ее сейчас бабуля называю, а тогда «бабка» или «карга старая». В общем, взялся я за ум, и зажили мы с ней душа в душу! Потом у матери рак нашли — догулялась! Бабуля дом свой продала, и приехали мы сюда мамашу мою спасать. Я-то после всего этого никакой особой любви к ней не чувствовал, а для бабули она же дочка родная. Ну а как похоронили ее, мы так в Шатуре и остались. Вот и все.

365

— Ты номера машин не запомнил?

Парень всем телом повернулся к Гурову, напрягся, и глаза его очень нехорошо заблестели.

— Значит, вот для чего вы меня расспрашивали! Вы этих людей хотите найти! Вы меня за кого держите? За суку, которая сдаст тех, кто ей жизнь спас?

— Не то! Не то ты подумал! — поморщился Лев. — Я этим людям дурного слова не скажу, не говоря уж о большем! Но они были в доме — это же они залили его бензином так, что он, как факел, горел. Они могли увидеть там что-то, что выведет меня на организатора.

— Так ноябрь же, машины были заляпаны грязью так, что даже в кузове была, какие тут номера? — немного успокоившись, ответил парень, а потом добавил: — Значит, мужики эти не только Мишку убили, но суку с врачом порешили. Эх, знать бы, кто это, я бы им в ноги поклонился!

— Ну, спасибо тебе, Геннадий! До сих пор я мог только представлять себе, что там творилось, но после твоего рассказа... Счастье твое великое, что ты провел там только несколько дней, а вот остальные нахлебались там лиха, кто до смерти, а кто так, что по гроб жизни этот ад не забудет.

— Думаете, я забуду? — криво усмехнулся парень. — Да мне этот подвал до сих пор иногда снится, а поначалу я чуть ли не каждую ночь с криком просыпался!

Гуров сел в машину и поехал обратно в Фомичевск. Рассказ Геннадия произвел на него такое жуткое впечатление, что казалось, он сам побывал в этом вонючем подвале и пропитался запахами пота, испражнений, а также ужаса, горьких слез, пережитых детьми нечеловеческих страданий и их страшной смерти. Льву хотелось сначала отдраить себя самой жесткой мочалкой, только чтобы избавиться от этого запаха, а потом напиться так, чтобы наутро ничего начисто не помнить. Но если первое желание еще было осуществимо, то второе — никак, ему предстояло возвращаться в Москву, а завтра с ясной головой приступить к работе.

В том, что он найдет организатора, Гуров не сомневался, он всю свою агентуру на уши поставит, всех должников напряжет, пойдет на любые переговоры с уголовниками, как бывшими, которые теперь превратились в бизнесменов, так и настоящими, он с самим дьяволом договор подпишет, но найдет того, кто все это придумал, сколько бы времени это ни потребовало! Душившая его ненависть к этому подонку была тем более мучительна, что пока не находила выхода, и Лев изо всех сил старался успокоиться, чтобы перевести это состояние в холодную, рассудочную ярость. С огромным трудом ему это удалось, и в результате в Фомичевск он приехал в состоянии более-менее адекватном.

— Какие новости? — спросил он, зайдя к Косареву.

— В Сабуровке охранника опознали — Тихонов это, в Москву по этому поводу я уже Стасу позвонил, протокол опознания привезли, — сказал Андрей Федорович. — В сгоревшем доме все еще работают, только не пойму, что они там ищут.

— Да нечего там искать, — отмахнулся Лев и тут же позвонил Орлову, мысленно ругнувшись про себя на себя же, что не сделал это раньше, еще из машины. — Петр Николаевич, отзывайте людей из Сабуровки — не проводили там операций.

— Все равно пусть покопаются — вдруг чего-нибудь полезное найдут? — ответил тот. — Ну ты там все дела закончил?

— Да, сейчас соберусь и в Москву! — Лев отключил телефон и спросил у Косарева: — Вы слух пустили?

— А как же? — удивился тот. — Как ты велел, так и сделали, только результатов пока никаких. Но как только что-то появится, мы тебе тут же сообщим. А ты, значит, уезжаешь. Так, может, посидим на дорожку?

— Спасибо, Андрей Федорович, только до Москвы путь неблизкий, — отказался Гуров. — Ну, счастливо оставаться! И всем остальным от меня привет передай и благодарность за помощь.

Из управления Лев отправился к матери Фомина, где плотно пообедал, собрал свои вещи и, несмотря на ее бурные протесты, оставил ей деньги за проживание и питание — он не привык быть кому-то чем-то обязанным. Бросив сумку в машину, он поехал не сразу в Москву, а в другое место, потому что было у него одно дело, которое он обязан был сделать, чтобы сохранить уважение к самому себе и по-прежнему считать себя не святым, конечно, но хотя бы среднепорядочным человеком. И он его сделал!

А в Москве у Крячко к этому времени уже ухо распухло и покраснело от постоянных телефонных разговоров. Найдя через старого знакомого в Воронеже следователя, который вел дело Проста, Стас позвонил ему домой — тот уже был на пенсии, но, как оказалось, прекрасно все помнил, потому что дело было громкое.

— Вот представь себе гениального робота, и это будет Прост. Четырех человек на тот свет отправил — это только доказанные эпизоды, а подозревался он в восьми, и ни малейших угрызений совести! — говорил «следак». — Он из семьи потомственных врачей. Эту семью, они, кстати, из немцев, весь город уважал. А тут такое! Отец его еще во время следствия умер — позора не вынес, мать почти следом за ним ушла, а сестра старшая на суде заявила, что отказывается от брата. Правда, им все равно пришлось из города уехать — сам подумай, она врач, муж ее тоже, так кто же к ним после такого лечиться пойдет? А детям каково? На них же пальцем показывали!

— Это эмоции, ты мне скажи, вы тогда всех взяли? — спросил Стас.

— Не сомневайся, всех! Короче, все началось с того, что был у нас тут один торгаш, очень богатый мужик, но и очень больной — почки у него отказывали. Ну, тогда — это не сейчас, даже с деньгами не было возможности слетать за границу и прооперироваться. Начал он думать, как ему спастись, и вычитал где-то, что почки пересаживать можно, но в Союзе это делалось только в одном месте, причем от родственников. А родня торгаша как-то не горела желанием ему жизнь спасать. И тогда этот торгаш обратился к Просту. А тот, хоть и сволочь последняя, был хирургом от Бога, руки золотые. Понял он, что на этом можно хорошо заработать, стал все доступные материалы изучать, в Москву, кажется, ездил, а потом собрал вокруг себя несколько таких же, как он, отмороженных, но талантливых врачей, в том числе и патологоанатома больницы. Короче, он специально зарезал на операции молодого здорового парня, который торгашу по всем параметрам подходил, и почку ему пересадил! А слава-то у Проста была, что он хирург первоклассный, его никто ни в чем и не заподозрил. С этого все и началось! И неизвестно, сколько продолжалось бы, если бы жена одного из умерших не подняла скандал. Заключению патологоанатома больницы она не поверила, обратилась в милицию, тут уж труп мы эксгумировали, а там одной почки нет! Мы завели дело, стали проверять все истории болезни больных, которые после проведенной Простом операции умерли. Ну а дальше — по схеме. Ему, как организатору, и влепили двадцатку, хотя прокурор просил смертную казнь. А те, кто у него на подхвате был, получили поменьше, но ненамного, тоже сроки солидные. И ведь не постеснялись, сволочи, потом домой вернуться!

— А Прост приезжал?

— Конечно нет! Его же здесь просто убили бы! — удивился «следак». — Его и так в СИЗО в одиночке держали, чтобы сокамерники не прикончили, а в суд потом возили под усиленным конвоем. Ты не представляешь себе, как город бурлил! А когда объявили, что ему все-таки жизнь оставили, мы думали, что толпа суд по кирпичику разнесет!

— А он был женат? Может, друзья остались?

— А зачем роботу жена и друзья? — ехидно поинтересовался «следак». — Но вот деньги он любил! Мы при обыске его кубышку нашли, так пересчитывать замучились!

— Ты мне скажи, привязок к Москве в деле никаких не было? — поинтересовался Стас.

— Проверяли мы это — нет! — уверенно ответил «следак».

Пока Крячко разговаривал с Воронежем, ему принесли из архива суда дело Тихонова, но он решил отложить его на потом, а сам позвонил в Иркутскую колонию.

— Креста на вас нет, мужики! У вас уже скоро рабочий день закончится, а вы все не звоните! — возмутился он.

— Так, Станислав Васильевич, то, что в документах, мы вам хоть сейчас прочитаем, только что вам это даст? На свидания к нему никто не приезжал, писем он не получал, посылок тоже. Режим не нарушал, работал как все, а после того, как обе руки себе сломал, его в медпункт определили санитаром — врач же. Так он там до конца срока и проработал.

— А руки он как себе сломал? — тут же спросил Крячко.

— С его слов записано, что неудачно упал.

— Брехня! — уверенно заявил Стас.

— Мы тут бывшего начальника оперчасти нашли, который в то время работал, он вам гораздо больше рассказать сможет. Мы его уже предупредили, так что пишите номер телефона, а зовут его Семен Степанович.

Крячко записал и тут же позвонил. Ответивший ему голос был неожиданно бодрым и оживленным. Стас представился и начал было излагать суть проблемы, но тот перебил его:

— Да знаю я уже! Ребята мне позвонили и все объяснили. Приятно сознавать, что даже от такой старой перечницы, как я, еще может быть какая-то польза. Так что там с Рыбой-то случилось? Это мы так между собой Проста звали, потому что глаза у него были пустые и совершенно равнодушные, а так-то он лицом больше на крысу смахивал.

— Согласен, на крысу он действительно похож, а вот насчет глаз не скажу — они на фотографиях у всех не очень-то выразительные. А случилось с ним то, что убили его, причем совершенно заслуженно и за очень мерзкое дело, — объяснил Крячко. — А больше сказать ничего не могу, уж извините.

— Да что я, не понимаю, что ли? — хмыкнул тот. — А что убили его... Так я еще тогда понял, что он рано или поздно этим кончит. Я столько уродов на своем веку повидал, что теперь не хуже ясновидящего могу человеку будущее предсказать. Ну и чего ты у меня узнать хотел?

— Семен Степанович, он тут в Подмосковье дело одно мерзкое затеял, но без солидной поддержки и первоначального капитала один такое не потянул бы, так что не хозяин он был, а просто исполнитель. Вот я и хотел у вас спросить, с кем он на зоне настолько близко сошелся, что этот человек мог бы его серьезным людям в Москве рекомендовать.

— Ну, друзей у него в колонии не было, — задумчиво ответил тот. — Когда он прибыл, у нас зону не то чтобы держал, а типа «смотрящего» был Рябой. Он наш, сибирский, в Центральной России никогда не отмечался, так что ты его вряд ли знаешь. Мужик он был в возрасте, уважали его за то, что твердо старых законов держался, хотя коронован и не был. Плохо он Проста встретил.

— Я уже все понял. Это по его приказу Просту обе руки сломали, — практически уверенный в ответе, проговорил Крячко.

— По чьему же еще? — хмыкнул Семен Степанович. — Я-то точно это выяснил, а вот Прост, когда я его опрашивал, упорно утверждал, что это он сам неудачно упал. Говорил, а в глазах ни проблеска эмоций! Вот мы после этого его Рыбой и прозвали. Отлежался он в больничке, а куда его потом с такими руками? Стал в медпункте работать вроде как санитаром, а на самом деле врачом, потому что наш был дурак дураком. А врач-то он, кстати, толковый был, Хряща, можно сказать, с того света вытащил. Да и не его одного вылечил. Авторитет у него на зоне после этого, конечно, появился серьезный, но его все равно не любили. Задевать его никому и в голову не приходило, потому что все под Богом ходим, вдруг обратиться придется, но друзей, как я уже говорил, не было. Он вообще особняком держался, все книжки библиотечные читал.

— Хрящ, это который Коновалов? — уточнил Крячко.

— Он самый. А вот Рябому его принципы боком вышли. Прихватило его крепко, а наш дурак разобраться не мог, что с ним. А Прост к нему даже близко не подошел — я, дескать, санитар, мое дело — полы мыть. В общем, помер Рябой в году... Дай бог памяти... Точно, в 1997-м. Потом уже выяснили, что аппендицит у него гнойный был, прорвало его, начался перитонит, и кранты. А вот если бы Прост его посмотрел и диагноз правильный поставил, то пожил бы еще. Ну а на место Рябого Ленька Ухо встал, он как раз незадолго до этого прибыл, двадцать лет ему дали. Вот он-то как раз был из Москвы.

— Ухо? — переспросил Стас.

— Ну да! У него уши разные. Правое было больше левого, да еще и оттопыривалось. Полный отморозок! Бандит, на котором пробу негде ставить. Да в 90-е такими все колонии были забиты.

— Это случайно не Круглов Леонид Михайлович? — уточнил Крячко.

— Да! — подтвердил Семен Степанович. — Ну и память у тебя!

— Так мы же его и брали, — объяснил Стас. — Только почему он вдруг Ухо стал? У него же «погоняло» Кругляш было? Ладно, черт с ним! Ну и что там дальше было?

— Не знаю, чем уж Прост ему приглянулся, но он его под свою опеку взял.

— Так оба на голову отмороженные, — буркнул Крячко. — И вся разница между ними только в том, что один врач гениальный, а второй бандит законченный. Я дело Круглова очень хорошо помню, у него руки по локоть в крови! Та еще мразь! Кстати, он наркотой баловался. И вот у меня какая мысль возникла: а не мог Прост в медпункте что-то такое для него готовить?

— Не знаю, — задумчиво произнес Семен Степанович. — Как-то даже не думал об этом, потому что там вроде не из чего было.

— Такой умелец, как Прост, мог что-то придумать, — предположил Стас.

— Но даже если так, то Прост вышел осенью 2002-го, не мог же он наготовить для Уха много этой отравы впрок? У того бы ломка началась, а уж это я бы точно узнал. Ну вот вроде и все, что могу сказать.

— Черт! — воскликнул Стас. — Нужно будет сейчас в колонию позвонить и узнать, как там Круглов поживает — кажется, мне есть о чем его расспросить. Только там уже, наверное, рабочий день кончился.

— Да я тебе и без них могу сказать, что не живет он больше — свои же его кончили, потому что зарвался и беспредельничать начал. Заточку в бок, и вся недолга!

372

— Все равно придется еще и его дела поднимать, и ваше, и наше, — вздохнул Крячко. — Круглов же к моменту смерти уже семь лет отбыл, вот и надо выяснить, кто к нему приезжал, писал, посылки присылал.

— Только мать ему писала и посылки отправляла, а вот приезжать — никто не приезжал, старая она у него уже была, не осилила бы такую дорогу.

Поблагодарив Семена Степановича за помощь, Стас с тяжким вздохом написал запрос в архив суда на уголовное дело еще и Круглова Леонида Михайловича. Его деятельная натура категорически не переносила длительное копание в бумагах, вот он и затосковал, предчувствуя неизбежное. Отнеся запрос в приемную Орлова, Стас вернулся и позвонил в Псковскую область начальнику оперчасти.

— Народ! Вы чего резину тянете? Неужели так далеко дело Тихонова занукали, что до сих пор найти не можете?

— Станислав Васильевич, нашли мы его, но вам же запросить свое из архива суда еще проще было, — попытались урезонить его.

— Да вон оно лежит, дожидается, когда я до него доберусь. Но своими-то словами можно сказать, что собой Тихонов представлял? — спросил Стас и тут же получил в ответ:

— Сволочь он!

— Ну, это я и сам знаю! Ты меня, друг сердечный, подробностями обремени! Мужского достоинства он у вас там лишился?

— А то где же еще? — рассмеялся тот. — Понимаете, он тут своими подвигами решил похвалиться, а был у нас один мужик из самых простых работяг, и отбывал он как раз за то, что убил парня, который его дочь изнасиловал. Послушал он Тихонова, а потом с другими мужиками подловил его, ну и... Сами понимаете! Да еще и пригрозили, что если хоть одной живой душе расскажет, кто его так, то его просто убьют. Ну, я-то правду знал, но никому ни гу-гу, потому что по заслугам этот гад получил. Кстати, его после этого Мерином стали звать, да и опустили потом. Так что он в полной мере получил

373

за то, что с той девушкой сделал! Что такое расстрел по сравнению с таким уродством? По мне, так намного хуже!

— Ему кто-то писал, посылки присылал, на свидания приезжал? — спросил Стас.

— Только мать. По документам она еще довольно молодая женщина была, а с виду — старуха старухой. Как я понял, после того как Мерина посадили, от нее муж ушел, так что вся ее жизнь под откос пошла. У меня вот тут записано, что последний раз она к нему приезжала в 2001-м, а потом... Слушайте, а потом от нее и писем-то не было. Может, умерла? Но сюда ничего не сообщали. Вы документы-то посмотрите, этот гад из очень непростой семьи был, видать, с детства забалованный, вот и решил, что ему все позволено. Он и здесь себя поначалу попытался барином вести, за что и поплатился. Документы на УДО подавал, но получил отказ, так что отбыл свой срок полностью и освободился в январе 2003-го.

— Ладно, спасибо за информацию, буду дело изучать.

С тяжким вздохом Крячко взял дело и стал читать. Что-то он действительно читал очень внимательно, что-то пробегал глазами, а акты экспертиз просто пролистывал — ему это было не надо. Не так уж много времени он затратил на то, чтобы понять суть произошедшего, а потом закрыл дело и отложил его в сторону. Теперь предстояло самое для него трудное — свести воедино всю полученную информацию. То, что для Гурова было делом нескольких минут, заняло у Стаса гораздо больше времени, и хотя картина получилась, в общем-то, целостная, но на ней еще было немало белых пятен. Самое главное, что так и не нашлось ответа на вопрос: к кому же все-таки приехал в Москву Прост? Даже если предположить, что Круглов, с которым он на зоне некоторым образом скорешился, дал ему к кому-то рекомендацию, то к кому? И самое поганое, что у Круглова уже не спросишь!

Стас складывал все составляющие этой мозаики и так и эдак, но пустые места все равно оставались. Из-за своих телефонных разговоров он не успел вовремя пообедать, так что есть хотелось немилосердно, и он решил отправиться в столовую, но тут зазвонил телефон.

— Ох, помру я здесь голодной смертью, — пробормотал Крячко, с тоской глядя на аппарат, и решил сначала не брать трубку, но потом вздохнул и все-таки взял.

Оказалось, что ему звонили из бюро пропусков, где какая-то Хорькова рвалась его увидеть.

— Какая Хорькова? Я ее не вызывал!

— А она утверждает, что вызывали, она к вам специально из Твери приехала. Вот, она говорит, что у нее девичья фамилия — Потапова.

— Пропускай ее немедленно! — заорал Крячко. — Я ее с самого утра жду! — И, положив трубку, решительно заявил: — Сегодня же скажу жене, чтобы она мне впредь с собой хоть бутерброды собирала, а то ведь действительно помру!

Потапова оказалась самой обычной, заурядной, просто одетой женщиной, и ничто в ее внешности не выдавало ее бывшей профессии. Она вошла немного испуганно, прижимая к себе сумочку, и на предложение Стаса присесть, несмело опустилась на краешек стула. «Да та ли это Потапова?» — удивленно подумал Крячко, глядя на нее.

— Скажите, а мамины сережки действительно можно вернуть? — робко спросила она, и ее взгляд светился такой надеждой, что Крячко стало даже неудобно.

— Можно! — уверенно ответил он. — Дело это нескорое, хлопотное, но можно. — Он разложил перед ней фотографии Суховей, Проста и тех драгоценностей, что были при них найдены, и предложил: — Посмотрите и скажите, что вам здесь знакомо.

Галина тут же схватилась за фотографию сережек и воскликнула:

— Так вот же они!

— Что еще узнаете? Или кого? — продолжал Крячко.

— Ну, Светка это, Федюнчик ее, браслет тоже видела у... У женщины одной.

Стас положил перед ней лист бумаги.

— Я вам сейчас буду диктовать, а вы пишите. — И, когда та послушно взяла ручку, продиктовал ей «шапку», а потом остальное: — На предъявленных мне фотографиях я опознала

375

Светлану Николаевну Суховей, с которой вместе снимала квартиру по адресу... Сами укажите и адрес, и с какого по какой год... Когда работала в Москве...

— Станислав Васильевич, мой муж ничего не знает, — испуганно прошептала Галина.

— И не узнает! — заверил он ее и продолжил: — Официанткой. Так же мной опознан ее любовник по имени Федор... Его отчество и фамилию знаете? — спросил Стас, на что она помотала головой. — Значит, так и пишите: отчество и фамилия которого мне неизвестны. Так же мной опознаны принадлежащие мне серьги из желтого металла с камнями красного цвета, которые были украдены у меня Суховей... Число, когда это произошло, поставите сами. Теперь подпись и сегодняшнее число.

— А про браслет? — удивилась она, отдавая ему листок.

— С ним не все ясно, так что нечего его сюда припутывать, — отмахнулся Крячко. — Теперь вот вам другой листок, и пишите заявление о том, при каких обстоятельствах и кем были украдены у вас эти серьги. — Увидев, как она растерянно застыла, глядя на бумагу, Стас сжалился и снова ей все продиктовал.

Галина старательно писала, а когда закончила, он взял у нее заявление и продолжил:

— Нужно будет еще предъявить доказательства того, что серьги действительно принадлежали вам или вашей маме, фотографии какие-нибудь сохранились?

— Да! Я вообще на всякий случай все-все документы привезла, — заверила его Потапова и торопливо полезла в сумочку. — Вот! — положила она перед ним старый, потрескавшийся по краям снимок. — Мне здесь пять лет, и я у мамы на руках сижу, а вот сережки эти у нее в ушах. Снимок, наверное, вам оставить надо? — спросила она и объяснила: — Я просто очень боюсь, что он пропадет, понимаете? Он последний, другого нет.

— Ничего оставлять не надо, — решительно сказал Стас и поднялся. — Мы с вами сейчас пойдем, отсканируем его, распечатаем и его, и отдельно крупно серьги, а оригинал вы заберете с собой. Пойдемте!

Они вышли в коридор, и, пока шли в компьютерную группу, Галина суетливо объясняла:

— Понимаете, мамина семья... То есть ее предки... Они очень хорошо жили до революции. А потом все продавалось и продавалось... остались только эти серьги. Мама очень боялась, что отец и их пропьет. Она подарила их мне на шестнадцать лет и велела носить, не снимая. А однажды ночью я проснулась от того, что этот алкаш пытался их у меня из ушей вынуть. Ну а потом мама умерла, появилась эта баба...

— Не расстраивайтесь, Галина, не бередите душу, — попросил ее Крячко. — Мне Татьяна все рассказала — от кого бы я еще мог узнать о том, что это ваши серьги? Кстати, из старых соседей, которые вашу маму помнят, кто-нибудь остался?

— Да, те, кому я тогда постоянно из Москвы звонила, до сих пор так рядом и живут, они с мамой моей дружили, жалели ее.

— Нужно будет от них письменные свидетельства того, что эти серьги действительно принадлежали вашей маме, а потом она их подарила вам. Двух вполне хватит.

— Они обязательно напишут, — горячо заверила она, и в ее голосе послышались слезы.

— Не надо, Галина, все уже в прошлом, — постарался успокоить ее Стас. — Как я понял, у вас сейчас все хорошо?

— Да! Я же деньги почти не тратила, все откладывала, чтобы потом сестренку к себе забрать и зажить по-человечески. А как только узнала, что отец и баба та умерли, сразу же домой вернулась, а там... — Галина со всхлипом вздохнула. — Ну, я квартиру отремонтировала, сестренку одела, а то она в таком рванье ходила. Потом на работу устроилась, замуж вышла, дочку родила. Если я смогу серьги вернуть, то потом их ей передам, чтобы традиция не прерывалась, — произнесла она дрогнувшим голосом.

— Вернете вы себе серьги, — заверил ее Стас.

В компьютерной они пробыли всего несколько минут, и, когда вышли, Галина, бережно убирая снимок в сумку, спросила:

— Это все? Я могу идти?

— Нет! Галина, мне нужна ваша помощь, — сказал Стас.

— Ой, конечно! Все, что угодно! — с готовностью заверила она его.

— Тогда пойдемте обратно и кое о чем поговорим, — предложил он.

Есть хотелось все сильнее, и Крячко решил, что в животе не будет так предательски громко урчать, если в него попадет хотя бы чай. Он его сделал, поставил по бокалу перед собой и Галиной и начал:

— Вы жили в одной квартире со Светланой Суховей. Я знаю, что в последнее время у нее появился мужчина, которого она звала Федюнчиком, Простачком, Простофилей и так далее. Расскажите мне, пожалуйста, все, что вы знаете о нем, о его знакомых, об их планах и так далее. Только очень вас прошу: с одной стороны, не упускайте ни одной мелочи, какой бы незначительной она вам ни показалась, а с другой стороны, не надо ничего выдумывать или домысливать. Мне нужны только факты!

— Я поняла, — кивнула она. — В общем, Федор этот появился у нас... — она запнулась.

— На работе, — подсказал ей Стас.

— Да-да! На работе где-то в ноябре—декабре 2002-го. Люди к нам приходили состоятельные, одетые соответствующе, а этот был... Задрипанный какой-то! Очень неприятный тип, особенно глаза, да и вообще весь какой-то безразличный. Знаете, привередничать не приходилось, но я была рада, что он не меня выбрал.

— А сразу выбрал Светлану?

— Да! — кивнула она. — И дальше только к ней ходил, где-то раз в неделю. Но это недолго продолжалось, с месяц где-то, а потом он исчез. А вот Светка, наоборот, стала в свои выходные дни где-то пропадать. Новый год мы обычно все вместе отмечали, а тут она отказалась, сказала, что землячку встретила, к ней в гости пойдет. Ну, мы-то сразу поняли, что мужик у нее завелся.

— У нее появились новые вещи? Он ей что-то дарил?

— Да нет! Ну, вы не поймете! Как же это объяснить? — задумалась Галина. — У нее поведение другое стало, взгляд другой... Ну, словом, женщина при мужчине! Это всегда видно!

— Я понял, что вы хотите сказать, — покивал ей Крячко.

— Мы еще гадали, кого она подцепила. А узнала я об этом совершенно случайно. Дело было в марте 2003-го. В тот день Светка работать не могла... Ну, вы понимаете! Она дома осталась, а у меня на работе... Ой, как неудобно! — засмущалась она.

— Галина! Здесь удобно все, — заверил ее Стас. — Я тут еще и не такое выслушивал. Так что у вас приключилось? Желудок расстроился?

— Цистит. Он у меня хронический! С чего он обострился, не знаю, но какая уж работа, когда каждую минуту в туалет тянет? Татьяна меня отпустила, хотя и ругалась — ведь двух человек на месте не будет. Купила я по дороге домой стрептоцид — он самый дешевый, еле-еле добралась, ключ в замок вставляю, и тут на меня из квартиры Светка выскакивает. Одета во все свое самое лучшее, причесана, накрашена, ну, как на работе. И только что с кулаками на меня не бросается — типа, что ты тут делаешь? Ну а я ей в ответ, что с мужиком своим она пусть у него встречается, а я здесь вообще-то живу. Тут она только что на колени передо мной не упала и стала слезно умолять, чтобы я где-нибудь немного подождала, пока все уйдут. А мне уже интересно стало, кто это там у нас, и я решила действительно подождать. А жили мы в «хрущевке» на третьем этаже, вход в подвал прямо из подъезда, так я туда в туалет и сбегала, а потом на пролет вверх поднялась, сижу и жду. Тут меня опять прихватило, но не уходить же? И дождалась я. Слышу, наша дверь открылась, и мужские голоса послышались. Я осторожно выглянула, смотрю, а это Федор! А с рядом с ним такой мужик, что я обалдела! Холеный до невозможности, дубленка сказочная, да и сам из себя настоящий барин! Седой, как лунь, волосы густые, стрижка отличная, симпатичный! Ну, думаю, неужели Светка такого мужика смогла захомутать?

Стас смотрел на нее и удивлялся — вот сейчас она и по манере разговора, и по жестам, и по поведению действительно была похожа на девку из борделя, но никак не на скромную мать семейства — видно, прошлое никуда не уходит, а притаится где-нибудь в глубине, а потом раз — и вырвется наружу. А Галина продолжала:

— Они вниз пошли, а по дороге разговаривали, я, естественно, подслушивала — интересно же. Федор говорит: «Михаил Юрьевич! Я так и не понял, мое предложение вас заинтересовало или нет?» А тот ему: «Да, это интересно! Но я должен все обдумать, взвесить и проверить». Тут Федор: «Вы считаете рекомендацию Леонида Михайловича недостаточной?» А седой ему: «Я привык все перепроверять! Я свяжусь с вами сам, и сам назначу место встречи, чтобы не получилось как сейчас». Федор ему: «Что может быть естественнее визита мужчины к проститутке?» А седой: «Моими знакомыми эта новость была бы воспринята с большим недоумением». Тут-то я и поняла, что не седого Светка подцепила, а Федора!

— Галина, вы так хорошо запомнили имена? — с сомнением спросил Крячко.

— А чего тут странного? — удивилась она. — Михаилом Юрьевичем Лермонтова звали, а Леонидом Михайловичем — моего отца.

— Ну да, тогда вам действительно было несложно это запомнить, — согласился Стас. — Ну а что дальше?

— Когда они из подъезда вышли, а я наконец попала в квартиру, первым делом побежала куда надо, а потом уже осмотрелась и обалдела: у нас такой чистоты сроду не было, а на столе чего только нет. А Светка уже хорошо хваченная, сидит с бокалом, нога на ногу, и от счастья светится. Показала она мне эдаким небрежным жестом на стол и предложила: «Угощайся! Это Федюнчик мой ради Лорда расщедрился! А тот, скотина, даже кусочка не съел, даже рюмки не выпил, так что праздник у нас с тобой сегодня!» Ну, я согласилась, что мужик был солидный и на лорда действительно похож, а она расхохоталась: «Это кликуха у него такая Лорд!» А мне-то что? — пожала плечами Галина. — Хотя, на мой взгляд, она собачья

380

какая-то. Я, конечно, на еду набросилась — когда и где еще такое попробовала бы? А Светка все себе подливает и подливает! Развезло ее тогда здорово, и начала она расписывать, как они с Федюнчиком жить будут, какие деньги заработают и все такое. Я спросила, кто ж он такой, если большие деньги сможет заработать? Она сказала, что еще дома о нем от родителей слышала, что хирург он и руки у него золотые! Я удивилась, чего же он так задрипанно одет при его-то золотых руках? Тут она и проболталась, что сидел он и только недавно вышел. А потом вообще вырубилась. А наутро, когда протрезвела, стала умолять меня, чтобы я никому ничего про нее с Федюнчиком не рассказывала, и я пообещала. И рассказала я обо всем девчонкам уже после того, как Светка меня обокрала и сбежала. Ну, вот и все!

— Спасибо, Галина, вы мне очень помогли, — искренне произнес Крячко. — Но вы твердо уверены, что ничего не придумали и не домыслили? Ведь столько лет прошло, а вы все так хорошо помните?

— Станислав Васильевич! Тогда, — выделила Галина, — я обо всем этом забыть просто не успела, а потом, когда Светка с моими деньгами и сережками сбежала, уже не захотела — все надеялась, вдруг этого Михаила Юрьевича встречу и попробую у него узнать, куда эта стерва делась.

— Понятно. Галина, если возникнет необходимость, вы сможете все это повторить под протокол? Без указания того, чем вы занимались, мы с вами об этом уже договорились.

— Конечно, — ответила она, снова превращаясь в обычную женщину. — Скажите, а когда сережки мне могут вернуть?

— Как только закончится следствие, — твердо пообещал Стас. — Вы мне свой номер телефона оставьте, и я с вами при необходимости свяжусь. Тогда и письменные показания соседей привезете.

Рассыпаясь в благодарностях, Галина ушла, а Стас почти бегом побежал в столовую. Набрав себе полный поднос всего, он сел за столик и начал есть, но только вкуса никакого не чувствовал, потому что в голове прокручивал рассказ Галины, примеряя его к тем пустым местам, что еще оставались в составленной им картине. Все вроде бы сходилось, но кто такой Лорд? И Крячко из столовой пошел не к себе, не к Орлову, а опять в компьютерную.

— Люди, найдите мне всех, кто в Москве имеет кличку Лорд, — попросил он.

— Знаете, Станислав Васильевич, нам почему-то начинает казаться, что мы работаем исключительно на вас и Гурова, — забухтел парень, но покорно защелкал по клавишам.

Лордов оказалось всего три, но ни один из них не подходил ни по внешности, ни по возрасту: вор в законе Лордадзе, с характерной внешностью, аферист Лысов, но ему сейчас 45 лет, так что иметь седые волосы больше десяти лет назад он не мог, да и симпатичным его назвать никак нельзя, а третьим был довольно молодой хакер. Так что к разгадке личности Лорда Стас не приблизился ни на шаг. И он пошел к Орлову.

— Я вижу, что не свойственная тебе умственная деятельность нанесла непоправимый ущерб твоему здоровью, — насмешливо приветствовал его Петр. — Экий у тебя вид задумчивый!

— А я тебе не Гуров, чтобы такие загадки как семечки щелкать, — огрызнулся Крячко. — Вот куда-нибудь внедриться, информацию выцепить, договориться с кем-нибудь, пострелять — это ко мне, а со всем остальным пожалуйте ко Льву Ивановичу!

— Ты не прибедняйся, у тебя голова ничуть не хуже, — утешил его Петр. — Только ты просто реже ею пользуешься, вот она у тебя и нетренированная.

— Спасибо на добром слове, — буркнул Стас.

— Ладно, шутки в сторону, — уже серьезно сказал Орлов. — Рассказывай, что выяснил.

Доложив Петру о Просте и Круглове, Крячко перешел к Тихонову.

— Ну, и мразь был этот Михаил, — сквозь зубы процедил он. — Отец у него в Ленинградском морском пароходстве не то чтобы шишкой был, но на приличной должности обретался, мать — экскурсовод в Эрмитаже. Он был единственный ребенок в семье, забалованный, естественно, до предела. Вот папаша после мореходки сына на загранку и определил — пусть ребенок свет посмотрит. Девушка у него была, он ей несколько лет голову морочил, но не женился, а потом ей ждать надоело, и, когда он ушел в рейс, вышла она замуж за человека, который ее давно любил, и уехала с ним в Москву. Тихонов из рейса вернулся, а игрушка-то не просто сбежала, а еще и замуж вышла! И родители ее не собирались ему говорить, где она! Ну как такое можно было стерпеть? Его, такого единственного и неповторимого, так кинули, — ерническим тоном сказал Стас. — Подловил он ее младшего брата, избил, но выпытал, где теперь его сестра живет, а потом в самолет, и в Москву. То ли для храбрости, то ли для того, чтобы еще больше ненависть в себе разжечь, но выпил он крепко и подкараулил ее возле дома, где она жила, а она к тому моменту уже беременная была, и срок такой, что не заметить этого он не мог. Так этот подонок ее прямо в подъезде сначала оглушил, а потом стал зверски насиловать! Она в себя пришла, кричать начала, на помощь звать, тут он ее ножом! Да не один раз! Десять ударов насчитали, причем все в живот! Люди не побоялись, вышли на ее крики, а он во двор выскочил, сам, естественно, весь в ее крови. Нож выбросил и бежать! Там-то во дворе местные мужики его и скрутили. Это с женщиной он справиться мог, а против нескольких мужик да пьяный? Наваляли они ему тогда, конечно, от души! Только девушке-то от этого легче не стало, не спасли ее!

— И за это только пятнадцать лет? — удивился Орлов. — К тому же он был пьяный, а это отягчающее!

— Так его Камолов защищал, — усмехнулся Крячко. — Вот уж сволочь так сволочь! Заплатили ему родители Тихонова, конечно, неслабо, а он и рад стараться! Только гаду этому на зоне все равно по полной программе ответить пришлось — это же ему там под самый корень все обрезали, да и опустили потом! Как мне сказали, отец от его матери ушел, а она вроде бы умерла, когда Михаил еще сидел, вот и получается, что в Питер ему возвращаться было не к кому — вряд ли папаша с новой женой его принял бы после того, как он его опозорил.

— Что еще нового? — поинтересовался Петр.

— Галина из Твери приезжала, теперь по ее виду и не скажешь, что она раньше проституткой была. Такая скромница!

— Все они к старости становятся очень богомольны, — хмыкнув, заметил Петр. — Рассказала-то чего?

Крячко очень подробно передал ему все, о чем говорила Галина, и в заключение добавил:

— Вот и получается у нас, что идея с притоном для педофилов принадлежит Просту. Он приехал в Москву к какому-то Лорду с рекомендацией от Круглова и выложил ее. А поскольку встретились они в марте 2003-го, а в мае был уже дом снят, то организатор всего этого дела явно Лорд. Конечно, нельзя исключать, что у Проста были еще рекомендации, но от кого, если на зоне за двадцать лет он более-менее сблизился только с Кругловым? Хрящ, насколько я его помню, с таким грязным делом связываться бы не стал — не его фасончик, да и столько денег, чтобы этот бизнес организовать, у него не было. Я так думаю, Прост встретился с Суховей в ноябре—декабре 2002-го, а с Лордом — только в марте. Это время потребовалось ему, чтобы получше узнать ее, понять, чем она дышит, на что способна и все остальное. Когда он убедился в том, что она ему подходит, он и вышел на Лорда с готовой идеей и готовой подельницей. Дело в другом — мы же тогда Круглова долго разрабатывали, а потом всю его банду с поличным взяли, но никого с кличкой Лорд в его окружении не было. Это точно! Я по картотеке пробил, но никто из уголовников с такой кличкой нам не подходит. — Стас положил на стол распечатки. — Вот, сам посмотри. И теперь надо думать, как его устанавливать.

— Он не уголовник, — вздохнул Орлов. — Знал я, что он сволочь, но чтобы до такой степени! — Он даже головой помотал. — Это Камолов, Стас! Это у него среди уголовников была кличка Лорд.

— Адвокат? — невольно воскликнул Крячко. — А ты откуда знаешь?

— Живу дольше, чем ты, — тусклым голосом ответил Петр. — Только мы у него ничего уже не узнаем — убили, причем давно. Когда точно, не скажу, но это в коллегии адвокатов можно узнать. Дело вел район, так что за подробностями — туда.

— Я дело Круглова в архиве суда запросил, — сказал Стас. — Если Камолов и его защищал, то круг замкнулся. С одной стороны к нему пришли Прост с Суховей, а с другой — Тихонов, которому некуда было податься. Вот так этот притон и появился. Но если организатор и непосредственные исполнители мертвы, как мы имена клиентов вычислим?

— Будем ждать Леву — он завтра утром обещал на работе появиться, авось что-то придумает, — с надеждой проговорил Орлов.

Крячко посмотрел на часы и вздохнул:

— Ну, сегодня мы уже сделать ничего не сможем — восьмой час пошел, нигде никого нет, а завтра утром встречаемся у тебя и обмениваемся информацией. Потом я поеду в коллегию адвокатов и узнаю, когда убили Камолова и какое райуправление следствие вело — их же там наверняка опрашивали, не связана ли его смерть с профессиональной деятельностью. Оттуда в район, а Лева пусть думу думает, — предложил он.

Орлов не возражал, и они разъехались по домам — ну не каждый же день до глубокой ночи на работе засиживаться, надо же когда-нибудь и о семьях вспомнить.

А вот Гурову предстояло еще до родного дома добраться. И хотя водитель он был отличный, но ехал сейчас не очень быстро — не дорогой была голова занята, а тем, что случилось с детьми в том страшном подвале. Так что домой он добрался уже почти ночью. У встретившей его жены Марии при виде него в глазах ужас заплескался — настолько изможденным он выглядел. Предвидя ее вопросы и возгласы, он бросил сумку на пол и быстро сказал:

— Маша! Не трогай меня сейчас! И ни о чем не спрашивай! У меня на разговоры сил нет. Есть я не буду, просто не хочу. Ты постели мне на диване, а я пока душ приму и лягу спать.

Наученная горьким опытом, Мария и не думала возражать и расспрашивать мужа, зная, что, когда он в таком состоянии,

385

к нему лучше не соваться. Она просто сделала то, что он просил, и ушла в спальню.

Гуров долго стоял под душем и яростно тер себя мочалкой, словно надеялся, что вода смоет с него все услышанные им трагические рассказы и увиденные им ужасы, которые нормальным современным людям даже в самом кошмарном сне не могли бы привидеться, и пережитые им самим по собственной же вине неприятности. То ли он себя убедил в целительной пользе воды, то ли это было на самом деле, но ему вроде бы стало легче. Он лег на диван и постарался заснуть, да не тут-то было — в его ушах все еще продолжал звучать безжизненный, монотонный голос Геннадия. Какой уж тут сон? Промаявшись с полчаса, Лев все-таки встал и пошел на кухню, чтобы выпить корвалол — средство, как он считал, дамское, но не пить же снотворное, потому что завтра утром — за руль, а движение в Москве то еще, да и голова свежая нужна.

Включив в кухне свет, он тут же увидел на столе самый обычной почтовый конверт без марки, штемпелей и адресов. На нем было просто написано «Полковнику полиции Гурову Л.И.» и все. Сам над собой посмеиваясь за подобные предосторожности, Гуров надел резиновые перчатки, в которых Мария убирала квартиру, а на лицо, закрыв нос, надел медицинскую маску — жена купила такие, когда бушевала эпидемия гриппа и их всячески пропагандировали. В их семье никто никогда маски не надевал, и они просто валялись в коробке вместе с лекарствами. Лев осторожно вскрыл конверт, но ничего опасного для жизни и здоровья там не оказалось, а лежал обычный листок бумаги для принтера, на котором был напечатан в столбик список из пятнадцати фамилий с именами и отчествами, а в шестнадцатой строке было написано: «Может быть, здесь не все». Гуров обессиленно рухнул на стул и, сдернув с лица маску, облегченно вздохнул — все-таки сработало! Освободившие детей мужики действительно выбили из тех сволочей имена организатора и клиентов! А уж кто есть кто, он сам разберется! Мужики сделали свое дело, теперь его очередь! Главное, что распространенные Косаревым и Фоминым слухи сыграли свою роль, люди поверили, что Гуров не причинит им вреда, и нашли возможность сообщить ему то, что скрывали столько лет, потому что сами были не в силах добраться до этих уродов. А вот он, Гуров, до них доберется! Он отомстит им за всех погибших детей! И они ответят за все! Забыв о корвалоле, Лев бросился в спальню и разбудил сладко спавшую жену:

— Маша! Откуда ты взяла то письмо, что лежит на столе в кухне?

— Сегодня вечером из почтового ящика вынула, а что?

— Ничего! Извини, что разбудил, спи дальше.

Гуров вернулся на кухню и заварил себе чай — ему было уже не до сна. Он сидел и намечал план действий: пробить всех по адресной базе, навести о них справки — ну, тут он агентуру и всех, кого только можно, подключит, но вычислит тех, кто мог бывать в том доме, а потом... Вот с «потом» было сложнее. Гуров хорошо стрелял, были на его счету и убитые им в перестрелках преступники, но вот чтобы казнить этих извращенцев так, как они того заслуживали... Сможет ли он? Именно он, потому что о том, чтобы привлечь к этому Стаса с Петром, и речи быть не могло. Лев знал человека, который, не колеблясь ни секунды, приведет все приговоры в исполнение так, что ад содрогнется. И сделает это не потому, что он садист, а потому, что сам когда-то подвергся таким изощренным пыткам, что на всю оставшуюся жизнь остался во многих отношениях инвалидом. Уж он-то поймет Гурова, как никто другой! И в память о невинных погибших детях и тех, кого до сих пор мучают по ночам кошмары о пережитых ими в детстве страданиях, отомстит извращенцам. Но вправе ли Лев вешать на него такую ношу? Доказать вину этих подонков невозможно, но и оставлять их безнаказанными нельзя! Что делать? И Гуров решил, что для начала нужно их просто найти, а потом видно будет. Но вот Орлову с Крячко он об этом списке ничего говорить не будет. Пока не будет. А, может быть, и совсем. Лев лег спать и, как ни странно, мгновенно уснул.

На следующий день, когда они втроем собрались в кабинете Орлова, Крячко, потупя взгляд, виноватым голосом сказал:

— Лева! Ты меня прости, сам не знаю, что на меня тогда нашло.

— Проехали, Стас! Чего между друзьями не бывает? — мирно ответил Гуров. Господи! Какими же мелочными на фоне того, что он узнал и пережил, показались ему сейчас все наезды Крячко и собственные обиды.

Стас искренне обрадовался, разулыбался и хотя обниматься не полез — не любил Лев подобные нежности, — но видно было, что счастлив и невыносимой тяжести груз упал с его плеч. Глядя на них, Петр только усмехнулся и головой помотал — честное слово, ну как дети!

— Раз обстановка из боевой перешла в мирную, можно начинать. Для начала хочу сообщить, что никаких следов операционной или чего-то подобного в доме не нашли, а вот во вмонтированном в стену сейфе были деньги, причем довольно много, и доллары, и рубли! Огонь их не коснулся, и на них сейчас отпечатки ищут. А теперь пусть Лева расскажет нам обо всем, что он узнал, потом Стас доложит, ну а затем выработаем план действий.

Гуров начал докладывать, но, как и собирался, ничего не сказал им о Геннадии — раз дал слово офицера, то держи его, не сказал и о списке. Затем настал черед Крячко. Лев слушал его и поражался. Он всегда считал Стаса отличным оперативником, который кое в чем превосходил и его, но вот насчет его аналитических способностей был не самого высокого мнения, хотя старательно это скрывал. А теперь оказалось, что Крячко практически в одиночку разобрался с большей частью этого дела! Хотя кое в чем ему просто повезло, но везение тоже просто так не приходит, его еще заслужить надо!

— Стас! Ты герой! — совершенно серьезно похвалил он друга.

— А я еще и на машинке могу! И вышивать! — голосом кота Матроскина ответил на это Крячко и попросил: — Только ты не перебивай! Это еще не все!

388

Он стал рассказывать дальше, и Гуров, услышав фамилию Камолова, внутренне напрягся — она стояла в полученном им списке первой, и имя-отчество совпадало.

— Ну, все, — сказал, закончив, Крячко. — Теперь, когда все вернулось на круги своя, распределение ролей прежнее: я ногами работаю, а Лева — головой. Я сейчас смотаюсь в коллегию адвокатов, оттуда — в район, а Гуров будет расклад анализировать.

— Нечего пока анализировать, — поправил его Лев, — так что мы с тобой вместе и туда, и туда съездим. Только ты подожди меня минутку, мне один вопрос решить надо.

Обрадованный, что они с Левой помирились, Стас и не думал возражать, а Гуров, который, услышав об убийстве Камолова, тут же почувствовал неладное, — а интуиция его еще никогда не подводила, — быстро отксерокопировав у секретарши Петра список, поднялся с копией к компьютерщикам и попросил:

— Ребята, пробейте мне по адресному всех вот по этому списку, независимо от возраста, а я потом уже сам разберусь, кто мне нужен, причем ищите и среди живых, и среди покойников. Я попозже к вам зайду.

Гуров и Крячко на машине Стаса — Лев свою не успел помыть, и появляться на ней у районников было просто стыдно — сначала заехали в городскую коллегию адвокатов, где узнали, что Камолов был убит в январе 2005-го, а поскольку жил он постоянно в своем загородном доме, то ехать им пришлось черт-те куда.

В райуправлении, узнав, что их интересует, только удивленно пожали плечами — дела давно минувших дней. Но вот самого дела как раз в архиве и не было — его еще тогда затребовали наверх, а вот кто именно, новый начальник просто не знал, потому что никаких следов в документах не осталось — значит, распоряжение было устным. Затребованные для личной беседы сотрудники, которые вели это дело, были не меньше начальства удивлены, что тем убийством вдруг кто-то заинтересовался, но спорить с двумя полковниками-важняками не стали — себе дороже выйдет, и рассказали что помнили.

— Дело было так! Сестра Камолова, обеспокоенная тем, что ее брат не отвечает на звонки, приехала к нему домой, а ключ у нее был, вошла и обнаружила его, но уже в виде трупа. Полежала в обмороке, слава богу, ничего не трогала, а, придя в себя, вызвала нас. Мы приехали, сидит потерпевший в голом виде на унитазе, руки связаны за спиной так, что веревка под смывным бачком проходит, а ноги к унитазу скотчем примотаны, рот опять же скотчем заклеен. Все наше мужское хозяйство у него начисто отрезано и в унитазе плавает, а он сам полон крови.

— Короче, Камолов истек кровью? — уточнил Стас.

— Ну да! Замок не взломан, а очень аккуратно открыт отмычкой, в доме ничего не взято, а было там всего о-го-го сколько, следов борьбы нет, на теле потерпевшего тоже ничего, только на сгибе левого локтя след от укола наш эксперт разглядел, а в крови нашел следы... Этого... Пента.. тала натрия. Преступление носило ярко выраженный сексуальный характер, тем более что Камолов был «голубой». Был у него «нежный друг», но у того на время смерти потерпевшего железное алиби. Мы на всякий случай проверили дела Камолова — вдруг кто-то из бывших подзащитных посчитал себя обиженным и, зная о его нетрадиционной ориентации, когда освободился, решил вот так его убить, чтобы следы замести. Проверили всех, кто за год до этого вышел, но ничего не нашли, а потом дело у нас забрали.

Гуров с Крячко переглянулись, поблагодарили районников и поехали в Москву. Первым не выдержал Стас:

— Лева, тебе не кажется, что это ему расплата за притон?

— Ну и откуда у фомичевских мужиков пентатал натрия? — спросил в ответ Лев. — И никаких следов они не оставили, и замок вскрыли до того аккуратно, что сестра Камолова потом его своим ключом смогла открыть.

— То, что это не фомичевские мужики, ежику понятно, но кто? Я вот что думаю, надо посмотреть, не было ли аналогичных убийств после января 2005-го. Если Камолову «сыворотку правды» вкололи, значит, хотели что-то узнать, не имена ли клиентов того притона? Сейчас приедем, и я запрос отправлю, — решительно заявил Стас, но тут же передумал: — Чего мелочиться? Пойду к компьютерщикам, и пусть они при мне в своих базах шарят! Так быстрее будет!

— Стас, если бы это была серия, она бы мимо нас не прошла, — возразил ему Гуров. — Даже если бы не мы ей занимались, то все равно услышали бы хоть краем уха, а ведь этого не было.

— Все равно проверить надо, — уперся Крячко.

И действительно, когда они вернулись в управление, Стас прямиком направился к компьютерщикам, и Гуров с ним. Едва Лев вошел в зал, как парень, которому он отдавал список, протянул ему распечатки:

— Вот, Лев Иванович, как вы просили.

Как ни быстро Гуров сложил листки пополам, но Крячко все-таки успел сунуть туда нос и, наверное, увидел фамилию Камолова, потому что лицо его окаменело, а глаза гневно сверкнули. Но при посторонних он и звука не издал, а просто попросил ребят посмотреть произошедшие после января 2005 года убийства, где у жертв-мужчин были начисто отделены половые органы.

— По-научному это называется полная кастрация, — подсказал Лев, но Стас в его сторону даже не посмотрел.

— Мы, когда найдем, принесем, — пообещал парень, но, увидев их лица, особенно Стаса, решил, что лучше не выпендриваться, а побыстрее сделать то, за чем пришли эти двое, от которых все управление в голос стонет.

Гуров и Крячко сидели рядом молча и ждали. Лев видел, что у Стаса наружу рвется такое, по сравнению с чем тот его всплеск в Фомичевске покажется милой перебранкой двух любящих сердец, и не решался заговорить. Когда распечатки были готовы, Крячко так же молча забрал их и, выведя Гурова под руку в коридор, приказным тоном сказал:

— А теперь мы пойдем к Петру! — Гуров возмущенно дернулся, на что Стас жестко заявил: — Иначе ты навсегда забудешь, что у тебя был друг по фамилии Крячко! Да и Петр, я уверен, тоже вряд ли захочет тебя после этого знать!

391

В полном молчании они прошли по коридорам, вошли в приемную Орлова, где много лет знавшая их секретарша даже вдруг съежилась за своим компьютером, явственно ощутив окружавший Стаса ореол неудержимой ярости.

— Один? — спросил Крячко, показав на дверь Орлова, и та испуганно кивнула. — Только после вас, — преувеличенно вежливо пригласил он Гурова, и оба вошли в кабинет.

Орлов был не просто другом, знавшим их не один десяток лет, он еще и генеральские погоны на плечах не просто так носил, поэтому понял все с первого взгляда и как-то безрадостно поинтересовался:

— Ну что в этот раз Гуров натворил?

Стас кратко рассказал ему, что они узнали по поводу смерти Камолова, потом выложил на стол только что полученные распечатки и потребовал:

— А теперь ты, Лева, достань то, что у тебя в кармане!

— Да бога ради! — буркнул Гуров и, бросив листки на стол так, что один из них упал на пол, подошел к окну и уставился на улицу.

— Мы не гордые! Мы не гении! Мы и поднять можем! — металлическим голосом проговорил Крячко, поднимая их и отдавая Орлову. — Петр, я не видел, что в моих распечатках и что в распечатках Гурова, но одна общая фамилия там точно есть. Камолов! — почти крикнул он. — А теперь ты посмотри и, как говорится, найди десять отличий! Если я ошибся и совпадение будет единственным, я готов у Левы прощение на коленях вымаливать. Но если окажется, что фамилии практически все совпадут, то это придется делать кому-то другому! Не будем показывать пальцем, кому именно!

Орлов напялил на нос очки и принялся просматривать, а когда закончил, спросил:

— Стас, ты обе двери за собой закрыл?

Крячко не поленился пойти и проверить.

— Все в порядке! Обе закрыты!

Орлов тяжело вздохнул, со стуком бросил очки на стол и загремел:

392

— Это что за партизанщина? Лева! Ты думаешь, я не понял, почему ты от нас свой список скрыл? Решил в Робин Гуда поиграть? Благородным мстителем заделаться? И все сам! Один! Эдакий одинокий ковбой с Дикого Запада! Защитник униженных и оскорбленных! У тебя «кольт» случайно нигде не припрятан? Может, еще и лошадь в гараже стоит? Ты собрался со всеми этими уродами собственноручно разделаться? Интересно, и как ты хотел это сделать? Отстреливать по одному? А смог бы? Это тебе ведь не преступника при задержании застрелить!

Тут Гуров не выдержал. Он повернулся к Петру и заорал в ответ:

— А ты детские трупы, один на другой наваленные, когда-нибудь видел? И не в кино про фашистские концлагеря, а здесь и сейчас! Ты разговаривал с человеком, который в том подвале всего пару дней провел, и его не успели тронуть только потому, что их всех раньше освободили? Он до сих пор об этом вспоминать не может! Ему до сих пор кошмары снятся! Он ту девочку, что потом во Владимирскую область привезли, до изнасилования видел и сказал, что она была красивая, как кукла. А потом ее, как куклу изломанную, всю в крови обратно принесли и еще удивлялись, что она такой живучей оказалась! Ты бы видел его глаза! Ты бы голос его слышал! Ему там всю душу выжгло! Те двое сволочей за свои преступления ответили! Но я считаю, что им все равно мало досталось! Ведь эта сука детей шоколадными конфетами угощала, только начинка там была из наркотика! Так они в тот подвал и попадали! Охранник вообще легко отделался! Подумаешь — заточка прямо в сердце! Да его живым надо было сжечь! А те, ради кого все это и затевалось? Эти педофилы богатенькие должны были безнаказанными остаться? А ведь они детей насиловали! А доказательств у нас никаких! Ни единого!

— Я не о том говорю! — взорвался Петр. — Они достойны самой лютой смерти! Но почему ты решил единолично этим заняться? Почему от нас это скрыл? Ты перестал нам верить?

— Я не хотел вас в это дело впутывать, — отвернулся Гуров. — У вас семьи, дети, внуки... А мне, по большому счету, терять нечего. Родители только. Но отец бы меня понял.

— Лева, тебе просто духу на это не хватило бы, воспитание не то, наследственность не та, — устало произнес Орлов. — Одно дело — вооруженный преступник, с которым ты, в общем-то, на равных, и совсем другое — безоружный человек, который у тебя в ногах ползать будет, ботинки лизать и о пощаде умолять. Как ты в такого выстрелишь, не говоря уж о большем?

— Между прочим, дети, я уверен, их тоже о пощаде умоляли, плакали, кричали! Что же этих извращенцев это не остановило? — не менее устало спросил Гуров. — И не надо мне говорить, что они психически ненормальны. Они от вседозволенности пьянели, от сознания своей власти над маленьким ребенком. Убить такого — даже не грех!

— Я разговаривал с теми, кто раньше смертные приговоры в исполнение приводил. У них и оклады были хорошие, и отпуска подлиннее, и прочие льготы, и не безвинные жертвы перед ними сидели, а матерые преступники — они же материалы дела перед расстрелом читали, но все равно для них это бесследно не проходило. Не смог бы ты, Лева! Но вот если бы их всех не порешили уже...

Гуров резко повернулся к нему и спросил:

— Всех? Но там же приписка, что список может быть неполным.

— Разберемся, Лева! Разберемся! — успокоил его Петр. — Не об этом сейчас! Так вот, если бы ты все нам рассказал, то мы втроем уж нашли бы выход из положения — или у нас должников мало? Неужели среди них нет таких людей, которым подобные извращения западло? И покарали бы они этих уродов так, как никто из нас не смог бы! И предлагаю эту тему закрыть! А теперь забирайте свои списки и работайте по ним! И придумайте, как нам это дело закрыть в связи с невозможностью за давностью лет обнаружить виновных, то есть тех, кто убил охранника, Проста и Сухове́й. Прост у нас пойдет организатором, а остальные — сообщниками. Убитые педофилы давно в «висяках» числятся, так что нечего в этом направлении копать, по скелетам детским вовсю эксперты работают, и это дело нужно выделять в отдельное производство. И вообще пошли отсюда — у меня из-за вас давление подскочило! И не вздумайте опять собачиться! Нас всего трое!

Забрав свои бумаги, пристыженные Стас и Лев направились к двери, но Гуров приостановился и спросил:

— Петр! Узнай, почему эти убийства в одно уголовное дело не объединили — ведь серия же просматривалась.

— А ты посмотри внимательно, кто был кем, тогда и поймешь, почему шум не стали поднимать — серию-то, как ни старайся, в кармане не спрячешь! — буркнул Орлов.

Лев пошел в их кабинет, а Крячко отправился в буфет за плюшками к чаю. Пока его не было, Гуров просмотрел полученные Стасом распечатки и пришел в такой ужас, что волосы на всем теле встали дыбом — а он-то наивно полагал, что после всего, что узнал, увидел и услышал, поразить его больше нечем. И оказался не прав! В его списке были только фамилии, имена и отчества, а вот у Стаса были еще и должности, которые эти извращенцы занимали при жизни. Теперь ему стало ясно, почему и дело Камолова бесследно исчезло где-то наверху и почему все остальные дела по убийствам этих уродов в одно не объединили — скандал разразился бы такой, что небу стало бы жарко. А так, по отдельности, их тоже затребовали наверх, и сгинули они бесследно. И родственники этих извращенцев даже пикнуть не посмели, потому что кому же хочется, чтобы на него пальцем показывали? А ведь позор был бы несмываемый, причем не только для них, но и для детей с внуками. Вернувшийся Стас увидел перекосившееся лицо Гурова и озадаченно уставился на него, но Лев просто кивком показал ему на его распечатки и ничего объяснять не стал. Пока закипал чайник, Крячко быстро их просмотрел, зеленея просто на глазах, и растерянно проговорил:

— Лева! У меня это в голове не укладывается, я даже выругаться не могу — слов подходящих нет.

Потом они молча пили чай, стараясь преодолеть только что пережитый ими шок. Но разве Стас умел долго молчать?

— Лева! Они получили то, что заслужили, и давно сгнили в земле. Думаю, им и в аду несладко придется. Плюнули и забыли! Скажи лучше, ты можешь честно ответить мне на один вопрос?

— Не доставай меня, пожалуйста, — поморщился Гуров, но, поняв, что Крячко не отвяжется, согласился: — Но только на один.

— Ты тогда пошел в подвал, а меня снаружи оставил, потому что не хотел еще и моей жизнью рисковать?

— Умный ты, Стас, как знаю кто, — пробурчал в ответ Гуров.

— Дурак ты, Лева! — только и сказал на это Крячко, но голос его предательски дрогнул.

— Давай без сантиментов, — попросил Лев. — Я понимаю, что нервы у нас взвинчены, но нюни-то распускать зачем?

Неизвестно, что бы ответил на это Крячко, но тут зазвонил телефон, он снял трубку, послушал и сказал:

— Сейчас буду! — И в ответ на недоуменный взгляд Гурова пояснил: — Документик один взять забыли!

Вернулся Стас очень быстро и протянул Льву официальный документ с печатью и солидной шапкой наверху, украшенный гербом какой-то страны.

— Интересные дела заворачиваются, Лев Иванович, — ехидно заметил он. — Я тут на ходу просмотрел и очень удивился. Посольство Республики Таджикистан чуть ли не благодарность тебе выражает за то, что ты в отличие от своих коллег действовал в строгом соответствии с законом Российской Федерации по отношению к временно находящимся на территории нашей страны иностранцам. Тебе не кажется, что ты тому мужику из посольства очень сильно должен?

— Джафар постарался, — улыбнулся Лев.

— Кто такой, почему не знаю? — возмутился Стас.

— Я тогда один в командировку ездил, там с ним и познакомился, — объяснил Гуров.

Он нашел телефон посольства, позвонил и спросил, как можно связаться с господином Мусангалиевым. Потом перезвонил по этому номеру и, услышав ответ, сказал:

— Это Гуров. Спасибо тебе, Джафар.

— Старый долг возвращаю, — засмеялся тот.

— Какой долг? — удивился Лев.

— Ты помнишь, что бандитов, которые на инкассаторов напали, четверо было?

— Конечно! Двоих мы в пригороде взяли, а другие двое с деньгами на машине уйти пытались. Ты еще тогда им колесо прострелил, и они вынуждены были остановиться. Потом была перестрелка, одного мы ранили, второй был убит. А что?

— Эх, Гуров! Все ты помнишь, а главное забыл. Когда я из-за нашей машины высунулся, чтобы в бандита выстрелить — он у меня прямо на мушке был, ты меня оттолкнул и выстрелил сам. И убил его! Я тогда здорово на тебя обиделся, что ты мне самому выстрелить не дал, хотел героем себя чувствовать, а ты мне ничего не сказал, усмехнулся только. А когда я пистолет свой посмотрел, то увидел, что там уже ни одного патрона не было. Вот и получилось бы, что я безоружный перед бандитом оказался, а у него автомат инкассатора был. Ты мне жизнь спас. Помнишь это?

— Прости, Джафар, не помню, — виновато ответил Лев.

— Я тогда домой пришел, отцу все рассказал, матери. Обрадовались они, отец сказал, что вот у нас еще один сын появился. Приглашай его к нам, мы стол накроем, посидим. Я пришел к тебе в гостиницу, благодарить начал, думал, обнимемся мы, как братья, ты к нам в гости пойдешь, праздник наш разделишь. А ты мне лекцию прочитал о том, что мало хорошо стрелять, нужно еще и выстрелы считать, и идти к нам отказался, сказал, что некогда тебе. Расстроились тогда мои родители, что дорогого гостя, который их сыну жизнь спас, не смогли поблагодарить. И в этом ты весь, Гуров. Для тебя подвиги — дело обычное. Ты человеку жизнь спас и дальше пошел, а ему даже возможности не дал тебя поблагодарить.

— Но ты же сам сказал, что характер у меня дерьмовый, — смущенно пробормотал Лев.

— Там один мальчишка из наших сказал, что ты...

— Я знаю, мне перевели. Он сказал, что я несчастный человек.

— Прости, Гуров, но я сейчас тоже так думаю. Нельзя так жить. Прости, если обидел, но я тебе правду сказал.

— Проехали, Джафар! И спасибо тебе большое за то, что выручил! Удачи тебе!

Гуров положил трубку и уперся взглядом в стол. Крячко тут же всполошился:

— Лева, что случилось? Почему ты несчастный человек?

Гуров передал ему свой разговор с Джафаром и растерянно добавил:

— Понимаешь, Стас, я действительно этого не помню. Я вспомнил его имя, фамилию, звание, помнил подробности той операции, но начисто забыл то, что действительно, зная, что у него патронов не осталось, оттолкнул его и выстрелил сам. И всего остального я тоже не помню.

— Лева! — вздохнул Крячко. — Ты такой, какой ты есть, и другим уже никогда не будешь. Тебя нужно или принимать, или не принимать, потому что изменить нельзя. И кончай заниматься самобичеванием! Давай лучше о деле! Значит, как я понимаю, твоя затея удалась, и фомичевские мужики тебе этот список подкинули.

— Да, причем в Москве, в мой почтовый ящик, — подтвердил Гуров. — Маша вчера вечером оттуда письмо вынула. Давай списки сверять и отделять зерна от плевел.

— Ничего мы отделять не будем! — решительно заявил Крячко. — Если все, кто есть в твоем списке, числятся среди убитых, то и нечего копаться! Слава богу, что мужики действительно имена организатора и клиентов из тех сволочей выбили. Но вот кто их казнил? Причем довольно оперативно!

— Они получили по заслугам, и разбираться в этом я не буду! — жестко сказал Лев. — А судя по тому, что они Камолову «сыворотку правды» вкололи, они тоже знали, что список неполный, и хотели узнать у него имена остальных. Скорее всего, некоторые назывались вымышленными именами, вот Прост с Суховей их настоящих и не знали. А Камолов, как хозяин этого бизнеса, не мог их не знать, у него и выясняли.

— Ну, давай подводить научную базу под закрытие этого дела — тут тебе и карты в руки! Поскольку дело на контроле наверху, надо все оформить так, чтобы придраться было не к чему.

И началась скучная, монотонная работа. Отправлялись запросы в колонии с просьбой выслать характеристики на Проста и Тихонова, допрашивались владельцы риелторской фирмы «Ваш дом», превращенного в притон дома в Сабуровке, машины, с которой сняли номера, и угнанной «Газели», была допрошена под протокол Галина Потапова, словом, следственная группа трудилась вовсю. Дело пухло на глазах — а как же иначе? Нужно же было не только показать, но и доказать, что, несмотря на весь титанический труд, найти виновных в смерти Проста, Тихонова и Суховей за давностью лет не представилось возможным. Когда все было закончено, Орлов отправился докладывать начальству и, вернувшись, вызвал к себе друзей.

— Руководство осталось довольно и заявило между прочим... Привожу дословно: «Ну, уж если Гуров ничего не смог найти, значит, действительно невозможно», — усмехаясь, сказал он. — Дело закрыто.

Майские праздники по традиции две супружеские пары, Лев с Марией и Стас с женой, отмечали на даче Крячко. Погода стояла сказочная! Почти летняя! Женщины были заняты своими делами, смотрели телевизор, Мария даже загорала, а вот мужчины отправились на рыбалку, чтобы посидеть по вечерней зорьке на берегу. Стас действительно рыбачил, хотя и безуспешно, да и кого, по большому счету, интересовал его улов? Он и Лев после этого страшного, вымотавшего душу дела просто наслаждались покоем. Опустились сумерки, Гуров развел костер, но не затем, чтобы на нем что-то готовить, а просто так, для настроения. Он сидел, прислонившись спиной к дереву, смотрел на огонь и отдыхал душой.

— Благодать-то какая! Всех нервнобольных нужно в принудительном порядке отвозить на природу, чтобы просто сидели, смотрели на воду, на закат, птичек слушали, а не таблетками пичкать.

— Это не в мой ли огород камень? — тут же встрепенулся Стас. — Никак не можешь забыть, что я на тебя тогда наорал?

— Брось! Неужели ты думаешь, я не понял, чего ты на меня так взъелся? — усмехнулся Гуров. — Ты же Егорыча защищал! Боялся, что я его к этому делу привяжу.

— Да, я думал, что ты его подозреваешь, — признался Крячко.

— Так и было, я его с самого начала подозревал — он же практически хозяин района, и без его ведома там ничего не делалось. А когда мы с тобой в Сабуровку приехали, я окончательно убедился, что это он со своими мужиками и дом спалил, и детей освободил.

— Почему? — Забыв о танцующем на воде поплавке, Крячко встал и подошел ко Льву.

— Стас, родной! Ну, рассуди сам. Стоит дом, люди в нем занимаются таким делом, что чужих туда ни под каким видом не пустят. К кому мог обозленный на весь белый свет Тихонов безбоязненно выйти? К тому, кто не вызывал у него никаких подозрений. А что может быть обычнее для такого поселка, чем ассенизаторская машина? Это же не навороченный автомобиль, который привлекает внимание. Представь себе, что подъезжает она вечером к воротам, человек стучит или звонит, Тихонов, предположим, не открывая, спрашивает, какого черта ему надо, а тот, размахивая бумажкой, объясняет, что по вызову приехал и у него наряд. Тихонов, допустим, отвечает, что они никого не вызывали, и тот начинает скандалить, опять размахивает бумажкой, говорит, что пусть тогда он на наряде распишется, что они, мол, никого не вызыва-

400

ли, чтобы к нему претензий не было. А если этот человек к тому же старик, то никакого опасения у Тихонова он вызвать не мог. Он вышел, чтобы расписаться, и получил заточку в сердце. Старик открыл ворота, заехал во двор, остальные машины, которые поблизости были, — за ним, ну а дальше и так понятно.

— Нет, Лева! Не стал бы он прятать тела на принадлежащем ему участке, — возразил Крячко.

— Значит, произошла какая-то накладка, — стоял на своем Гуров. — Но это был он! Я его глаза видел, и мы с ним друг друга поняли.

— Когда это ты успел? — удивился Стас.

— Перед отъездом зашел познакомиться, — объяснил Лев и попросил: — Давай не будем об этом!

Крячко обиделся и вернулся к своей удочке, а Гуров вспоминал ту короткую встречу. Перед тем как возвращаться в Москву, он действительно заезжал к Сидоркиным и довольно быстро был допущен к хозяину. Тот вместе с сыном сидел, судя по компьютеру, в кабинете и даже оказал Льву честь, поднявшись ему навстречу.

— Присаживайся, полковник, — предложил старик. — Рассказывай, что случилось.

— Я на минутку, Илья Егорович, — отказался Гуров. — Попрощаться зашел и сувенир на память оставить — может, в хозяйстве сгодится. — Он положил на стол большой почтовый конверт, в котором было что-то объемное. — И еще! — Лев поклонился Сидоркину до земли, а, разогнувшись, сказал: — Это вам от всех и за все! Дай вам бог здоровья крепкого и долгих лет жизни!

— Загадками говоришь, полковник, — посмотрел Гурову прямо в глаза старик.

— Как умею, — развел руками Лев. — А теперь извините, но мне пора.

Лев вышел из дома, сел в машину и поехал в Москву. И не знал он, что в это время в кабинете Сидоркина Михаил, разорвав конверт, вынул оттуда заточку.

— Папа, это же твоя, я же ее с детства помню, — удивился он. — Ты еще говорил, что она где-то затерялась. Как же она к Гурову попала?

Старик молча курил, и тут до Михаила дошло.

— Папа! Так это в Сабуровке был ты? — потрясенно спросил он.

— Ну, не один был, а с мужиками моими, потому что такого паскудства ни одна крещеная душа принять не может, — просто ответил отец.

— Почему же ты меня с собой не взял?

— Так ты же в это время возле Надюши в роддоме был, — объяснил старик.

Михаил ненадолго задумался и все понял.

— Так вот почему врачиха тогда уговорила меня при родах присутствовать! — воскликнул он. — Это же ты ее попросил! Алиби мне создавал! — Отец ничего не ответил, но все и так было ясно. — А если бы ее тогда в роддом не отвезли, что тогда?

— Отправил бы тебя куда-нибудь по делам с ночевкой, — сказал Егорыч. — Сам подумай, как я мог тебя с собой взять? А вдруг что-нибудь не так бы пошло? Кому бы тогда бизнес достался? Матери? Она бы справилась, да только лет-то ей сколько? Когда еще внуки в разум бы вошли, чтобы дело подхватить? Надюше? Она в этом ничего не смыслит. Отцу ее? Так ты и сам знаешь ему цену. Все прахом бы пошло! Для кого ж я тогда все создавал? Нет, не мог я тобой рисковать!

— Ладно! Пусть! Но как же эти тела могли на нашем участке оказаться? — не унимался Михаил.

— Моя вина, не проконтролировал, — вздохнул Егорыч. — У меня, как я все там увидел да с тварями этими поговорил, сердце прихватило. Первый раз в жизни — я же до этого даже и не знал, где оно находится, а тут еле-еле до дома добрался. Ваське с Гришкой велел тварей этих подальше вывезти и сделать так, чтобы не сразу сдохли, а помучились еще. О том, что Трофимыч яму очистил, Васька знал — сам же ездил, о том, что вдова Трофимыча дачу продала, — тоже, а вот о том, что

402

мне, — нет! Они мне тогда сказали, что все сделали, а в подробности я не вникал. Знай я об этом раньше, уж придумал бы что-нибудь! А тут как гром среди ясного неба — нате вам! И морды я им теперь смогу набить, только когда вместе с ними там, — показал он на потолок, — окажусь!

— Но почему же мама мне ничего не рассказала? — обиженно спросил Михаил.

— Потому что мама наша — жена настоящая! Она молчать умеет! Дай бог, чтобы Надюша со временем такой же стала! И хватит об этом! Раз Гуров сюда пришел и заточку мою вернул, значит, все для себя решил, и нам ничего не грозит!

— Но как он узнал? Через столько лет! — удивился сын.

— Так правду о нем говорят, что волчара!

Стас сидел, смотрел на еле видимый в сгущающейся темноте поплавок и думал: рассказать или не рассказать Леве о том, что он узнал. Когда выяснилось, что все извращенцы были казнены, причем людьми очень подготовленными, Стас не выдержал и позвонил по тому номеру, который дал ему Орлов. Сославшись на Петра, он договорился о встрече и приехал в гости к давнему другу Орлова. Слово за слово, и уже через полчаса пройдоха Крячко знал о Зотове все, потому что, как оказалось, дед Олега, генерал-полковник Зотов, который умер два года назад, был другом человека, с которым Стас и разговаривал, так что информация была самая достоверная.

Оказалось, что Зотов происходил из семьи потомственных кадровых офицеров. Его отец погиб в Анголе, где был военным советником, когда Олег был еще совсем мальчишкой и учился в Суворовском. Потом он поступил в Рязанское училище, а оттуда пошел в спецназ. В Чечне в 1996-м их группа попала в засаду, и его ранило в ногу. И тогда он, чтобы не быть обузой для остальных, вызвался прикрывать их отход. Его еще два раза ранило, и не быть бы ему в живых, если бы подмога не подоспела. Его отправили в госпиталь, но, как врачи ни бились, спасти ногу не смогли, и ее ампутировали. И наград у Зотова действительно было немало! А сейчас он жил вместе с женой, матерью, бабушкой и сыном в Москве и работал в Фонде воинов-интернационалистов, потому что и за границей успел отметиться.

Записав адрес Зотова, Крячко, не сказав никому ни слова, отправился к нему. Он не очень представлял себе, как сложится их разговор, но понадеялся, что его врожденная способность договориться хоть с чертом не подведет его и на этот раз.

Дверь ему открыл высокий симпатичный парень, который, узнав, что Крячко пришел к Олегу Павловичу, крикнул в глубину квартиры:

— Папа, это к тебе! — А потом пригласил Стаса: — Проходите вот туда!

Квартира была большая, потолки высоченные — «сталинка», одним словом, и этим все сказано. Крячко прошел в кабинет и понял, что квартира эта принадлежала еще деду Зотова — мебель была массивная, основательная, воистину генеральская, а полки с книгами вдоль стен шли до самого потолка. Олег Павлович оказался человеком довольно симпатичным, стройным, и, когда он шел навстречу Стасу, тот отметил, что отсутствие у него ноги совсем не было заметно — видимо, протез был хороший. Крячко представился, предъявил удостоверение, чему Зотов очень удивился. И только!

— Что-то случилось? — недоуменно спросил он, делая приглашающий жест в сторону кресел, и они сели.

— Видите ли, мы расследуем давнее дело, которое произошло когда-то в Фомичевском районе, — начал Крячко, внимательно наблюдая за его реакцией, но ни малейших следов беспокойства не заметил. — В ходе расследования нам попутно стали известны некоторые факты, которые, я думаю, могут вас заинтересовать. Вы помните побег восьми мальчиков из детского дома?

— Такое забыть невозможно, — просто ответил тот.

— А вы знаете, почему они сбежали? — Ноль эмоций в ответ. — Многие тогда считали, что это вызвано установленной вами строгой дисциплиной, а причина-то была в другом. Некая Зоя...

— Я в курсе, — перебил его Олег Павлович. — Дмитрий мне все рассказал еще тогда, когда они вернулись.

— Так почему же вы никому ничего не сообщили? — возмутился Стас. — Она бы ни за что не стала после вас директором детдома!

— А кто бы поверил Дмитрию, с его-то репутацией? — спросил в ответ Зотов. — Это посчитали бы наговором, стремлением снять с себя вину. А сам я не воюю с женщинами.

— Но она же после этого и Дмитрия, и остальных в Рязанскую область отправила! — не унимался Крячко.

— Когда я об этом узнал, то пригрозил ей, что, если она совершит еще раз нечто подобное, я даже до министра дойду, но ее снимут с должности.

— Вообще-то вопрос мог бы решиться намного проще, для этого надо было всего лишь поставить в известность Илью Егоровича Сидоркина, — заметил Стас.

— У нас были не те отношения, чтобы я мог обратиться к нему по какому-либо поводу, — объяснил Зотов. — Этот человек отличается суровым характером, и его сын, кстати, тоже. Я очень виноват перед ними, но надеюсь, что за давностью лет они не держат на меня зла.

— Ну, то, что не сделали вы, сделал я, и она на этом посту не задержится, — сообщил ему Стас. — Полагаю, что она вообще больше не найдет работу в этом районе. Скажите, как сумели сразу семь мальчиков в Суворовское определить?

— Я никогда ни о чем не просил своего деда для себя лично, но сделал это для других, — объяснил Олег Павлович.

Крячко, избравший для себя на этот случай роль неотесанного солдафона, встал с кресла и, подойдя к полке, на которой стояли фотографии, стал их внимательно рассматривать, а потом показал на одну из них:

— В день ВДВ в Парке Горького снимались?

— Да, они все пошли по моим стопам и после Суворовского училища поступили в Рязанское, — сказал Зотов, тоже встав и подойдя к нему.

— А? — Стас повернулся к двери и показал на нее.

— Игорь не прошел в Суворовское по состоянию здоровья, и мы его усыновили. Он окончил школу и решил стать врачом, как мама, но военным врачом.

— А что стало с Дмитрием? — поинтересовался Крячко. — Директриса детдома в Воскресенске напророчила ему самое безрадостное будущее.

— Когда я увозил мальчишек из Воскресенска, то оставил ему свой адрес и предложил обращаться, если потребуется помощь.

— Значит, это к вам он так рвался, что даже побегом пригрозил, — понял Крячко.

— Да, он тогда приехал ко мне и сказал, что не может без мальчишек. Я устроил его в московский детдом, потом он отслужил в армии, окончил Рязанское и сейчас уже служит.

— А это, наверное, вы сами в молодости? — спросил Крячко, показывая на фотографию, где стояли, обнявшись за плечи, восемь офицеров.

— Да, это мои друзья, — подтвердил Зотов. — Станислав Васильевич, мне не хочется быть невежливым, но у меня дела. Не могли бы вы до конца изложить суть вашей проблемы?

— Да я, собственно, приходил только для того, чтобы вам о Зое Леонтьевне рассказать — я же не знал, что вы уже в курсе.

Стас спускался по лестнице и думал о том, что этот визит ни на шаг не приблизил его к разгадке позорной смерти извращенцев. Конечно, это могли быть боевые друзья Зотова, но с таким же успехом это мог быть и кто-то другой, потому что вряд ли Егорыч после того случая даже просто поздоровался бы с Зотовым.

А вот Олег Павлович, вернувшись в кабинет, сел в кресло, закрыл глаза, и посетившие его воспоминания были невыносимо тягостными. Он до сих пор отчетливо помнил тот день, когда утром обнаружилось, что восьми мальчишек нет на месте. Он тут же бросился в милицию, написал заявление, приложил фотографии, потом каждый день ходил туда утром и вечером, но дни шли за днями, а новостей не было. Он не находил себе места, винил во всем себя, свой характер, методы воспитания... И выводы комиссии, не нашедшей в его действиях ничего предосудительного, явились для него слабым утешением. Да просто никаким! Он чуть с ума не сошел! Потерял сон, а если засыпал со снотворным, то ему снилось такое, что лучше уж бессонница! Лиза утешала его как могла, но это не помогало. Он снова начал курить, хотя давно бросил. Вот и в ту ночь, мучаясь от бессонницы, Зотов стоял во дворе и курил, когда вдруг услышал, как кто-то пытается открыть калитку. Он грубо спросил:

— Кого там черти несут? — и вдруг услышал в ответ дрожащий детский голос:

— Олег Павлович! Это я, Малышев.

Он не помнил, как добежал до калитки, как открыл ее, как подхватил мальчика на руки и занес в дом. Из этого состояния его вывел голос Лизы:

— Олег! Отпусти его! Он же замерз, ему согреться надо! Он, наверное, кушать хочет!

И только тут Зотов увидел то, что осталось от всеобщего любимца, веселого мальчишки Игорька — это был маленький, испуганный, исхудавший, загнанный в угол зверек с больными глазами. Пока Лиза ставила разогреть ужин и греть воду, чтобы искупать Игоря, он допытывался:

— Малыш! Где остальные?

— Спасите их, Олег Павлович! Они там, в подвале! — захлебывался словами мальчик. — Нас там мучили! Там было очень страшно и очень больно! И кормили плохо! И многие умерли!

— Где этот подвал? Что ты о нем помнишь? — настаивал Зотов.

— Олег! Оставь его! — возмутилась Лиза. — Разве ты не видишь, что ему плохо, у него температура!

— Не лезь! — оборвал он ее, потому что в этот миг уже не был директором детдома, а снова спецназовцем, добывающим необходимую информацию. — Игорь, где этот подвал?

— Лом велел вам передать, что это Сабуровка, там на въезде дом двухэтажный, нас в подвале держали, а выпускали только

407

тогда, когда гости приезжали, — наконец сказал мальчик. — Там не только наши, там и другие! И девочки есть!

— Я немедленно иду в милицию! — решительно заявил тогда Зотов.

— Нет! — закричал Игорь. — Лом сказал, туда нельзя! На всю жизнь позор будет! Нужно как-то по-другому!

И тут, поняв страшную правду, он осел на пол, как будто его обухом по голове ударили. Да, в милицию нельзя, и так сполна хлебнувших лиха детей потом просто замучают расспросами, допросами, экспертизами и так далее. Нужно действительно иначе. Он начал звонить своим боевым друзьям, но они были в очередной командировке. У него оставался только один выход, но ради детей он был готов на все. И, едва дождавшись утра, Зотов пошел к тому человеку, которого жестоко обидел и унизил на глазах у сына. Сидоркин сидел в своей конторе, вокруг него толпились люди, в том числе и Михаил. Увидев Зотова, Егорыч удивился:

— А по телефону заявку нельзя было сделать? Да и не вы вроде этим занимаетесь, вам по чину не положено.

— Илья Егорович, мне надо с вами поговорить наедине, — объяснил он.

— Если извиняться пришли, так поздновато вроде — столько лет прошло, — усмехнулся Сидоркин.

— Я очень виноват перед вами и вашим сыном и понимаю это. Тому, что я тогда сделал по глупости и горячности, прощения нет. Лично я такого человека никогда не простил бы, как бы он ни извинялся.

— Тогда чего ж пришли?

— За помощью, потому что, кроме вас, это никто больше сделать не сможет.

— Офицер-орденоносец к дерьмочисту за помощью пришел — это что-то новенькое, — рассмеялся Илья Егорович, а за ним и все остальные.

Стыд тогда жег его щеки, уши пылали, его растаптывали на глазах у других, но он понимал, что заслужил это, и терпел. Но наконец не выдержал:

— Чего вы хотите от меня? Чтобы я на колени перед вами встал? Встану! Руки целовал? Буду! Застрелился у вас на глазах? Застрелюсь! Только помогите!

Смех как обрезало. Сидоркин мигом стал предельно серьезным и скомандовал:

— А ну пошли все отсюда! — И добавил решившему задержаться сыну: — К тебе это тоже относится! — А когда они остались вдвоем, спросил: — Ну, раз уж вы на такие унижения и даже смерть готовы, значит, дело нешуточное. Что случилось?

И он рассказал ему все, а Егорыч слушал, закрыв глаза и поигрывая желваками, и временами матерился сквозь намертво стиснутые зубы. Когда он замолчал, Сидоркин сказал:

— Детей мы тебе вернем...

— Там не только мои, — поправил его Зотов.

— Всех выручим, но у меня будет одно условие: как только они вернутся в детдом, чтобы духу твоего там не было, — гневно произнес Егорыч, переходя на «ты». — Они же из-за тебя сбежали! Устроил там казарму! А это же дети!

— Согласен. Слово офицера, — с готовностью ответил он. — Когда выступаем?

— А чем ты, инвалид, нам помочь сможешь? — пренебрежительно заметил Сидоркин.

— Тех, кто держит детей в том подвале, нужно допросить. Пусть назовут имена тех, кто над детьми надругался, кто все это организовал.

— Без тебя допросим и все выясним, а вот что ты дальше с этим делать будешь?

— А вот дальше уже мое дело, — ответил он таким тоном, что Сидоркин лишь удивленно на него посмотрел, а потом сказал:

— Договорились. Иди и жди!

Когда он вернулся домой, Игорек метался в жару, а Лиза сидела рядом, обтирая его исхудавшее тельце водой с уксусом, и плакала. Увидев его, она заплакала еще горше и сказала:

— Олег! Его там насиловали! И остальных, наверное, тоже! Его в больницу надо!

— Нельзя! — отрезал он. — На них же тут же все, как падальщики, налетят и будут расспрашивать, кто их, как, где и так далее, слухи пойдут, другие мальчишки над ними смеяться будут, а им здесь еще жить! Придется тебе самой их лечить, как умеешь. В Интернете посмотри, книги почитай, придумай что-нибудь! А вот мы с тобой, Лизонька, скоро в Москву вернемся.

— Почему? К тебе же никаких претензий нет!

— Я слово офицера дал, что уеду отсюда, — объяснил он.

— Кому? — воскликнула Лиза.

— Кому бы ни дал, а сдержать обязан.

Сидоркин выполнил свое обещание, и на следующий день вечером Ломакин и остальные шесть мальчиков появились в детдоме, но в каком состоянии! Других детей пришлось уплотнять, чтобы освободить под изолятор маленькую палату, куда их всех и поместили, но Лизе было не разорваться, и Игорька пришлось перевезти в детдом, да и она сама туда перебралась, потому что не хотела даже на минуту оставить детей одних. Все расспрашивали Игорька, как он сумел добраться до Палыча. А он рассказывал, как скрывался до вечера в кустах в саду, как потом ночью перелез через ограду, как бежал к дороге, как тормозил там машины и просил довезти его до Фомичевска. И добрые люди его подбирали и довозили до какого-то места, а потом высаживали, потому что им нужно было сворачивать в сторону, и тогда он снова махал на дороге руками, чтобы какая-нибудь машина остановилась и отвезла его хоть чуть-чуть ближе к дому. Слушая его, Лиза плакала навзрыд, а у Зотова душа рвалась в клочья.

Когда к нему пришел Сидоркин, то первым делом достал из кармана листок бумаги и начал диктовать фамилии с именами и отчествами — получилось пятнадцать человек, а потом добавил:

— А настоящие имена остальных эти сволочи не знают.

— Но те, что вы продиктовали, точно настоящие? — спросил он.

— Да, девка призналась, что, пока эти душегубы детей мучили, она в их документах копалась — может, хотела потом кого-нибудь шантажировать? — пожал плечами Егорыч. — Чемоданы пакуешь?

— Давайте я вам сейчас покажу, в каком состоянии дети, а вы решите, можно их оставлять без врача или нет, — предложил Зотов. — Надеюсь, вы понимаете, что в больницу их везти ни в коем случае нельзя, потому что знаете, что после этого начнется. А я этим ни в чем не повинным детям такого будущего не желаю, иначе пошел бы не к вам, а в милицию.

— Хорошо, оставайтесь до тех пор, пока они все не выздоровеют, — согласился Егорыч. — Если лекарства какие-нибудь нужны, пусть твоя жена список напишет, все привезем. Но потом!..

— Я помню, что обещал, — твердо ответил Зотов.

Лиза написала список, и Сидоркин действительно привез нужные лекарства. Дети постепенно поправлялись, потому что ей помогали ухаживать за детьми все, кто мог, а Ломакин просто спал на полу в их палате и вскакивал, едва заслышав какой-то звук. Дмитрий пришел к нему в тот первый вечер и все честно рассказал, а потом также честно предупредил, что сбежит, потому что у него нет сил смотреть в глаза остальным — ведь они же пострадали из-за него. А он ему на это ответил:

— Запомни, быть и казаться — две разные вещи. Ты хотел казаться для мальчишек героем, сильным, мужественным человеком, а теперь тебе придется доказывать, что ты такой на самом деле. Ты совершил подлость, причем не по отношению ко мне, а по отношению к ним, потому что они за нее страшно поплатились, а сам ты остался в стороне. Сбежать и постараться обо всем забыть — легко, а вот набраться мужества и искупить свою вину, исправить свою ошибку — трудно! Вот и выбирай, кто ты: настоящий мужчина или слизняк! Хочешь бежать? Беги! Но тогда я буду знать, что ты предатель! Конечно, тебе плевать на мое мнение, но ведь ты тоже будешь это о себе знать.

И Ломакин остался. Господи, как же дети плакали, когда выздоровели и узнали, что они с Лизой уезжают. Игорек просто рыдал. И, как ни уверяли они их, что скоро приедут, детей это не утешало. А он, приехав в Москву, стали обивать пороги, чтобы мальчишек приняли в Суворовское и они были к ним поближе — Лиза так по ним скучала. Пришлось даже подключать деда, чтобы тот помог. И когда наконец все было собрано, оказалось, что эта тварь отправила детей в Рязанскую область, и все пришлось начинать сначала. Но он добился своего.

Когда выяснилось, что Игорька не возьмут в Суворовское по состоянию здоровья, обычно кроткая Лиза впервые за все годы их семейной жизни проявила такой характер, какого он в ней и не подозревал, и твердо заявила:

— Я без Игорька уже не могу! Он мой! Родной! Мы должны его усыновить! Если ты этого не хочешь, то давай разводиться, и тогда я его усыновлю одна.

И они подали документы на усыновление. Остальные мальчишки сначала обиделись, но он объяснил им, что иначе Игоря вернут обратно в детдом, и они, которых он, в общем-то, спас от смерти, могут уже больше никогда с ним не встретиться. Мальчишки все поняли — в детдоме дети взрослеют рано. Тем более что они все равно все выходные проводили вместе, а в летние каникулы все жили на дедовской даче. И пусть из этих восьми только один Игорь носит его фамилию, остальные все равно называют его «папой» (Дмитрий, правда, «батей»), а вот Лиза для них всех «мамочка».

И ради этого стоило через все пройти! В том числе и через казнь тех извращенцев, что глумились над детьми. Вернувшись в Москву, он снова позвонил друзьям и, когда они к нему приехали, обо всем им рассказал. Все дружно решили, что эти подонки не имеют права жить, вместе вынесли им смертный приговор и вместе привели его в исполнение. И только после этого у него в груди начал таять тот комок льда, в который превратилось сердце, когда он узнал, что случилось с детьми, только после этого он смог вдохнуть полной грудью. И не жалел ни о чем.

412

Стас уже изъерзался на месте и, не сдержавшись, все-таки спросил:

— Лева, а ты знаешь, где служил Зотов? Ну, тот, что был директором детдома, когда оттуда мальчишки сбежали?

— Знаю, — спокойно ответил Гуров. — В спецназе, и биографией его я тоже поинтересовался — позвонил одному из друзей отца. Так что они, Сидоркин и Зотов, сработали на пару.

— Не думаю, чтобы это был Зотов, — с сомнением произнес Стас. — Чтобы Егорыч ему такое простил? Да никогда!

— При чем тут это? — удивился Лев. — Простил — не простил! Это такая мелочь перед лицом общей беды! Просто они оба очень любят детей!

СОДЕРЖАНИЕ